·劳动论全集·

劳动论

On Labour

钱津／著

社会科学文献出版社
SOCIAL SCIENCES ACADEMIC PRESS (CHINA)

亦欲以究天地之际，通古今之变，成一家之言。

——司马迁

全集序

劳动并不专属于人类。劳动是自然界中的生物为了生存与自身以外的自然进行非生理性及非植物性交流的基本活动。在人类劳动出现之前，自然界只存在动物劳动。科学的研究证实，人类劳动起源于动物劳动。远古时期，有动物劳动；现时代，仍然有动物劳动。只是，经过了漫长的岁月，现时代的动物劳动相比远古时期的动物劳动，几乎是没有变化的。然而，人类劳动就不一样了，相比之下，现时代的人类劳动的生产创造能力远远超过古代人类劳动。人类劳动的起源及其起源之后的400多万年的发展，应该说是这一历史时期之内自然界发生的最伟大的变化，同时也是劳动发展的社会历史进程中产生的重大的突破和提升。

将人类劳动称之为劳动，用类概念表达种概念，是现代人的习惯，也是经济研究文献中通用的提法，并不严谨，却也不至于使人产生误解，将动物劳动表示为人类劳动，或是分不清人类劳动与动物劳动的区别。因而，在经济学理论研究之中，除非特别需要明确加以区分，一般是允许用劳动范畴只表示人类劳动的。习惯上人们也是将生产中的人的活动称之为劳动的，即是将单纯的劳动主体活动称之为劳动，这样的习惯是不能作为理解和认识劳动的依据。凡是进行经济研究，都绝不能忽略劳动客体的存在及其与劳动主体结合发挥的作用。这一有关劳动整体性的问题看似简单，实际上是非常重要的，关系到理论研究的起点是否与客观事实相符，即关系到人们对于社会经济生活的认识是否具有最基本的科学性。

从1990年起，我开始研究劳动，并将这一范畴作为政治经济学研究的最基础范畴。1994年初，由企业管理出版社出版了《劳动论》第一版。现在是相隔10年之后，由社会科学文献出版社重新出版此书。虽然在这10年之间，全球社会发生了巨大变化，特别是许多社会科学理论工作者的认识明显地向前推进了，但《劳动论》的基本思想在今天表述仍是处于科学的最前沿，其创新具有划时代的意义，是人类第一部打破社会科学思维方式封闭性的原创理论著作，这表现在辩证唯物历史观和常态劳动观以及劳动完善化论的提出与阐释。为了保持学术研究的历史本来面貌，在这次再版中，对全书的文字未做太大改动，主要是修正了第一版排错和漏排的文字。而第二版与第一版相比已不同的是，此版《劳动论》是与续集《劳动价值论》（1998年完成，2001年社会科学文献出版社出版）、再续集《劳动效用论》（2003年完成）合为全集出版发行。这套书的出版标志着经过长久的艰辛努力，我的相对完整的政治经济学学术基础研究计划的完成。

钱　津

2004年4月8日于北京

目　录

第三篇　劳动主体与劳动客体

第四篇　社会必要劳动与复杂劳动

第五篇　现时代劳动与劳动完善化

导　言

《资本论》问世以来，人类生活发生了两件最重要的大事。一件是：发生了两次世界大战，军事工业即“杀人的工业”蓬勃发展，规模暴胀，系统增强，技术更新，最尖端的科学技术成果用于武器的研制，造出了魔鬼般的不可思议的但却真实的原子弹，日本广岛、长崎上空相继升起的巨大的原子弹蘑菇云，在人类战争史上划下了两个令人深思的巨大叹号。再一件是：出现了电子计算机，实现了劳动工具从延展人的体力向延展人的智力的根本变革，进而电子计算机微型化的成功直接导致了载人登月飞行的成功，月球上首次留下了人类的足迹，正如第一批踏上月球的宇航员所说，对于人这虽然是很小的一步，但对于人类却是一个伟大的飞跃。从马克思主义政治经济学研究来看：前一件大事使得全人类从此陷入核恐怖之中，极为突出地表现了战争比剥削造成更严重的人世苦难。后一件大事表明人类劳动的技能发生了质的变化，人类终于有能力打破地球封闭的生存空间，终于打开了通向天国的大门。这两件大事都是以往理论未曾料到的。在以往的理论概括中，对于剥削的研究胜过对于战争的研究，将人间的苦难主要归结于剥削；而且，对于人类劳动技能的认识是保守的，基本上只是站在机器大工业的基础上展开的一种分析地球封闭空间的社会经济生活的理论。

显然，“新的事实迫使人们对已往的全部历史作一番新的研究”。[①] 这种研究是理论发展的需要，也是对实践提出的挑战的回答。当今，在马克思主义经济理论界，早已公认理论特别是基础理论落后已经使社会主义经济实践遭受重大挫折。长期以来社会主义经济制度的优越性没有充分发挥出来，是造成东欧剧变和前苏联解体的重大原因之一。在我们已无法用原有理论来解释现实时，必须要做的工作就是要创新理论，没有科学的理论指导的实践只能是盲目的实践，而盲目的实践终归是于事无补的。

目前，经济理论的落后是与整个社会科学理论的落后相一致的。社会科学理论的落后突出表现在思维方式的封闭性上。自然科学的思维方式早在本世纪初就进入了无限的宇宙空间，爱因斯坦的相对论的提出，表明他已经能够站在宇宙的高度来抽象地思考物理学理论，而不再是直观地认识或局限于地球空间来分析认识问题，他的著名的思想实验可谓是自然科学思维方式驰骋于宇宙的典型。近一个世纪以来，从宏观到微观，自然科学的思维方式不断地开拓、突进，结出了累累硕果，现时代的人无不享受到高度发达的自然科学带来的高度发达的物质文明，最简单的事实是电视机已在全世界普及。然而，相比之下，社会科学的思维方式还一直保持在传统的封闭的社会生活形成的模套中。至今人们脱不开只认识地球封闭生存空间的社会的樊篱。本来现代自然科学的发展已经显示了人类将进入宇宙太空生活的希望，但在社会科学家脑子里却还认定人类只能生活在地球有限的生存空间里，所有问题的思考条件都跳不出封闭的地球允许的限度。这其实是社会科学落后于自然科学的关键点。也可以说，这是造成当今世

① 《马克思恩格斯选集》，第3卷，人民出版社，1972，第66页。

界一方面物质文明高度发展和一方面精神文明严重危机的一个重要原因。比起跃入宇宙的自然科学的日新月异，当代自囚于封闭的地球内的社会科学显得苍白无力。封闭式的社会科学研究已经使许多有朝气的人变得迟钝、呆滞起来，或甘于守摊，或漫步四野。人们已经认识到一个民族、一个国家封闭起来是没有希望的，但却没有认识到整个人类的社会生活封闭起来也是没有出路的。宇宙，绝不单单是自然科学的领地！凡是自然科学进入的空间，社会科学都要进入，不然，社会科学就跟不上自然科学的发展，社会科学的发展就不能满足人类生活的需要。将思维的触角展向无限的宇宙，是社会科学思维方式进步的客观要求，只有实现了这一客观要求，社会科学才能在自然科学已经取得重大认识突破的基础上也取得相应的认识飞跃。经济理论是社会科学理论发展中最重要的部分，因而思维方式的转换对于理论研究的推进尤为重要，思维的抽象力必须要打破地球封闭空间，从宇宙无限开阔宽广的生存空间来认识人类社会经济生活的历史和现实，认识人类社会发展的基本规律。

马克思主义政治经济学建立的基础是《资本论》，因而，当代马克思主义政治经济学的发展仍然要以《资本论》为基础。在新的事实面前，在新的思维方式下，我们要将马克思主义政治经济学的研究推向时代的风口浪尖，让新的理论冲击着疾风险浪而诞生。我们将以资本的研究为基础研究劳动。这对马克思主义政治经济学研究，具有更为广泛的概括范围和更为深刻的基础意义。

劳动是人类创造物质和精神财富的活动，具有自然属性和社会属性。“劳动首先是人和自然之间的过程，是人以自身的活动来引起、调整和控制人和自然之间的物质变换的过程。”① 在这

① 马克思：《资本论》，第1卷，人民出版社，1975，第201页。

一过程中，还包括人的自然化中的人与人的关系和人化自然中的物与物的关系。劳动的自然属性是自然科学的研究范畴，劳动的社会属性是社会科学的研究范畴，哲学则是对自然科学和社会科学的概括总结。经济学是社会科学的基础，是从总体上研究劳动的社会属性。这不同于政治学、法律学、管理学等学科只各侧重劳动的社会属性的一个具体的部分或方面进行研究。政治经济学是经济学的基础，政治经济学研究的只是劳动的最基本的总体的社会属性，或是说，政治经济学是从最基础的层次研究劳动的人与自然和人与人的关系。

从广义上讲，劳动是马克思主义理论研究的基础，因为这一理论本身是“在劳动发展史中找到了理解全部社会史的锁钥”。[①]从狭义上讲，劳动是马克思主义政治经济学研究的基础，因为劳动价值论是它的最基础理论。但是，人们都能看到的是，迄今为止，不论是广义还是狭义，这一基础的研究都还未能得到应有的重视。作为理解社会的锁钥，只限于对原先已有的劳动发展史说的认识，至今几乎还未有专门研究劳动发展史的马克思主义理论著作，对辩证地分析人类劳动的起源、发展和未来缺乏系统性的创造研究与综合。作为劳动价值论的基本内容，在整个政治经济学体系中研究得很少，至今仍多是只研究价值，而不进一步研究劳动。

我们对劳动的研究将弥补这一缺陷。这将与资本的研究有所不同。资本的研究是在经济形式分析方式下进行的，人们熟知《资本论》开宗明义第一段话就讲：“资本主义生产方式占统治地位的社会的财富，表现为‘庞大的商品堆积’，单个的商品表现这种财富的元素形式。因此，我们的研究就从分析商品开始。”[②]

① 《马克思恩格斯选集》，第4卷，人民出版社，1972，第254页。

② 马克思：《资本论》，第1卷，人民出版社，1975，第47页。

在经济形式分析上，劳动是无差别的。而我们是研究劳动的内容的总体的社会属性，恰恰是要区分劳动的差别，正是要通过认识劳动的差别来认识劳动的发展，来认识劳动发展的社会作用。严格说来，资本只是劳动过程中的一部分要素，因而资本的研究是以资本要素作用为主进行劳动过程的研究。而我们研究劳动，则是对劳动过程中的全部要素做综合考察，从过程的整体作用中探索与过程中单一要素作用的不同规律。以历史的眼光来看，资本主义是劳动发展中的一个特殊阶段，对资本的研究仅是对于劳动发展中的一个特殊阶段的研究。而我们的研究是对劳动的起源、发展和未来的完整进程做出全面的辩证的认识。除此之外，我们还将战争置于最基础的经济内容的变化中研究，因为现实已经表明，暴力作为一种经济力对人类生存的影响比剥削的残酷性更严重。总之，我们的研究将要站在现时代劳动发展的高度，回顾和概括人类劳动发展的历程，以进一步科学地揭示社会的基本矛盾，科学地揭示整个人类社会发展的最基本的经济运动规律。

“劳动是生产的真正灵魂”。① 我们将依次研究劳动的社会性、劳动的惰性、劳动的内部对立性、劳动的必要性和劳动的完善性。在劳动的社会性研究中，我们将分析人类劳动起源表现出的人类劳动的质的规定性及其与动物活动的区别和联系，对历史的和现实的社会经济生活内容确定与以往理论认识截然不同的基本认识观，在对劳动辩证研究的基础上具体地推进马克思主义历史观的发展。然后按照新的辩证的劳动区分基础，我们进而提出对生产劳动与非生产劳动的抽象认识。为了分析政治经济学中这一老大难理论，我们不得不从提出这一问题的始祖——英国著名的古典政治经济学家亚当·斯密的著作谈起，其后再一点点地细

---

① 《马克思恩格斯全集》，第42卷，人民出版社，1979，第100页。

抠马克思对这方面理论的见解，直至讨论现时代理论界的分歧。这样做虽然枯燥、繁琐了一些，但对于能拿出富有新意的研究成果，确实是必要的。接下来，我们的研究进入劳动的内部，分析劳动内部矛盾中的对立关系。通过这一研究，我们将展示人类劳动辩证发展变化的内在的客观依据，阐明对社会的基本矛盾的认识必须进深到人与自然的对立之中，回答当代人最迫切需要解决的对社会主义的本质认识和社会主义的发展命运问题。在研究劳动的必要性的过程中，我们将劳动的内部矛盾作用展开到劳动外部进行分析，根据现时代劳动发展的事实，重新探讨简单劳动与复杂劳动的关系，并详细阐述复杂物质劳动与复杂精神劳动对社会主义实现和发展的作用。最后一部分，我们将现实地讨论消灭剥削和消灭战争的问题，站在全人类的生存要求的角度认识人类劳动的完善问题，展望共产主义劳动前景。

我们的研究将不涉及价值论问题，也不涉及经济运行问题。对这两个基础问题，我们以后将作为续集分别另文专述。我们这里展开的研究，是整体性的和最基础性的。在现时代，许多理论领域被分得很散很细进行研究，这些研究不乏卓有建树的，人们为此而感到自豪是正当的，因为事实上这些研究是十分必要的。但是，与理论的开创时代相反，现在人们对整体性和基础性的研究很少问津，以为那种投入是很不务实的。这已经给理论的发展造成了障碍，因为拆散的研究终归不能代替整体性和基础性的研究，就像整体性和基础性的研究不能代替拆散的研究一样。整体性和基础性的研究把握的是学科认识的基点，只有基点正确了，往后的逻辑推理才有真实的和完整的意义。

对劳动的研究将为马克思主义政治经济学注入新的活力。从劳动出发而不是从资本出发认识资本主义的存在和社会主义的产生，给科学的研究带来了更开阔的眼界。完整的劳动进程的分析将明晰地塑划出人类认识自身的锁钥。现时社会主义实践遇到的种种理论难题将会从对劳动的辩证认识中找到解决的通达出路。而马克思主义政治经济学的推进必将为以马克思主义为核心的全人类的进步事业奠定坚实的理论基础。

我们不愿将前人的认识当做光环套住自己并炫耀自己，我们只是想将前人的努力成果当做认识的阶梯踏上去继续向高处登攀。但或许，我们的心愿是好的，而气力恐怕还不足。

正如恩格斯所指出的那样：

> “我们还差不多处在人类历史的开端，而将来会纠正我们的错误的后代，大概比我们有可能经常以极为轻视的态度纠正其认识错误的前代要多得多。”①

① 《马克思恩格斯选集》，第3卷，人民出版社，1972，第125页。

第一篇
劳动的社会与社会的劳动

第一章　劳动是人类社会存在的基础

人类是在劳动的起源中起源的。劳动是人的本质，涵蕴着人与自然的联系，支撑着鲜活的人间。劳动的存在标志着人类社会的一切的存在。

一　劳动的起源与人类、人类意识、人类社会的起源

人类学家认为，人类起源于古

猿，人猿同祖。根据世界各地发掘的化石考证，古人类学的传统观点是：人与猿是在第三纪的中新世开始分化的，由南方古猿发展成为原始人类，南方古猿则是约200万年前由腊玛古猿演化的，腊玛古猿则是约1500万年前由一种森林古猿演化的，而森林古猿是各种现生猿类的祖先。待到1980年前后，由于运用分子生物学研究取得进展，古人类学提出了关于人类起源的新认识：人和猿的分化距今不过400万～500万年，走的不是一条直线道路，而是分散的多头并进之路，腊玛古猿在人类起源中不一定是主角。而且，进一步的研究表明：在生物界，可能人类独占一科一属的情况要改变，按照生物大分子DNA（脱氧核糖核酸分子）测定，归于人属的似乎可有4种：即人类、人科人属黑猩猩、人科人属俾格米黑猩猩、人科人属大猩猩。[①] 而对远古时代的划分，“现今人类学上通行的观点是以能否直立行走作为区别人和猿的标志；能两足直立行走的高等灵长类便归入人类。”[②]

作为人类学研究的认识基础，哲学对人类与动物的区别做了更高层次的概括。早在马克思主义哲学产生之前，黑格尔就提出劳动是人类与动物的本质区别。黑格尔认为：劳动是人类与自然界之间的一种中介活动，是理性的产物。劳动既是一种创造性形成的对象化活动，又是一种人的自我创造的非对象化活动。劳动既是个人的活动，又是社会的活动，人类劳动具有社会性，劳动不仅创造了人，也创造了人类社会。马克思在早期研究中，针对黑格尔的上述思想批判地指出：“他把劳动看作人的本质，看作人的自我确证的本质；他只看到劳动的积极的方面，而没有看到

---

① 这种新的分类法已经引起学术界的激烈争论，因为其涉及对黑猩猩和大猩猩的保护与研究等一系列问题。参见周立明：《新的人猿分野理论》，《自然与人》1986年第1期。

② 吴汝康：《古人类学》，文物出版社，1989，第63页。

它的消极的方面。劳动是人在外化范围内或者作为外化的人的自为的生成。黑格尔惟一知道并承认的劳动，是抽象的精神的劳动。”[①] 但同时，马克思也肯定“黑格尔的《现象学》及其最后成果——作为推动原则和创造原则的否定性的辩证法——的伟大之处首先在于，黑格尔把人的自我产生看作一个过程，把对象化看作非对象化，看作外化和这种外化的扬弃；因而，他抓住了劳动的本质，把对象性的人，现实的因而真正的人理解为他自己的劳动的结果。”[②] 在马克思主义哲学体系中，劳动不仅是理性的，而且被赋予实践的意义。恩格斯在《劳动在从猿到人转变过程中的作用》一文，依据自然历史和自然科学的分析，做出“劳动创造了人本身”[③] 的论断，众所周知，这一论断是马克思主义哲学基本理论观点之一。

但是，现在学术界，有一种看法认为不能说劳动创造了人，对恩格斯的论断提出了质疑。[④] 理由是劳动专属于人，没有人便没有劳动，劳动不能先于人存在。如果仅仅按词语意义上的悖论讲下去，说明劳动的形成与人的形成是同期的事情，因而不便讲劳动创造了人，以免使人误会在人之前就存在专属于人的劳动，应该说，是有一定道理的。可是，人们并不光这样认识，有的文献提出两种劳动的区分，即一种为动物本能劳动，一种为人类原始劳动，进而认为是动物的本能劳动创造了人。这就使问题复杂化了，但对解决问题并无益，甚至可以说更引起混乱。本来，人是由动物演变而来，人类劳动是由动物本能劳动演变而来，不会存在歧义。然而，将动物的本能劳动看成对人类的起源起决定性

---

① 马克思：《1844 年经济学哲学手稿》，人民出版社，1985，第 120 页。

② 马克思：《1844 年经济学哲学手稿》，人民出版社，1985，第 120 页。

③ 《马克思恩格斯选集》，第 3 卷，人民出版社，1972，第 508 页。

④ 参见《自然辩证法通讯》1981 年第 1 期。

作用，就确定造成一种创造人的劳动在人之前存在的误解。这也就难怪有的文献中，一方面批驳动物本能劳动创造人的观点，另一方面又坚持“先有劳动，然后才有人类”。[①]

问题的关键是，我们需要认识，人类劳动的形成和人类的形成是一个同步进行的漫长过程，并非瞬间实现的事情。从动物的本能劳动转化成人类劳动，从动物古猿转化成人类，尽管外表看不出多大的变异，[②] 但却是我们所在的星球上的最重要的质变。这是一种渐进的质变，有过程的起点，也有过程的终点。所以，在劳动与人类形成的关系问题上造成一定的误解还在于，我们的传统观点一直认为“当第一把用燧石做成的石斧出现以后，类人猿的‘手’变成了人类的手，类人猿的活动变成了人类的生产劳动。”[③] 也就是说，仅仅凭刚刚出现一把极简单极粗糙的工具，就认为人类形成了，人类劳动形成了。这种说法没有认识到古猿向人类、古猿劳动向人类劳动的质变需要长期的过程。其实，一把工具的产生只能是这一过程的开始，而绝不能是过程的结束。任何种的确定都要有一定数量的保证。一把石斧显然是远远不够的，它只能说明这种劳动和掌握这种劳动技能的古猿还只是自发的、个别的、偶然的现象，它不能满足形成新种生物所需要的最低量的要求。一把石斧自发地出现以后，很可能又随之自发地被湮灭。没有自觉的实现，就永远只是偶然的实现，而不会有必然的稳定。因此，绝不可将自发的工具出现等同于自觉的工具出现，将偶然的事情作为必然来看待，将一把石斧的产生看做人类

① 杨堃：《原始社会发展史》，北京师范大学出版社，1986，第 56 页。

② 这一点，凡是参观过古生物博物馆的人恐怕都有体验，没有专业知识，很难区别最原始的石器工具与普通石块有什么不同。

③ 艾思奇主编：《辩证唯物主义和历史唯物主义》，人民出版社，1978，第 56 页。

和人类劳动形成的标志。否则，我们的认识就会从科学的起点走进臆想的迷途。

个别的、偶然的石斧出现只是个别的古猿偶然的朦胧的思维成果的外现，待到包括石斧在内的原始工具的使用成为普遍情况的时候，也是一个漫长的思维质变即人类意识形成的质变过程完成的时候。个别的智力落成了个别的工具，是古猿脑活动向人类思维质变的起点，这一起点与古猿向人类质变、古猿劳动向人类劳动质变的起点是一致的。它们之间是同生同长的关系，同样都需要有质变发展的稳定过程。只有经过漫长的过程，朦胧的制造原始工具的思维能力才成为一种原始的自觉能力巩固下来，传播开来。传播是巩固的手段，而愈巩固又愈有利于传播。人类形成所要求的群体基数是依靠这种能力的传播实现的。即使在发达的今天，创造性的思维也总还是少数，绝大多数的人的绝大部分思维内容是获取性的，是模仿别人而不是创造，但这种经过传播媒介普及的模仿是有利于创造性的巩固和发展的。人类的出现是自然界的质变，或更确切地说，是自然界的局部质变，而这种质变的核心是人类思维的出现，是具体而不是抽象地表现出的自然的产物对自然本身内在联系的一定的认识。最原始的工具就体现着最初的对自然本身内在联系的能动反映，而迄今为止的、并且还在延续下去的人类劳动的发展不过就是这种反映历史地不断加深和扩展，人类正是在其中强化了自身与自然的联系和逐步提高了生存的本领。所以，人类意识的最重要部分是包含在人类劳动之中的，是劳动意识，它是与人类劳动一同起源的。

虽然，在远古，就有殡葬文化和饮食文化，显示出人类意识的特有表现；在现代，人类生活的一切喜怒哀乐，爱的欢歌与死的恐惧，无一不是意识的活动内容；但是，无论在何时，劳动意识都是人类意识的基础部分。脱离劳动，无所谓人类意识；脱离劳动意识，无所谓人类劳动。劳动意识以外的人类意识，是派生的、次要的部分，当然，它们也是必要的。在人类认识史上，残存着将这些次要、派生但却必要的意识看做人类精神世界主体的观念，不仅主次颠倒，而且割断了劳动意识与派生意识间的联系，所以，在这种观念下强调意识对人类的作用，是空洞的、玄虚的，只能通向神学的大门。事实上，意识的作用是实实在在的，是植根于劳动的。突出意识在劳动中的作用，就是突出脑的作用。与手相比，脑是更重要的。劳动的脑是支配劳动的手的，这同样是物质世界而不是纯精神世界，劳动的脑在劳动中的物质作用是主导的，是决定性的，只看到手的作用，看不到脑的作用，将脑的作用推向纯精神世界，是无法说明动物的本能劳动与人类劳动的区别的，因为最笨的猿手也能做人手的简单动作，这是由人类学家屡屡试验所证明了的。动物本能劳动与人类劳动的最根本区别在于动物的脑与人类的脑的功能有质的不同，人类脑的思维活动具有突破自然既定模式的创造能力，它表现为工具的制造和对自然能动的改造，而最聪明的猿脑的创造能力也是微乎其微的，几乎在自然界留不下它们的一点点创造痕迹。

生物学的研究表明，发达的脑容量和脑结构是人类意识形成的物质基础。但是，从意识萌芽的产生，到传播、巩固、稳定下来，走完漫长的质变过程，人类意识的起源还需伴有一定的社会条件，或是说，它与人类社会的起源也是同步的。一把石斧的出现，是偶然的劳动意识萌芽的产生，而这种萌芽必然要产生在群体生活之中。恶劣的自然生活环境使每一只脱离了群体的古猿都无法活下去。群体活动范围加大使古猿脑接受自然界和自身活动的刺激信号比个体独处要多得多，这有利于脑活动能力的提高和飞跃。所以，产生劳动意识萌芽的古猿生活群体是人类社会的萌芽。正是在社会萌芽的培育下，不仅意识萌芽产生，而且得以生存下来，再往后，更是随着群体生活社会性的不断增强，古猿自发的劳动意识萌芽才逐渐地传播、巩固，完成了质变过程，成为原始人类劳动意识。同时，这种社会性增强的过程也是古猿群体社会向原始人类社会质变的过程。

人类的存在，离不开劳动，离不开意识，离不开社会。但并非先有劳动，再有人类；并非意识与社会的起源游离于劳动的起源之外。劳动的起源与人类的起源是同步的，意识的起源和社会的起源与劳动的起源亦同步。这同步进行的起源过程是漫长的质变过程，在这个过程之中，劳动与人类意识、人类社会、人类都尚在形成中，我们不能将尚在形成中的劳动称之为人类劳动，同样，也不能将尚在形成中的人类意识、人类社会、人类称之为人类意识、人类社会、人类。只有在质变过程结束时（确切地讲，这是一个模糊的时间段），才有最早的原始人类劳动、原始人类意识、原始人类社会、原始人类。在同步的质变中，劳动的起源决定人类、意识、社会的起源，正是在这个意义上，我们才说，劳动创造了人。

二 劳动是人的本质

人类区别于动物，在起源时代是劳动起决定作用，意识和社会的作用都体现在劳动之中，而这一点延续至今仍然是最根本性的。只不过劳动本身已经历史地发展得更加丰富、复杂。劳动是时时更新的，人类随更新的劳动发展，在劳动的延续中存在。这表明，劳动是人的本质，与人同存。劳动的变化就是人的变化，没有劳动就没有人。在今天，人的生活与动物的生活，区别是显而易见的。人所具有的而动物所没有的东西太多了，但我们不能将所有的区别都归为本质区别。只有劳动是人与动物的本质区别。

黑格尔对人与动物的本质区别是劳动的论断，在哲学发展史即人类对自然与自身认识史上具有重要意义。超脱具体做高度的抽象是黑格尔哲学的特征，正因此他越过了他的前辈，抓住了人的本质。他的思想精华给后人留下灼炽的启迪。但是，在他的精神哲学中，劳动的作用被归结为实现自我意识，成为抽象的绝对精神范畴而脱离了现实物质世界。他认为："正是自我意识的外在化建立了事物性，并且这种外在化不仅有否定的意义，而且有肯定的意义，不仅对于我们或者自在地有肯定意义，而且对于自我意识本身也有肯定意义。对象的否定或对象的自我扬弃对于自我意识所以有肯定的意义，或者说，自我意识所以认识到对象的这种虚无性，一方面，是由于它外在化它自己；因为它〔自我意识〕正是在这种外在化过程里把自身建立为对象，或者说把对象——为了自为存在的不可分割的统一——建立为它自身。"①也就是说，人才成为人。不用说，黑格尔的思想是深刻的。他不仅看到了事物的本质，而且看到本质的发展；不仅看到了本质的发展，而且认识到本质的发展是一种辩证的过程。这里，我们不对他的哲学方法做进一步探究，只是指出，黑格尔把劳动架空了，从而将人的本质虚幻化了。纵使人与动物之间，精神是最显著的区别，但我们绝不能忽略人类精神的物质基础，精神说到底也是一种物质形态的存在，将精神与物质绝对分开，并只讲纯粹精神的意义，是认识的错觉。人类劳动是整体的存在，精神劳动只是整体中的一个部分，尽管是高层次的部分，但终归不能取代整体。打一个近似的比方，一个人吃了 3 只馒头才饱，但他不能认为只是第 3 只馒头让他吃饱的，前两只没有起作用。正是这个

① 黑格尔：《精神现象学》，下卷，商务印书馆，1981，第 258 页。

道理，我们才说，劳动是人的本质不能仅指精神劳动。所以，黑格尔对于人类本质的认识，既有天才的理解，又是片面的深刻。

在《基督教的本质》一书中，费尔巴哈讲道："究竟什么是人跟动物的本质区别呢？对这个问题的最简单、最一般、最通俗的回答是：意识。只是，这里所说的意识是在严格意义上的；因为，如果是就自我感或感性的识别力这意义而言，就根据一定的显著标志而做出的对外界事物的知觉甚或判断这意义而言，那末，这样的意识，很难说动物就不具备。"① 费尔巴哈把这种认识贯穿于他对人世间的一切创造物的分析上，认为"上帝不外就是人的本质。"② 显然，对于人类意识本身，费尔巴哈并没有从劳动意义上进行分析。因此，我们从费尔巴哈的认识中只能得到抽象人性的幻觉，不能汲取深刻洞察人类自身实在的力量。

毫无疑问，马克思和恩格斯对人的认识是黑格尔和费尔巴哈学说的批判发展。其所以能批判前人，只是因为他们站在了前人的肩膀上。历史是不能割断的。思想发展的脉络更不能被割断。正是由于有了黑格尔和费尔巴哈的认识，马克思和恩格斯才能做出批判。马克思指出："从前的一切唯物主义——包括费尔巴哈的唯物主义——的主要缺点是：对事物、现实、感性，只是从客体的或者直观的形式去理解，而不是把它们当作人的感性活动，当作实践去理解，不是从主观方面去理解。所以，结果竟是这样，和唯物主义相反，唯心主义却发展了能动的方面，但只是抽象地发展了，因为唯心主义当然是不知道真正现实的、感性的活动本身的。费尔巴哈想要研究跟思想客体确实不同的感性实体，但是他没有把人的活动本身理解为客观的活动。"③ 因此，马克

① 费尔巴哈：《基督教的本质》，商务印书馆，1984，第29页。

② 费尔巴哈：《基督教的本质》，商务印书馆，1984，第242页。

③ 《马克思恩格斯选集》，第1卷，人民出版社，1972，第16页。

思强调认识必须从实践出发。而最根本的实践就是劳动。如果我们将马克思的实践观理解为一个整体，那么马克思也就是强调要从整体上认识劳动对于人类的意义。所以，马克思做出了“人的本质并不是单个人所固有的抽象物。在其现实性上，它是一切社会关系的总和。”① 马克思所说的现实性，应是指劳动实践的现实性；所说的一切社会关系的总和，应是指劳动实践的一切社会关系的总和。对此，德国法兰克福学派的施密特博士的观点值得注意。他说：“在马克思看来，只有创造意义的上帝不存在，才能保证人的自由的可能性。人从本质上来看是不固定的；人的本质也不是在总体上表现出来的。”② 这种观点颇有独见性，然而却是与马克思的基本思想不相符的。固然，马克思的认识是逐渐深化的，他的早期著作不能代表他的最后思想，但是，在这一问题上，马克思并未有过人的本质不是固定的、人的本质不是在总体上表现出来的看法。即使在早期，马克思也是从人类劳动历史的整体看问题，他对黑格尔天才思想的肯定就基本上表明了自己的立场和态度。当然，马克思所讲的劳动是实践性的，不是黑格尔精神的特指，也不是费尔巴哈意识的提升。马克思认为：“整个所谓世界历史不外是人通过人的劳动而诞生的过程，是自然界对人说来的生成过程，所以，关于他通过自身而诞生、关于他的产生过程，他有直观的、无可辩驳的证明。因为人和自然界的实在性，即人对人说来作为自然界的存在以及自然界对人说来作为人的存在，已经变成实践的、可以通过感觉直观的”。③ 因而，与黑格尔与费尔巴哈不同，马克思的根本认识是以劳动实践为基础的。对这一点，研究马克思的学者之间不应该存在分歧。

① 《马克思恩格斯选集》，第 1 卷，人民出版社，1972，第 18 页。
② 施密特：《马克思的自然概念》，商务印书馆，1988，第 28 页。
③ 马克思：《1844 年经济学哲学手稿》，人民出版社，1985，第 88 页。

人的问题，是哲学研究的永恒之谜。这并不意味着人的本质是不可知的，而只是说人的本质的实践是无穷无尽的。而每一代哲学家都会做出自己的时代的思考，而每一代的思考不过是上一代人思考的继续。这种思考延续到人类认识突飞猛进的现时代，人们对于劳动是人的本质的认识就比以往任何时代更清楚了。所以，我们要从现时代劳动实践的高度去考察前人的历史认识，透析出人类认识前进的轨迹，而不能模糊、摒弃前人思想，或是受前人思想的局限。哲学认识的生命力，在于要随着劳动实践的发展而发展。我们这一代就要做出我们这一代的贡献。

事实上，人的本质是劳动，还是一切社会关系的总和，其涵义是一致的。人是劳动的人，劳动是做人的基本条件。人类社会性与动物社会性的根本区别在于劳动，人类的劳动超越了一切动物本能的社会性质，实现了对自然改造基础上的保持自身存在的交往、沟通和繁衍。社会是劳动的社会，对劳动的传播是人类社会的最基本功能。人类通过自己的劳动创造了自己社会的一切，包括一切社会关系。因此，讲一切社会关系的总和是人的本质，也就是讲人的本质是劳动。由于劳动是历史的发展的，劳动的人也是历史的发展的，因而，作为一切社会关系总和的劳动是人的本质，绝非是空洞的和虚幻的。

18 世纪欧洲思想家卢梭的天赋人权思想，曾经在资产阶级民主革命中产生过重要的影响，这是人们所熟悉的。但是，在人的问题上，求助于天，或是说，求助于自然，只表现了思想家的愤怒，而没有增加理论的力量。自然虽然是慷慨的，但却并不能给人以权力。将人的权力归诸于天赋，是神助人道的翻版。人是人，并不是神，人的权力无需天赋，也不必神助。劳动是人的本质，是劳动赋予人做人的权力。没有劳动，就没有人；不劳动，就不是人。只有劳动才能得到人权。天赋人权与劳动赋人权思想的差别，实质是对人的本质的认识差别。从劳动的发展史中，我们可以洞悉全部人类史；相反，从天史或自然史中，我们是无法找到打开人类存在历史之谜的锁钥的。劳动作为人的本质，是我们对人类自身历史的最基本概括，是我们认识自身存在和自身社会存在的基础，因而，也是我们研究人类社会经济科学的基础。

三　社会化劳动的层次区分

哲学对具有社会属性的劳动即社会化劳动的研究是最高层次的抽象。在哲学的视野里所有的人类劳动都是社会化劳动，不存在没有社会属性的劳动，说劳动就是指社会化劳动。劳动成为现实的本身，不外乎是社会现实的本身。这也就是说，哲学范畴的社会化劳动的指称是最广泛的，劳动的社会属性等同于劳动的社会化。哲学的概括是以人为基点，从对全面的社会生活的高度抽象中做出的。社会的人的劳动是社会化劳动，正是在这种对劳动的社会属性的极终概括中，哲学确定了人类劳动的质的无差别性。这种无差别性是社会的人的种的无差别性的同义语。

政治经济学抽象的社会化劳动比哲学低一层次。政治经济学的研究接受哲学的指导，因此哲学的社会化劳动范畴对政治经济学的研究有直接的规范意义。哲学确定的人类劳动的无差别性的质同是政治经济学对人类劳动的质的无差别性确认的基础。哲学确定的社会化劳动的范围是对政治经济学考察人类劳动范围的限定。政治经济学只能在哲学限定的范围内研究，虽有自己的对社会化劳动的确定标准，但却不能超出哲学的规定。总之，对社会化劳动，有严格的哲学范畴和政治经济学范畴区分。问题的复杂性在于，在政治经济学研究中，因为受哲学的指导，这两种范畴的社会化劳动都要使用。

第二章　劳动是社会经济生活的实质内容

一　社会经济生活的形式和内容

任何事物都有形式和内容之分。形式是内容的形式，内容是具有形式的内容。内容决定形式，形式是被内容决定并为内容服务的。内容和形式的统一成为现实，事物才成为具体的现实事物。社会经济生活同样有形式和内容之分。迄今为止，已产生过两种经济形式：一种是自然经济，一种是商品经济。每一种经济形式都反映着社会经济生活内容的决定性要求。自然经济形式反映的是劳动产品自给自足的社会经济生活内容。商品经济形式反映的是劳动产品交换使用的社会经济生活内容。总之，不论形式如何，劳动是社会经济生活的实质内容。劳动的发展引起了经济形式从自然经济到商品经济的变化。研究社会经济生活，不能不研究经济形式，也不能只研究经济形式；不能不研究经济内容，也不能只研究经济内容。但是，与研究经济形式相比，研究经济内容更重要。因为同其他事物一样，经济的内容也是决定经济的形式的。若把握不住经济的内容，对政治经济学来说，就把握不住社会经济生活的实质，即使对经济形式的研究很深入，但只要对经济内容的研究跟不上，那我们就难以解决现实经济发展对政治经济学提出的理论问题。内容与形式，或是说，形式与内容，在现实中是不可分的，在理论上也只是相对分离。因此，对经济形式的研究不可能不涉及经济内容，对经济内容的研究也不可能不涉及经济形式。这可由全部政治经济学史来证明。问题是，包含经济内容研究的经济形式研究不能替代对经济内容的研究，如同包含经济形式研究的经济内容研究不能替代对经济形式的研究一样。政治经济学的研究必须要既研究经济内容又研究经济形式，这是全面揭示社会经济生活的内在联系所需要的。因而，政治经济学必须研究劳动，必须以经济内容的研究为基点与核心。

但在我们已有的理论中，研究基点是在经济形式上而不是在经济内容上，是在商品经济形式的研究中构造整个学科体系，而不是以劳动为核心进行人类社会经济生活发展的深层规律探索。对资本主义经济的分析进程大体是这样的：从单个商品形式开始分析，引出商品的二重性——价值与使用价值，说明劳动的二重性决定商品的二重性，抽象劳动创造价值，具体劳动创造使用价值。进而分析商品的价值形式向货币形式的转化，货币向资本的转化，以劳动力转化为特殊的商品形式为条件，确定资本主义商品生产的特殊性，区分不变资本与可变资本，揭示剩余价值生产的源泉。然后，进一步分析资本主义商品生产的积累规律，资本主义商品流通过程和资本主义商品生产总过程，做出资本主义商品经济必然灭亡的结论。对社会主义经济的研究基本上也是以商品价值形式的分析为体系的，以劳动做分析主线仅仅是少数学者的尝试。而且，这有限的尝试坚持范围的限定，即绝不把尝试扩展到对资本主义经济的分析上去。因此，至今政治经济学总体上停留在以经济形式研究为主的阶段。人们在认识商品经济形式的发展中，虽然也看到了劳动的发展，也科学地阐明了劳动对于商品生产的决定性作用，但却没有揭示出劳动本身的发展规律及其对整个人类社会经济生活发展的决定性作用。这样做的结果，造成严重的理论缺陷。

第一，现有理论没有从实质上阐释资本主义经济存在的历史必然性。而这种必然性正是资本主义经济现实发展的深层原因。我们以往主要是阐释资本主义经济灭亡的历史必然性，而且，是按商品经济形式发展的历史过程进行阐述的。相比之下，对于资本主义经济存在的历史必然性阐释得很少，并同样也是包含在对商品经济形式的分析中。现有理论认为：由于有货币的积累和大批生产资料被剥夺而只能出卖劳动力商品的劳动者，因而产生资本主义经济。这是商品经济发展的必然结果。资本主义经济创造了前所未有的巨大的生产力，但是，它的生产关系是与它创造的生产力不相适应的，最终会成为生产力发展的桎梏，因此，必须彻底推翻资本主义经济制度，剥夺剥夺者，将受压榨受剥削的工人阶级解放出来，用新的社会主义生产关系取代资本主义生产关系，适应生产力的发展要求。这其中，对资本主义劳动的分析是从属于对资本主义商品经济形式的分析的，对资本主义生产关系不适应生产力发展要求的论证超过了对资本主义生产关系在一定阶段适应生产力发展的论证。正由于整个论证不是从劳动这一社会经济生活的实质内容出发的，因而无法从经济的实质上分析经济发展的内在变化。并且，由于没有从实质上论证资本主义经济存在的历史必然性，我们对于资本主义经济灭亡的历史必然性的论证就还缺欠基本的必要的内容，就还不能满足我们自觉地进行社会改造即符合社会发展客观规律要求消灭资本主义经济制度的理论需要。我们从商品经济形式出发做出的分析，认为在资本主义制度下工人阶级将越来越贫困，最终导致连奴隶般的生活都维持不下去了，与资本主义经济现实的发展情况相距太远；对资本主义经济发展的原因只能做外在条件变化的解释，回避了对其深层内因的认识；对资本主义经济的灭亡也由近期的断定转向遥远的推测。而这一切，都源于我们未能从实质上把握资本主义经济存在的历史必然性。这样，就不仅使我们不能准确地认识资本主义经济存在和发展的现实，难以发挥人类在这一发展阶段上的能动作用；而且割断了人类社会经济发展史的认识，使我们难以从人类劳动发展的连贯性上来说明今天社会发展的复杂现实。

第二，现有理论没有揭示社会主义经济与资本主义经济的实质区别。我们目前对社会主义经济与资本主义经济的区别仅仅定义在生产关系的不同上，把生产关系的不同仅仅定义在所有制的不同以及由此决定的分配方式的不同上。这仍然只是一种经济形式上的区别，而不是经济实质内容的区别。而且，这种形式的区别还曾经一度被人为地夸大到极端的地步。似乎社会主义经济就是生产资料公有制加按劳分配，资本主义经济就是生产资料私有制加按资分配。所以，搞社会主义就是生产资料公有制的程度越公越好，按劳分配的收入越平均越好。在这种理论认识下，对社会主义经济发展造成的损失是人们目睹心印的。就中国来讲，1956 年进入社会主义初级阶段，1958 年搞“一大二公”、所有制升级，使生产流于严重的形式化，造成许多并非不可避免的经济损失。尔后，虽然国民经济反复调整，但影响经济发展的形式化问题依然严重存在。直到 1978 年进行经济体制改革，否定了越公越好的理论，确定了以公有制为主体多种经济形式并存的发展方针，农村实行联产承包责任制，城市工业实行扩大企业自主权的改革，才使得各方面的情况都有所好转，但由于没有能从根本上扭转理论存在的形式化问题，至今改革面临的困难重重。到底是从形式上区分社会主义经济与资本主义经济，还是从实质内容上区分这两种不同的社会经济形态，是一个重大的理论问题。要发展社会主义经济，政治经济学必须对此做出明确的回答。不然，没有正确的理论，就难以有科学的实践。一方面是资本主义的经济的迅速发展，一方面是我们还不能充分发挥社会主义经济的优越性，这就是现今世界的状况。而形成这种状况的根本原因，并不在实践上，而是在理论上。我们还不能从理论上阐明社会主义经济与资本主义经济的实质区别。政治经济学的这项理论工作之所以被延宕，是与自身整个体系建立在经济形式分析上而非建立在以劳动为基点、为核心的分析上直接相关的。经济形式的分析，必然包含经济内容的分析在内，但是它不能起经济内容分析为主的作用，不能阐明经济内容发展变化的实质问题。就此而言，我们现在既缺少对资本主义劳动发展变化的内在分析，也缺少对社会主义劳动发展变化的内在分析。这种缺少形成的理论空白，在尚未开始社会主义经济实践时还不易为人所察觉，因为那时还没有形成两种不同质的社会经济形态的现实对比。然而，在社会主义经济实践已经开始多年并且历经曲折的今天，这种缺少造成的理论羁绊已是很明显了。这不仅使我们无法抓住社会主义经济的实质，难以建立全面的完整的社会主义政治经济学理论体系；而且使我们无法敏捷地解决社会主义经济实践中已经发现的缺乏活力、影响发展这一关键问题，难以改革沿袭已久的已经与经济发展要求不相适应的经济体制。

第三，现有理论没有从实质上说明社会主义经济向共产主义经济转化的必要条件和基本特征。按照对经济形式发展做出的理论分析，我们现在是笼统地讲社会主义经济的根本任务是发展社会生产力，实现高度的物质文明和精神文明。在这一提法中，两个文明是目标和表象特征，不是实质上的必要条件和基本特征。因而笼统地讲发展社会生产力并没有揭示社会主义经济向共产主义经济发展的实质内容。因为发展社会生产力是人类进步的始终要求，是各个社会经济形态的根本任务，笼统地讲发展社会生产力没有说明社会主义阶段发展生产力的特殊性，而惟有其特殊性才能表明向共产主义经济转化的实质内容。然而，至今仍笼统地讲发展社会生产力，这就使理论一直不能从实质上说明实现社会主义经济转化的必要条件是什么，基本特征是什么。在这一问题上，笼统的讲法对今后长远的影响且不论，只就现时讲，也已经造成事实上的社会思想的混乱。因为笼统地讲发展社会生产力，我们一方面在理论上确定是社会主义经济的根本任务，另一方面又承认社会主义经济现实发展社会生产力的落后性，承认发达资本主义国家社会生产力的现实发展已经达到很高的水平，于是，在这种前提下，人们很自然就会顺理成章地推论出：资本主义经济并没有阻止社会生产力的发展，甚至比社会主义经济更有利于社会生产力的发展。可以这样说，现在公开地或潜在地存有这种混乱思想认识的人不是少数，但我们某些人可能没想到，致使人们产生这种认识混乱的，恰恰是由我们自己的理论缺陷造成的。事实上，对于社会主义经济向共产主义经济的转化问题，我们一直未能从经济内容上即劳动的内在发展变化上做出深刻的理论分析。

因此，总的说来，政治经济学研究必须严谨地区分社会经济生活的形式和内容，将研究的基点与核心落实在劳动上。

二　劳动与劳动的社会化

社会化劳动是一个历史性范畴。政治经济学的研究前提只能做这样的确定：在各个历史时期，只有进入社会经济生活领域的劳动属于社会化劳动。这有别于哲学范畴。在经济涵义的区分上，社会化劳动范畴不同于社会劳动范畴。社会劳动是与私人劳动或个别劳动相对应的，而社会化劳动则是与非社会化劳动相对应的。社会化劳动的历史性在于，它的范围是随着社会经济生活的历史发展而演进的，在一定的历史时期范围是一定的，在不同的历史时期范围是不同的。

在最初的原始社会，全部人类劳动都是社会化劳动。起始处于原始群体中的人类，相互间有着紧密的依存关系，每个人的劳动都具有直接的群体劳动性质，任何一个人都不能脱离群体而存在。[①] 在当时的生产水平下，人们只有依靠群体劳动的力量才能生活，否则，即使不饿死，也会被猛兽吃掉。因而，在原始群体劳动方式下，个人的获取性劳动是社会化劳动，个人的服务性劳动也是社会化劳动。个人的吃、穿、住是与群体生活融为一体的，群体是社会构成的基本单位。氏族制度产生以后，原始劳动仍还都是社会化劳动。在氏族中，人们以血缘关系为纽带结成劳动组织，共同劳动，满足共同的生活需要。由于生产水平低，全氏族的劳动成果，只能勉强维持生存，几乎没有什么物品可由个人支配，大家还是吃在一起，住在一起，简陋地以兽皮为衣。氏族劳动内部有分工，一般讲，男子从事农耕、狩猎、捕鱼、制造工具等获取性重体力劳动，妇女从事采集等获取性轻体力劳动和制衣、保管食物等服务性劳动，老人则帮助制造工具，妇女和老人还要照顾小孩。劳动的分工是自然性的，劳动的内容十分简单，劳动的条件十分艰苦。这就使所有的劳动，虽然水平非常低，但社会化的特征非常突出。大家共同享受共同劳动得到的生活资料，共同的生活维系着大家共同的生存，没有给非社会化劳动留下空间。

到了原始社会末期，生产水平相对提高，氏族的共同生产中

---

① 参见摩尔根：《古代社会》，商务印书馆，1977。

有了剩余财产。在此基础上原始公有制开始解体。氏族“各个家庭酋长之间的财产差别，炸毁了各地仍然保存着的旧的共产制家庭公社；同时也炸毁了这种公社范围内进行的共同耕作制。耕地起初是暂时地、后来便永久地分配给各个家庭使用。它向完全的私有财产的过渡，是逐渐完成的，是与对偶婚制向一夫一妻制的过渡平行地完成的。个体家庭开始成为社会的经济单位了。”①随着家庭的出现，经济学研究的意义上，便有了非社会化劳动与社会化劳动之分。

家庭，作为社会经济的细胞组织，是社会的人以血缘关系组合的基本单位，具有最广义的社会性。因此，从哲学一般意义讲，所有家庭的劳动都为社会化劳动。但是，政治经济学只从社会经济整体上研究劳动的基本的社会属性，所以要将社会化劳动限制在对家庭的生存和社会经济整体有直接联系的劳动的范围内。除此之外，均视为非社会化劳动或尚未社会化劳动。有了这种限定，政治经济学的研究才具有严格的科学分析意义。倘若非此，就要混淆哲学研究的劳动范畴与政治经济学范畴的区别，失去基础经济学研究的特征。家庭产生以后，其社会化劳动分为两大类：一类是自然经济形式下的维持家庭生存的劳动，因为家庭生存是社会经济整体生存的基础；再一类是家庭成员参与商品经济交换的劳动。其余是家务劳动，不论在自然经济中还是在商品经济中，家务劳动都属于非社会化劳动。各个家庭对于家务劳动有相对充分的支配权，不受社会经济整体的直接制约，也对社会经济整体不产生直接的影响。家务劳动种类繁多，但都是家庭自我服务性质，可随各个家庭意愿安排。比如做饭，同样的粮食可能在不同的家庭做出若干种饭，社会除非在极特殊的情况下绝不

① 《马克思恩格斯选集》，第4卷，人民出版社，1972，第160页。

会干涉。政治经济学不需要研究家务劳动。

奴隶劳动是一种社会化劳动。奴隶通常担任军事、畜牧、耕作、手工业、建筑、家内服役等劳动。不论做什么，奴隶都处在奴隶主的残酷压榨下。即使作战，奴隶们也是在受着极度的虐待下去卖命。在那特定的时代，奴隶劳动的社会化是在锁链锢铐下实现的。自由人的家务劳动不属于社会化劳动，但奴隶替奴隶主所做的家务劳动属于社会化劳动。这种劳动不是自我服务性质的，而是奴隶对奴隶主的一种服务。劳动的内容是家务，但身为奴隶的劳动者不是家庭的成员，因而他们的劳动是奴隶劳动，而不是奴隶主的家庭劳动。奴隶从事的社会化劳动包括军事劳动。这也是政治经济学必须研究的劳动。对于奴隶主的劳动，只要是社会化的，也是在政治经济学的研究范围之内。

从封建社会到资本主义社会，再到社会主义社会，一方面是自然经济逐渐衰落，另一方面是商品经济愈渐发达。凡进入商品经济圈的劳动均为社会化劳动。包括为商品交换而进行生产的但没有取得产品成果的无用劳动和虽取得产品成果但未能实现交换的无用劳动。譬如：一家新建企业，在一场意外的大火中化为灰烬，所有劳动都沦为无用劳动，但这并不影响其成为商品经济劳动，成为社会化劳动。在政治经济学看来，没有产品成果的无用劳动是社会商品经济整体中的损失，这在目前阶段几乎无法完全避免。再如，一家企业生产的产品全部积压在库，最后报废。政治经济学仍然要将这些劳动看做商品经济劳动的一部分，看做社会化劳动的一部分。这种损失也仍是社会经济整体中的损失，而且目前总要在整体中占有一定的比例。这里虽然讲的是极端情况，但现实经济中这种情况屡见不鲜，尤其是在经济低谷期间更随处可见。政治经济学不能将这类劳动排斥在研究之外，而且恰恰是由于现实存在这类劳动，才使商品经济运行的研究更为必要。

随着商品经济的发展，越来越多的原属家务的劳动社会化了。这是人类劳动整体的社会化程度提高的一种表现。政治经济学研究社会化劳动，并不以劳动的具体种类区分。同一种劳动，还以做饭为例，由家庭成员担负满足家庭生活需要的是家务劳动，在社会上成为一种专门职业满足社会需求的是饮食业劳动，前者是非社会化劳动，后者是社会化劳动。虽然同是做饭，但政治经济学不研究前者的做饭，只研究后者饮食业劳动。一个人的劳动，一旦脱离家庭自我服务性质进入社会分工，就自然地由非社会化劳动转为社会化劳动。在自然经济中，以家庭为劳动和生活的基本单位，劳动与生活是直接融为一体的，做饭、洗衣、清理卫生、照料小孩等等，都是非社会化的家务劳动，这些劳动在家庭劳动中虽不是基础部分，对家庭的生存不起决定性作用，但也是家庭劳动中不可缺少的部分，更是家庭生活中的必要内容。在商品经济发展还处于小生产时期，家庭仍还是劳动的基本单位，家庭就是作坊，家庭就是商店，雇工和学徒是在主人家庭环境中劳动和生活。但劳动的发展，使越来越多的家庭劳动解体，劳动组织逐渐脱离血缘关系而社会化，机器大工业的出现要求来自各个家庭的人集结在一起劳动，形成多种多样的社会经济组织，从而也就使这些来自不同家庭的人的家庭生活逐渐与自身劳动相分离。在这时的家庭中，家庭劳动几乎纯粹仅限于家务劳动。这种家务劳动是家庭成员已成为商品经济较发达阶段劳动者仍还保留的自我服务性质的劳动，是还未进入商品经济大运行圈的劳动。在劳动的这一发展阶段上，一般家庭劳动的解体还未造成家庭生活的解体，只是，在发展趋势上，人们的生活越来越社会化了，家庭生活在人们生活中的比重在下降，虽然至今家庭生活仍是人们生活的基础部分。正是在这一趋势下，越来越多的原属家务的劳动，随着人们生活的社会化，转向寻求社会组织形式，由家庭自我提供服务转为由社会提供服务，而成为社会化劳动。饮食服务业、洗染业、托儿服务业、生活用品修理业等等，渐渐兴起，以社会分工为前提与其他社会成员发生经济交换关系，为人们提供原属家务劳动提供的各种服务。这就使政治经济学的研究范围随之逐步扩大。坚持历史的科学的态度看问题，我们不难确认这一点。如果人们非要依据以前的研究范围来指责今天的研究范围，那么就只好像九斤老太一样，除了感慨与哀叹外什么事也做不来。确切地讲，政治经济学是要研究发展中的劳动和劳动的发展，不能将劳动看做一成不变的。在本世纪，我们还看到家庭劳动的另一种发展趋势，不是解体，而是在专业化上更细分了。家庭劳动所承担的往往不是一种完整的产品，而是产品整体中的某个部件或生产中的某道工序。以这种方式，家庭劳动参与社会化程度越来越高的商品经济分工。这种家庭劳动虽未解体，但其成员与其他家庭成员一样，生活也在走向社会化，因而，对原来家务劳动的需求，也逐步加入社会需求之列。在现时代，政治经济学的研究只能正视这一事实。

那么，社会管理劳动算不算政治经济学研究的社会化劳动呢？长期以来，我们对这一问题一直不明确。在社会生产和再生产理论中不提它，在社会分配理论中把它列为无偿分配对象。从今天理论发展的要求讲，必须对此给予明确。在原始经济中，社会管理是由最初的原始群首领，后来的氏族、胞族和部落首领及其协助者担负的。这些人的劳动的重要性是其他社会成员们能够直观并有共识的。中国古代有著名的大禹治水的故事，讲的就是部落首领带领众人治理江河以保民生最后成功的事。传说中对大禹的神化，表达了人们对当时社会管理劳动者的重要作用的肯定。进入奴隶社会以后，社会管理是由奴隶主担负的。奴隶主压榨奴隶劳动是一个方面，奴隶主完成社会管理劳动是其历史作用的另一个方面，对这两个方面都不能否认。在封建社会经济中，社会管理归王公大臣担任。在资本主义社会，社会管理由资产阶级代表人物担负。在社会主义社会，社会管理者是社会劳动者中的一员。在过去的认识中，对社会管理的作用和性质的不明确在于，不愿承认奴隶主、王公大臣及资产阶级代表人物的社会作用。而事实上这又是否认不了的，奴隶主、王公大臣及资产阶级代表人物的社会管理总具有二重性，一方面维护自己的统治利益，一方面维护全社会秩序。从维护社会秩序方面讲，不论哪个社会的管理劳动，都创造的是社会生产条件，这种生产条件对哪个社会的生产都是必要的，而且越到现代越是必要。因此，当今必须实事求是地承认各个社会形态的社会管理劳动是社会化劳动，承认其对社会发展的重要作用。卢梭在他的名著《社会契约论》中认为："在全世界的一切政府中，公家都是只消费而不生产的。"① 这颇能代表很多人的固有看法，但其实是很片面很狭隘的。从某种意义上讲，不论在哪一时期，社会管理劳动对社会经济整体的影响和作用，都比一定的部门、行业、企业的劳动重要得多。

义务劳动是一种特殊性的社会化劳动。义务劳动本身从属于各行业劳动，也需有齐备的劳动要素投入，只不过是劳动者本人不索取报酬。在当前社会经济发展阶段，义务劳动在全社会劳动中所占比重甚微，所以，政治经济学只能在社会发展的特殊意义上涉及义务劳动，而不必对其展开专门研究。

总之，政治经济学研究的社会化劳动不同于哲学研究的社会化劳动。这种明确，是政治经济学研究的科学逻辑基础。

---

① 卢梭：《社会契约论》，商务印书馆，1982，第104页。

第三章　人类劳动发展的自然历史过程

一　体力劳动、脑力劳动

人类的任何劳动都是脑力与体力结合的劳动。体力劳动与脑力劳动的区别只是指劳动者运用身体器官的侧重点不同。体力劳动是劳动者主要运用体力的劳动，脑力劳动是劳动者主要运用脑力的劳动。体力劳动与脑力劳动的区分及其发展变化是一个自然历史过程。

在原始社会时期，原始人协力劳动，生产水平低下，劳动者之间只有因性别和年龄差异的自然分工，并没有体力劳动与脑力劳动的区分，后来，劳动演进，促使原始社会经济出现了两次社会大分工，但主要用脑和主要用手的生产活动仍普遍融合在一般劳动大众身上。真正出现相对独立的体力劳动与相对独立的脑力劳动，是在奴隶社会。这是由于劳动生产水平的逐步提高，使得奴隶主可以强迫奴隶专门从事单纯体力劳动来满足全社会的物质生活需要，自己有可能脱离体力劳动束缚专门进行管理、研究、艺术方面的劳动。体力劳动与脑力劳动成为职业不同的劳动，既有劳动生产力发展的基础作用，又有奴隶制度的强制作用；既使奴隶劳动向单纯体力劳动方面片面发展，又使整个人类劳动发展有可能在脑力劳动的相对独立发展的作用下得到较快的推进。正是在这两种劳动的分离下，产生了古代东方和希腊、罗马的灿烂辉煌的奴隶社会文化。大批大批的奴隶在繁重的体力劳动和受严酷虐待的环境中死去，而人类古代自然科学和社会科学同时由少数专门从事脑力劳动的学者创立。人类社会在奴隶的尸骨上走出了那一段前进的历史。而后，随着社会的进步，体力劳动与脑力劳动又进一步分离。体力劳动者越来越从属于脑力劳动者，虽然正是体力劳动的相对独立才提供了脑力劳动迅速发展的条件。从此，劳心者治人，劳力者治于人，成为社会的常理和现实。但事实上，从劳动自身发展的物质基础讲，体力劳动的社会普遍化正是脑力劳动不发达的表现，或是说，是人类劳动的智力水平还很低下的一种自然状态；而脑力劳动的相对独立发展又是以大量的单纯体力劳动的片面发展为代价的。体力劳动在奴隶社会与脑力劳动的相对分离表明，人类在调整自身与自然的关系，提高认识自然的能力的进程中，起步是多么的艰难，代价是多么的沉重，而影响又是多么的巨大。不管今天脑力劳动以怎样体面、文明的方式继续演进，体力劳动在奴隶制度下发展的初期历史作用是要铭记的。

虽经数十世纪沧桑，但到如今，在全世界范围内，体力劳动仍占全人类劳动中的较大比重。体力劳动与脑力劳动的对立仍然严重。工作单调、繁重、有损健康、甚至有生命危险，仍还是体力劳动具有的特征。特别是在森林采伐、冶金矿山、煤矿井下、石油钻井、农田耕作等劳动中，在大多数国家，体力劳动都还占绝大多数。人类劳动的发展，直到今天，仍是以体力劳动的片面发展为代价，推进脑力劳动带动人类劳动整体发展。而且，不乏血的代价。采10亿吨原煤，按百万吨死亡率为1（在发展中国家大大超过这个数）计算，也要死难达1000人，而这，正是体力劳动者的生命付出。至于因公负伤、致残的人数，在体力劳动者中间的比例更是大大高于脑力劳动者。可以说，人类是以最大的痛苦忍受为后坐力换取劳动整体的进步。所以，从历史的角度来认识，我们不能否认体力劳动对人类劳动整体发展的基础作用；从现实来看，对此也更需要给予充分的肯定。体力劳动与脑力劳动至今分离的代价，是人类劳动整体发展中的代价。

与古代脑力劳动相比，人类现时代脑力劳动的发展水平已经相当高了。新技术革命的兴起，既是人类脑力劳动跃进的标志，又是继续飞跃的助燃剂。在历史既定的与体力劳动分离的格局下，今天脑力劳动的成果成功地引致了人类劳动整体对人化自然的突破。最显著的是：(1) 人类劳动进入了以电子计算机为中心的自动化阶段。(2) 人类终于突破了地球空间，实现了利用宇宙空间的起步。(3) 掌握了原子能的使用技术。(4) 生物工程的研究掀起了一场绿色革命，大大地提高了人类对生物的殖育能力。(5) 获取了大量的开发海洋资源的新技术，为现实的扩展生活资料提供了新的能力。总之，现时代脑力的发展，拓宽了人类的生存空间，打破了地球的封闭，将人类劳动的物质技术水平提高到一个空前活跃的新境地。这使脑力劳动在人类劳动整体中的地位显著升高，在社会经济生活中发挥着越来越大的作用。因而，现今社会，不论哪个国家的人，都应对创立新的科学理论和科学技术的现时代的脑力劳动者表示敬意。这些可敬的人们为全人类的生存与发展付出了艰辛卓越的努力，他们是现时代人类劳动能力的杰出代表人物。当今最优秀的脑力劳动者是当今人类最优秀的劳动者，这是新的时代的标志。不管当初人类脑力劳动产生的社会起点多么黑暗，我们今天都无可否认脑力劳动在现时代发出的亮点的光辉。

现今，体力劳动与脑力劳动仍然存在很大的差别。体力劳动要求劳动者必须有健壮的体魄，脑力劳动要求劳动者必须受较高的文化教育。体力劳动表现劳动者技能水平低，脑力劳动表现劳动者技能水平高，并且创造性强。体力劳动与脑力劳动的差别还表现出近似简单劳动与复杂劳动的差别。体力劳动基本上还是属于简单劳动，脑力劳动一般属于复杂劳动。现在，虽然简单劳动还较简单，但复杂劳动已经发展得很复杂了。

有一种观点认为，脑力劳动都是创造性劳动，不是创造性劳动不算脑力劳动。这是不贴切的。因为划分脑力劳动的标准，是看其是否主要运用脑力来工作，不是看其是否有创造性。因此，不应用创造性劳动的标准来衡量是否是脑力劳动。脑力劳动中事实存在着一定的非创造性劳动。还有一种观点认为，凡在办公室工作的劳动者都是脑力劳动者，凡在车间工作的劳动者都是体力劳动者。这也是不科学的。因为车间和办公室只是劳动场所的区别，不是劳动者运用体力为主还是运用脑力为主的区别。现在有些企业或机关，就专门设有照顾来宾的人员，做一点儿接待工作，而这只能是轻体力劳动。

从根本上说，体力劳动与脑力劳动的差别只是相对的。现时代这种差别正在渐渐地缩小，体力劳动中已经包含有更多的用脑的成分。最终人类劳动会走上取消体力劳动与脑力劳动的差别，结束二者分离的历史，实现以脑力为主脑体结合统一的发展道路。

二　物质劳动、精神劳动

最先产生的劳动是物质劳动，精神劳动是随着脑力劳动的产生才出现的。物质劳动与精神劳动的划分是以劳动的内在关系差别确定的，物质劳动体现的是人与人化自然的关系，精神劳动体现的是人与人的自然化的关系。对人化自然的认识，即人对自然的认识，是物质劳动的实质内容，也是精神劳动产生并存在的必要基础。对人的自然化的认识即人对自己的认识，是精神劳动的实质内容，也是物质劳动发展的必要条件。物质劳动与精神劳动的产品质态不同，物质劳动生产广义的物质产品，精神劳动生产带有社会历史特征的精神产品。

物质劳动与精神劳动的发展是相辅相成的关系。在原始社会，精神劳动以萌芽形式包含在物质劳动之中，这促使原始物质劳动走向成熟。而原始物质劳动的成熟也最终使精神劳动独立出来。此后，两种劳动一方面各自相对独立发展，一方面相互间保持着密切的联系。人类对人化自然的认识离不开对自身的认识，物质劳动的发展要依靠精神劳动的发展来处理劳动者及社会其他成员间的关系。精神劳动的压抑可导致物质劳动的压抑，如中世纪教会对自然科学家的残酷迫害严重地阻碍自然科学的发展。精神劳动的发展可促进物质劳动的发展，如 18 世纪的启蒙运动，成为近代物质劳动迅猛发展的铺路石。精神劳动的发展每每对社会关系进行大的调整，都会使物质劳动形成一次新的繁荣发展时期。而人类对人的自然化的认识，即对自身的认识，更离不开对人化自然的认识。人类生存在宇宙的一隅，对人化自然的认识是逐步扩展的，在远古只能认识地球上自身生活所处的局部区域，在近代才认识了全球空间，到现代才突破了地球空间的封闭。离开物质劳动开拓的认识人化自然基础，精神劳动无从认识人与人之间关系的社会历史性。现代人类精神劳动活跃，也正是建立在现代物质劳动高度发达的基础上。物质劳动的发展为精神劳动的认识深化提供了更新的认识方法和认识工具。从微观物质世界到宏观物质世界的认识开拓，从狭义相对论到广义相对论的提出，从电子显微镜到电子计算机的运用，都极大地有助于精神劳动取得时代认识的新的突破。

从历史发展的过程看，物质劳动与精神劳动的发展具有的共同点是：(1) 都是由简单向复杂发展。物质劳动最早是制造简单的工具，简单地采集野果，而后步步扩大劳动对象范围，提高工具水平，迄今已经掌握了宇航技术、原子能利用技术、微电子技术、光纤通讯技术等高精尖技术。精神劳动最初是原始宗教想像，氏族图腾崇拜，而后也步步扩大研究范围，由认识社会表层进入认识社会深层关系，由朴素意识发展到辩证思维，由简单的观念认识转化为系统的意识形态。(2) 两种劳动相互依存。精神劳动成果要借助物质劳动的产品形式来表现。比如，哲学研究的成果要印制成哲学专著保存，政府政策要依靠通讯系统下达。而物质劳动成果也总要打上时代精神的烙印。比如，我们一看到森严雄壮的古代皇宫建筑，就能感受到封建专制精神的象征性。(3) 都具有认识的飞跃性。一次科技革命，使物质劳动水平跃上一个新的台阶。一次思想革命，使精神劳动的发展跃进一个新的境界。

物质劳动与精神劳动的发展也有不同点：(1) 物质劳动具有广泛性。既包括直接的物质生产过程中的劳动，也包括为直接生产过程服务的劳动。既包括为人们物质生活消费服务的劳动，也包括为人们精神生活消费服务的劳动，即凡属社会生活服务劳动均为物质劳动。而精神劳动具有高层次的集中性。精神劳动属于上层建筑意识形态生产以及各级管理工作内容，是研究人的劳动。相对研究范围集中，层次高。不管社会经济生活具体内容多么丰富，精神劳动只是做概括的本质研究。(2) 物质劳动的发展水平集中体现在自然科学的发展水平上。精神劳动的发展水平集中体现在社会科学的发展水平上。

在此，我们需要指出，将精神劳动等同于脑力劳动是一种认识错误。这种错误认识混淆了精神劳动与脑力劳动划分标准的不同。精神劳动是研究人的自然化即人与人关系的劳动，而脑力劳动是主要运用脑力的劳动，固然，精神劳动是一种脑力劳动，它研究人与人的关系主要运用脑力。但是，却不能说精神劳动就是脑力劳动，因为脑力劳动还包括主要用脑工作的物质劳动。自然科学家、工程技术人员是脑力劳动者，但他们却不是精神劳动者。将精神劳动与脑力劳动混为一谈，也就是将精神劳动与脑力的物质劳动扯到一起不加区分了。说到底，这种认识的混乱，是没有认识到精神劳动对象的特殊性以及精神劳动在人类社会发展中的根本作用。

三　自然经济劳动、商品经济劳动

从自然经济劳动向商品经济劳动转化是人类劳动发展的又一自然过程。人类劳动以自然经济形式起源。在原始社会初期和中期一直保持着这种单一的形式，到了原始社会末期商品经济形式才出现，自此，人类劳动开始了由自然经济劳动向商品经济劳动的转化，至今，仍处在进行转化过程中。

自然经济劳动是以劳动者氏族或家庭为生产组织单位和消费单位的劳动。劳动受劳动者劳动能力和生活需要及生活环境的限制，一般只限于生产生活必需品，工具简单，技能水平低。其主要特征是：（1）劳动产品是直接满足劳动者所在经济组织成员生活需要的。在原始社会，其经济组织是氏族，各氏族的劳动者共同劳动，齐心合力，生产全族人需要的生活必需品。在奴隶社会，其经济组织是自由人家庭或奴隶主家庭。自由劳动者独自生产满足个人家庭生活的必需品。奴隶主家庭的生活需要主要由奴隶劳动提供。在封建社会，其经济组织是农民家庭或地主家庭。农民的劳动既要养活自己又要养活地主。在资本主义社会和社会主义初级阶段，自然经济劳动是正在消失的劳动，现时残存的经济组织仍是家庭。总之，原始社会以后，自给自足家庭经济便是自然经济劳动的基本表现形式。(2)劳动的经济资源主要是生物源。劳动者主要从事采集、垦殖、畜牧、狩猎、养殖等直接从生物源获取生活资料的劳动。采矿劳动很少，是附带在家庭劳动之中的。至于人文经济源，在自然经济条件下，不存在。(3)经济组织内部分工简单，基本上是综合性劳动。(4)人与人化自然的关系停留在靠天吃饭的阶段。劳动能力十分有限，自然对于人对自然能动作用的制约足以使劳动者还不得不处于自然的恩赐下过活。(5)劳动者之间是以血缘关系为经济关系的联系纽带。

人类劳动整体技能水平的提高，使自然经济劳动逐渐解体。取而代之的是商品经济劳动的兴起。其主要特征是：(1)劳动产品是直接为交换而生产的，是满足他人使用需要的。劳动者在满足他人对自己产品使用需要的基础上，使自身劳动成为社会有用劳动，并依此获得索取他人劳动产品满足自身生活需要的权力。(2)劳动的经济资源是全方位的。生物源、矿物源和人文源统统在劳动的范围之中。(3)社会分工越来越细。劳动向专业化社会化方向发展。(4)人与人化自然的关系渐次复杂。人的劳动能力获得发展的外部条件。(5)劳动者之间的关系相对复杂。而处理复杂关系的劳动能力也是随之提高的。

商品经济劳动在资本主义社会的发展超过了以往任何时期，而进入社会主义社会后仍然要继续发展。

四 第一次产业劳动、第二次产业劳动、第三次产业劳动

按照社会生产部门的划分，人类劳动经历了3个大的发展阶段，这就是从第一次产业产生，到第二次产业发展，再到第三次产业兴盛。第一次产业劳动是指以农业和畜牧业为主的劳动，起

点于原始社会，发展延续至今。第二次产业劳动是指工业各部门劳动，以资本主义工业大生产出现为标志。第三次产业劳动指广义的服务业劳动，虽然古已有之，但真正发展是在生产社会化发达之后，自20世纪50年代以来迅疾扩展，方兴未艾。

三次产业劳动的划分根据的是三次产业的划分。这种产业的划分，是由英国经济学家阿·费希尔和柯森·克拉克最早提出的。这种划分在世界上已经沿用了60多年。但在中国，采取这种划分方法还是近年的事。在1982年，中国正式采用了这种划分方法，并建立了相应的统计体系。

中国的划分是：

第一次产业：农业（包括林业、牧业、渔业等）。

第二次产业：工业（包括采掘业、制造业，自来水、电力、蒸汽、热水、煤气）和建筑业。

第三次产业：除上述第一、第二次产业以外的其他各业。具体分为四个层次。

第一层次：流通部门，包括交通运输业、邮电通讯业，商业饮食业，物资供销和仓储业。

第二层次：为生产和生活服务的部门，包括金融、保险业，地质普查业，房地产、公用事业，居民服务业、旅游业，咨询信息服务业和各类技术服务业等。

第三层次：为提高科学文化水平和居民素质服务的部门，包括教育、文化、广播电视事业，科学研究事业，卫生、体育和社会福利事业。

第四层次：为社会公共需要服务的部门，包括国家机关、政党机关、社会团体，以及军队和警察等。

从历史过程看，人类劳动最初主体部分是第一次产业劳动，继而转为第二次产业劳动占主体地位，现时代发展的趋势是第三次产业劳动将逐步成为主体。在经济发达国家，这种趋势已经实现。

近年来，随着国民经济的发展和经济结构的调整，中国第三次产业劳动也在逐步增长。这种情况反映了产业结构优化和社会需求结构变化的要求。不过，相比经济发达国家，中国的第一次产业劳动和第二次产业劳动的产值仍在国民生产总值中占有主体地位，第三次产业劳动创造的国民生产总值还比较低（表3－1）。

表3－1　主要经济发达国家的国民生产总值构成

单位：%

国别＼产业	第一次产业		第二次产业		第三次产业	
	1965年	1988年	1965年	1988年	1965年	1988年
法　国	8	4	38	37	54	59
加拿大	6	4	41	40	53	56
丹　麦	9	5	36	37	55	58
英　国	3	2	46	42	51	56
芬　兰	16	7	37	43	47	50
比利时	5	2	42	34	53	64
美　国	3	2	38	33	59	65
挪　威	8	4	33	45	59	51
日　本	9	3	43	40*	48	57
意大利	10	4	37	40	53	56

资料来源：世界银行《1990年世界发展报告》，中国财政经济出版社，1990。

*为修正值。

为了进一步调整国民经济结构，促进国民经济发展，中国将“进一步重视第三产业，使之继续快于第一、二产业的发展。到2000年，第三产业在国民生产总值中的比重，由现在的1/4左右提高到1/3左右”。①

① 《中华人民共和国国民经济和社会发展十年规划和第八个五年计划纲要》，1991年4月9日第七届全国人民代表大会第四次会议通过。

目前，除了中国，世界上还有许多国家的第三次产业劳动尚未占劳动主体。如亚洲的印度、尼泊尔，非洲的尼日利亚、加纳等国家，第三次产业创造的国民生产总值也只占总量的1/3左右。但同各国一样，这些国家也都在努力发展第三次产业劳动，以期适应经济发展的要求，逐步达到经济发达国家的水平。第一、第二次产业劳动比重降低，第三次产业劳动比重提高，是一种自然发展过程。只要经济达到现代化水平，第三次产业劳动占主体就是必然的要求。经济发达国家较早地实现了这种必然要求，第三次产业劳动占主体已是客观的事实。其他国家，不论是中等发达国家还是发展中国家，也都要沿着劳动从第一、第二次产业向第三次产业转移的道路，发展本国经济。第三次产业劳动占主体将最终在全世界范围内实现（表3-2）。

表3-2 中国国民生产总值构成情况

单位：%

年份	第一次产业	第二次产业	第三次产业
1978	38.4	48.6	23.0
1979	31.5	47.9	20.6
1980	30.4	49.1	20.5
1981	32.4	47.2	20.4
1982	33.9	45.9	20.2
1983	33.9	45.7	20.4
1984	33.0	45.0	22.0
1985	30.0	45.2	24.8
1986	28.4	46.3	25.3
1987	28.2	46.3	25.5
1988	27.2	47.2	25.6
1989	26.6	45.7	27.7
1990	28.0	44.3	27.6
1991	26.9	46.2	26.8

资料来源：国家统计局：《中国统计年鉴》（1992），中国统计出版社，1992。

五　原始社会劳动、奴隶社会劳动、封建社会劳动、资本主义劳动、社会主义劳动

劳动的社会形态划分是以劳动的特殊社会性为标志的。各个社会形态劳动的发展也表现了人类劳动发展的自然历史过程。

原始社会劳动是劳动力与原始群体或氏族共同占有的生产资料相结合的劳动。在这一时期，人们的活动范围是很有限的，相互关系以血缘凝结，共同占有的生产资料包括土地、山林、河流、水源、工具等等，是大家共同赖以生存的物质基础。人与人化自然的关系，具体地表现为原始人与他们生活的狭小的物质基础的关系。原始的占有关系是没有法律形式明确的，但是，却在原始人的意识中有明确的归属观念。自然的地域区分，也把这种观念表现得十分清楚。原始人不能不关心自己生活的物质基础，如同现代人一样，他们要以此为生，要保护自己，保护自己劳动的延续。为此，原始人不惜付出群体中的一部分人的鲜血和生命来换取群体的生存权。只是在群体内，他们彼此没有占有生产资料的权力区分，大家共同占有，共同劳动。在群体外，有严峻的生存斗争；在群体内不存在压迫与被压迫关系。原始社会的公有制是很低水平的，这一方面指当时的生产水平低，另一方面指生产资料共有的范围小。这种特殊的公有制构成原始劳动的特殊社会性。

奴隶社会劳动是以劳动力与奴隶主占有的生产资料结合的劳动为主。其中，在不为主的部分中，还有自由人与自己拥有的生产资料相结合的劳动。从这时开始，私有制劳动就出现了。私有制劳动一直存在两种类型：一种是劳动力与非自己所有的生产资料相结合，一种是劳动力与自己所有的生产资料相结合。在奴隶制下，生产资料是归奴隶主所有，这构成奴隶社会私有制劳动的

最主要特征。奴隶是戴着锁链与生产资料相结合的，但这并没有完全阻止劳动的发展。奴隶的命运是悲惨的，他们的苦难人生谱写了人类劳动发展史上一个时代乐章的主旋律。

封建社会劳动是劳动力与封建地主占有的生产资料相结合为主的劳动。由奴隶主转为封建地主占有生产资料，是劳动整体进步的表现。这种进步最显著的特征是劳动力获得人身自由。但这打碎的只是有形的锁链，无形的锁链仍套在劳动者身上。表面上平静的田园生活，掩不住与地主占有的生产资料相结合的农民的血和泪。这种封建社会劳动的特殊性，在漫长的封建社会发展期间，基本是稳定的。历史上各个封建王朝的兴衰都未能打破这种稳定。最后打破封建社会劳动稳定性的是工业革命，而随之兴起的社会革命终于使历史甩开了封建时代。

资本主义劳动是劳动力与资本家占有的生产资料相结合的劳动。相对奴隶劳动和封建社会农民劳动，资本主义劳动又是一种进步。不管人们愿意还是不愿意接受这种进步，这种进步必然迫使人们接受，迫使社会形态变化。而且，如同奴隶社会奴隶的尸骨和封建社会农民的血汗一样，资本主义劳动的进步也是以千千万万工人的苦难和片面发展为代价的。

从资本主义到社会主义，人类劳动的社会性质发生了根本转变。不再是私有制性质的劳动，劳动力也不再与私人占有的生产资料相结合了。社会主义劳动开创了人类劳动在社会占有生产资料下发展的新时代。

从原始社会劳动到社会主义劳动，这一自然历史过程表明，劳动本身的存在总是要体现为劳动力与生产资料的结合，这是社会生存的必然要求，并不以劳动者和生产资料的占有情况为转移，生产资料的占有情况可以改变，但劳动者要与生产资料结合的现实性是不可改变的。所以，不论哪一个时代，在我们的认识中最重要的就是首先要把握劳动力与生产资料结合的必然性。

六 马克思、恩格斯论人类社会发展的自然历史过程

以上我们从5种不同角度阐述了人类劳动发展的自然历史过程。这种认识的基础是马克思、恩格斯创立的唯物史观。

马克思、恩格斯在《德意志意识形态》中指出："这种历史观就在于：从直接生活的物质生产出发来考察现实的生产过程，并把与该生产方式相联系的、它所产生的交往形式，即各个不同阶段上的市民社会理解为整个历史的基础；然后必须在国家生活的范围内描述市民社会活动，同时从市民社会出发来阐明各种不同的理论产物和意识形态，如宗教、哲学、道德等等，并在这个基础上追溯它们产生的过程。"① 后来，马克思在《〈政治经济学批判〉序言》一文中，对唯物史观做了更为完整的论述："人们在自己生活的社会生产中发生一定的、必然的、不以他们的意志为转移的关系，即同他们的物质生产力的一定发展阶段相适合的生产关系。这些生产关系的总和构成社会的经济结构，即有法律的和政治的上层建筑竖立其上并有一定的社会意识形式与之相适应的现实基础。物质生活的生产制约着整个社会生活、政治生活和精神生活的过程。不是人们的意识决定人们的存在，相反，是人们的社会存在决定人们的意识。社会的物质生产力发展到一定阶段，便同它们一直在其中活动的现存生产关系或财产关系（这是生产关系的法律用语）发生矛盾。于是这些关系便由生产力的

① 《马克思恩格斯全集》，第3卷，人民出版社，1960，第42页。

发展形式变成生产力的桎梏。那时社会革命的时代就到来了。随着经济基础的变更，全部庞大的上层建筑也或慢或快地发生变革。在考察这些变革时，必须时刻把下面两者区别开来：一种是生产的经济条件方面所发生的物质的、可以用自然科学的精确性指明的变革，一种是人们借以意识到这个冲突并力求把它克服的那些法律的、政治的、宗教的、艺术的或哲学的，简言之，意识形态的形式。我们判断一个人不能以他对自己的看法为根据；同样，我们判断这样一个变革时代也不能以它的意识为根据；相反，这个意识必须从物质生活的矛盾中，从社会生产力和生产关系之间的现存冲突中去解释。无论哪一个社会形态，在它们所容纳的全部生产力发挥出来前，是决不会灭亡的；而新的更高的生产关系，在它存在的物质条件在旧社会的胎胞里成熟以前，是决不会出现的。所以人类始终只提出自己能够解决的任务，因为只要仔细考察就可以发现，任务本身，只有在解决它的物质条件已经存在或者至少是形成过程中的时候，才会产生。大体说来，亚细亚的、古代的、封建的和现代资产阶级的生产方式可以看做是社会经济形态演进的几个时代。资产阶级生产关系是社会生产过程的最后一个对抗形式，这里所说的对抗，不是指个人的对抗，而是指从个人的社会生活条件中生长出来的对抗；但是，在资产阶级社会的胎胞里发展的生产力，同时又创造着解决这种对抗的物质条件。因此，人类社会的史前时期就以这种社会形态而告终。”①

这之后，恩格斯在《反杜林论》中对马克思的这一理论发现做了概括性的阐述：“唯物主义历史观从下述原理出发：生产以及随生产而来的产品交换是一切社会制度的基础；在每个历史地出现的社会中，产品分配以及和它相伴随的社会之划分为阶级

① 《马克思恩格斯选集》，第2卷，人民出版社，1972，第82页。

或等级，是由生产什么、怎样生产以及怎样交换产品来决定的。所以，一切社会变迁和政治变革的终极原因，不应当在人们的头脑中，在人们对永恒真理和正义的日益增进的认识中去寻找，而应当在生产方式和交换方式的变换中去寻找；不应当在有关的时代的哲学中去寻找，而应当在有关的时代的经济学中去寻找。”[①]

马克思、恩格斯所论证的唯物史观的核心思想是“为了生活，首先就需要衣、食、住以及其他东西。因此第一个历史活动就是生产满足这些需要的资料，即生产物质生活本身。”[②] 以此阐明“社会经济形态的发展是一种自然历史过程。”[③]

生产力与生产关系之间的矛盾是唯物史观所阐发的社会基本矛盾。“人们生产力的一切变化必然引起他们的生产关系的变化。”[④] 而“生产关系总合起来构成为所谓社会关系，构成所谓社会”。[⑤]

从唯物史观出发，我们看到，“历史向世界历史的转变，不是‘自我意识’、‘宇宙精神’或者某个形而上学怪影的抽象行为，而是纯粹物质的、可以通过经验确定的事实”，[⑥] “历史是人的真正的自然史。”[⑦] “物质活动，它决定一切其他活动”，[⑧] “人们所达到的生产力的总和决定着社会状况。”[⑨]

对人类劳动发展的自然历史过程的分析，是唯物史观对人类社会发展的自然历史过程的基本阐述。

---

① 《马克思恩格斯选集》，第 3 卷，人民出版社，1972，第 307 页。
② 《马克思恩格斯选集》，第 1 卷，人民出版社，1972，第 32 页。
③ 马克思：《资本论》，第 1 卷，人民出版社，1975，第 12 页。
④ 《马克思恩格斯全集》，第 4 卷，人民出版社，1975，第 155 页。
⑤ 《马克思恩格斯选集》，第 1 卷，人民出版社，1972，第 363 页。
⑥ 《马克思恩格斯全集》，第 3 卷，人民出版社，1960，第 81 页。
⑦ 《马克思恩格斯全集》，第 42 卷，人民出版社，1979，第 169 页。
⑧ 同注⑥。
⑨ 《马克思恩格斯全集》，第 3 卷，人民出版社，1960，第 33 页。

第四章　人类劳动发展的辩证历史过程

一　引　言

问题在于："社会生产关系，是随着物质生产资料、生产力的变化和发展而变化和改变的。"① 仅仅从经济形式上分析社会经济生活，只能揭示出人类劳动发展的自然历史过程。而且，现实告诉我们，社会发展的复杂性使得人们从生产力发展的形式上很难区分社会经济形态质的差别。甚至在某些时候，人们很容易发现，在形式上不加区分的生产力在社会经济形态截然不同的国家会取得同样的发展，而且这种发展还正在为某些经济落后国家不加区分地企求。所以，有形式上无差别的生产力发展作为决定生产关系变化的根据，只能导致社会主义经济理论产生根本的混乱。在僵化的思想下，人们也许看不到这种理论上的混乱。但这是确实存在的混乱，只要稍加分析，并且勇于承认事实的话，那么是不难认识到这一点的。社会的发展，来自认识上的突破。马克思主义政治经济学创立100多年来，是不断地深入发展的，如

① 《马克思恩格斯选集》，第1卷，人民出版社，1975，第363页。

果后人不能在前人的基础上前进，就不能将前人开创的事业进行下去。如果说，对现有的理论不能解释的问题，不能深入探索的问题，我们不能做出新的认识的突破，仍然还是固守旧说，止步不前，那么，我们丝毫也不能责怪前人的局限性，而只能责备自己的头脑缺乏时代的活力。问题都是在现实中产生的，认识问题和解决问题也要从现实中找答案，不是找现成的答案，而是要找经过我们的头脑分析后的答案。用时代赋予我们的感受，去回答前人所未能解决的问题，实现认识的深化，这对马克思主义政治经济学的发展是迫切需要的。

新的认识突破，不能脱离现有的理论基础，就像爱因斯坦的相对论不能脱离牛顿的经典力学一样。我们从劳动角度做出的经济理论新认识，也具有历史和逻辑相统一的继承性。《资本论》是我们的研究基础，我们的研究正是在这一基础上前进的。在《资本论》中，马克思认为“剥削过程本身也就表现为单纯的劳动过程，在这个过程中，执行职能的资本家与工人相比，不过是在进行另一种劳动。因此，剥削的劳动和被剥削的劳动，二者作为劳动成了同一的东西。剥削的劳动，象被剥削的劳动一样，是劳动。”① 这在马克思看来是没有问题的。但事实上，这是一个十分关键的认识问题，认识的深化就表现为，恰恰是前人认为没有问题的地方，却被后人看到正是问题所在。在这里，两种劳动——剥削劳动与被剥削劳动，被看成是同一的东西，是不再加以理论区分的劳动概念了。在现有的理论体系中，劳动没有质的差别，只有量的差别。因而，在今天来看，这就是从理论上混淆了剥削劳动与被剥削劳动两种不同态的劳动。这说明，在以往理论没有认识劳动的态差问题，没有认识到在人类劳动的质的无差

① 马克思：《资本论》，第3卷，人民出版社，1975，第430页。

别的前提下，不仅人们的劳动存在量的差别，而且人们的劳动还存在态的差别。事实上，剥削劳动是一种态的劳动，被剥削劳动又是一种态的劳动。政治经济学必须研究劳动的态的差别。在承认剥削劳动也是劳动的前提下，必须明确剥削劳动只是一种仅靠占有生产资料作用而获取劳动成果的劳动，这与被剥削劳动绝不等态。被剥削劳动是劳动力与他人占有的生产资料相结合的劳动，是真实地实现人与自然物质能量交换的劳动。将剥削劳动与被剥削劳动看做同一东西，实质是只看到了经济形式的等同，而没有看到经济内容的差别。在过去，政治经济学没有研究劳动的态的差别，并非理论家们无意间的疏忽，而是人类认识的发展还未能达到相应深度的表现。突破这一点认识，并不是轻而易举和完全偶然的。因为人们的认识往往受历史惯性的钳制，被传统观念束缚，难于在短时间内从认识的迷雾中走出来。人类的认识史是这样的：在前人是多年努力探索未果的问题，在今人看来不过是一层窗户纸。自然科学的发现不乏这样的例子。当年诺贝尔、爱迪生、富兰克林等大发明家引以自豪的成果，现在一般人都不难掌握。早先数学大师们创下的方程式，现在普通大学生都可以精通。社会科学的发展，它的理论创见的产生，也是同样的道理。奥秘只是对未能认识它的人才存在，一旦点破，就是世所公认的事理了。真理总是简单的，而发现真理的认识过程却是曲折复杂的。

从过去理论对劳动未做态的差别的区分中，我们将认识引申下去，探究客观的本然，是极其紧要的思想推进，具有重大的理论和现实意义。进一步说，劳动的态的差别，还表现在军事劳动与非军事劳动上。在《资本论》中，对此也未做区分。马克思讲："纺纱工人的劳动是一种和其他生产劳动不同的特殊生产劳动。这种区别在主观方面和客观方面都表现出来，就是说，纺纱工人有特殊的目的，有特殊的操作方式，他的生产资料有特殊的性质，他的产品有特殊的使用价值。棉花和纱锭充当纺纱劳动的生活资料，但是不能用它们制造线膛炮。相反，就纺纱工人的劳动是形成价值的劳动，就价值源泉来说，它却和炮膛工人的劳动毫无区别，或者用一个更切近的例子来说，同植棉者和纱锭制造者体现在棉纱的生产资料中的劳动毫无区别。"① 但事实上，纺纱工人和植棉者及纺锭制造的劳动可以无区别，因为他们都是在生产人类生存所需要的资料；而与生产线膛炮工人的劳动却不能没有区别，因为军工生产的产品是用来消灭人类自身的。当然，不能说工人愿意生产线膛炮，造炮只是为了糊口，为了自己与家人活下去，但炮的直接作用却是杀人，不能杀人的炮是没有用的。所以，从终端来讲，军事劳动的存在是人类行为的完全变态。这不仅包括军工生产，而且包括平日的常备军存在和战争时期的对抗。这是一连串的劳动，并非军工不算在内，只军队才是军事需要；也并非军队不算劳动，打仗不是经济，只军工才是劳动。不论历史还是现实，人们都承认"暴力本身就是一种经济力。"② 我们需要阐明的只是，军事劳动与非军事劳动是不同态的劳动。

因而，在事实概括基础上，我们的基本认识是：人类劳动自起源至今，质的无差别只是常态下的无差别，在常态之中，存在着正态与变态的差别，常态不同于正态，常态中包容着变态，常态是正态与变态的对立统一。人类常态劳动中，最主要的变态劳动就是军事劳动和剥削劳动。这种常态劳动观，是一种认识基点的根本改变。在这一基点上，必然合逻辑地推出，自起源至今，人类是常态人类，人类社会是常态人类社会，也就是说，都存在着正态与变态的对立，因而，历史的和现实的人类劳动、人类、人类社会都是不完善的。

---

① 马克思：《资本论》，第1卷，人民出版社，1975，第214页。

② 马克思：《资本论》，第1卷，人民出版社，1975，第819页。

作为人类与动物根本区别的劳动是正态劳动，严格讲，是常态下的正态劳动。正态劳动是指人们直接投入与自然物质变换过程以提供人生存需要品的活动。这种劳动是人类常态社会存在和延续的本质基础。没有正态劳动，就没有人类和人类社会。人类常态劳动的起源靠的是正态劳动的产生，而不是变态劳动的形成。正态劳动体现人与动物不同的改造自然的能动性；而变态劳动只不过是动物的求生方式在人类常态社会中的延续和变换，是依附在正态劳动上的动物与自然关系的演变和发展。

变态劳动的存在，是人类劳动还未能完全达到正态劳动的历史表现，也是人类劳动还未能完全脱离动物本能劳动的现实行为。[①] 如果要问，为什么要存在变态劳动，那么这就同问为什么人要从动物界出来一样可笑。但是，有一点可以肯定，历史已经证明，从纯粹的动物，到纯粹的人，必须要经过一个常态的发展过程。常态的人，还不是纯粹的人，即还不是真正的人。人类劳动现有的历史，是常态劳动的历史，人类现实社会正是依靠常态劳动的发展而发展起来的。认识人类劳动，必须从整体上来认识。将人类劳动的起源看成是真正的人类的劳动的起源，不符合历史的事实，虽然当时有正态劳动产生。将现今的人类劳动看成是真正的人类的劳动，也不符合现今的事实，在一个存在剥削和制造杀人武器的劳动整体里绝不可能体现真正的人类。我们的理论概括，严格讲，是将正与常分开的，而不是笼统讲正常。平常人们讲的正常，是常包含正的常，这可以表述常态。但是，正常不能表述正，正与常是不同的，常总是包含变态在内的，而正却

① “人们最初怎样脱离动物界（就狭义而言），他们就怎样进入历史：他们还是半动物性的、野蛮的，在自然力量面前还无能为力，还意识不到他们自己的力量；所以他们象动物一样贫乏，而且在生产上也未必比动物高明”（参见《马克思恩格斯选集》，第3卷，人民出版社，1972，第218页）。

不包含变态。从历史来看，常态劳动的发展，一方面体现正态劳动对变态劳动的制约，体现正态劳动对社会存在和发展的本质基础作用；另一方面又体现社会对变态劳动的依靠和鼓励，体现正态劳动对变态劳动的容忍和保留。这样一个正态劳动与变态劳动对立统一的发展过程，就是人类劳动发展的辩证历史过程。

在历史与现实中，人类劳动的正态与变态是交融在一起的，一般不能以具体劳动来区分。比如，一个资本家的劳动，既具有剥削劳动性质，又兼有管理劳动性质。一个工厂的产品，很难说哪部分用于军需，哪部分供给民用。所以，我们必须从抽象意义上理解正态劳动与变态劳动的划分，理解二者间的辩证历史过程。但是，为了表述方便，我们可能对某些劳动只讲其正态或变态的主要性质，这一点是需要明确的。

人类劳动发展的自然历史过程与辩证历史过程是并行的。自然的过程同时就是辩证的过程，自然的历史同时就是辩证的历史。自然过程揭示了人类劳动外部形态的发展，辩证过程揭示了人类劳动内在态势的区别。认识劳动的自然历史是认识劳动的辩证历史的基础，认识劳动的辩证历史是认识劳动的自然历史的深化。我们对人类劳动辩证发展历史过程的揭示，在人类认识史上，是第一次对人类自身变态行为发展的基础的明确，因为一切变态的社会行为最终都要归根于变态劳动的存在。我们建立的常态劳动观的理论认识，将使马克思主义政治经济学研究能够突破从经济形式上分析人类社会经济生活的理论局限。

二 历 史

一部常态劳动下的人类史，就是一部人杀人的战争史。

人类劳动的发展，始终伴随着战争，伴随着自身的军事劳动变态。

一部常态劳动下的人类史，又是一部人欺人的剥削史。

剥削劳动的变态，自原始社会以后，始终伴随着人类社会的发展，直至今天。

(一) 战争——劳动变态的基本表现

1. 原始社会的战争经济

原始社会的平等和互助只存在于本部落内。为了生存下去，或是说，迫于有限生存空间的压力，部落与部落之间的冲突是不可避免的，人们是用军事劳动变态的方式激烈地争夺生存权。当时，人类处于最原始状态，战争的求生存目的，比起现代，更直接更赤裸。

“野蛮人结成小群沿着荒无人居的土地，沿着海河岸游荡，哪里找到丰富的食物就在那里停留，当此之时他们可以毫无限制地使用自己的攫取本能。但是从最遥远的史前期起，为了获得生存资料的必要性，迫使他们在某种限度内保持这种本能——当某地的居民达到某种密度时，居住其上的野蛮部落便开始把土地分为猎区或牧场，假使他们从事畜牧业的话。为了保全自己的生存资料——由果实、野兽、鱼，有时还由在森林中自由放牧的猪群所构成——旧世界和新世界的野蛮民族和半开化民族在自己的领土周围设一中立地带。一切越出自己部落领土边界的人都会遭到邻近部落的追逐：这个部落围捕他，有时甚至杀死他。野蛮人和半开化人在自己领土的范围之内可以自由地取其所需，但是一越出边界之外他就只有冒险才能取得。为了培养青年战士的勇敢和机智，经常鼓励他们去袭击别人的领土，这也是邻近部落之间发生战争的最经常的原因。”①

① 拉法格：《思想起源论》，生活·读书·新知三联书店，1963，第85页。

这种原始战争的场面虽然没有文字的记载，但却在原始绘画艺术中遗存着，现在人们仍可以从西班牙境内的中石器时代的岩画中看到这种场面。在那里，“有一幅大型作战图画，画的是一群战士手持弓箭怎样追赶另一群战士，右面是进攻群，左面是防守群。进攻的群象神态紧张，两足跨开大步，充满不可遏止的力量向前奔驰，从拉满的弓弦上向对方发出雨点般的箭。在防守群中，战士们在英勇抵抗，虽有的被射中，仍缩着身子，忍着痛，不肯向敌人投降。退却队伍的前面，是四个阻击射手，在顽强地抗击着敌人的进逼。”①

弓箭，作为原始人类发明的射杀野兽的劳动工具，同时也是自相残杀的有力武器。劳动，明显地在原始社会表现为正态与变态同在，虽然没有剥削，但战争是更基本的变态劳动，是更疯狂的野蛮行为。当时，不止使用弓箭，在战争中，几乎所有的原始工具，都被人们用做武器。为争夺生存条件，人们不惜一切。

在中国，“原始社会的战争主要以棍棒、石刀、石球、石斧、弓箭之类生产工具做武器，后来又发明了匕首、石钺、盔甲、围墙、沟渠等防御设施。河南登封王城冈和淮阴平粮台甚至还出现了城堡。江苏邳县大墩子墓地，有一具骨架，发掘出来时箭头还留在腿骨中。带箭头的骨架在云南元谋大墩子、山西绛县等地也有发现。在这些历史遗址中还发现以人头奠基的现象。所有这些都是当时战争频繁的迹象。”②

众所周知，原始社会处理俘虏的方式是杀死。直到不杀战俘，而将其做奴使时，原始社会就接近瓦解了。而到了奴隶社会，战争又以更大的规模出现于世。

---

① 马月乔编：《世界古代史选编》，黑龙江人民出版社，1980，第65页。

② 毛佩琦、李泽奉主编：《岁月河山》，上海古籍出版社，1989，第24页。

2. 奴隶社会的战争经济

奴隶主不仅迫使奴隶生产物质生活必需品，而且迫使奴隶生产军用品和直接参加战争。同时，奴隶主的压迫也不断地激起奴隶的反抗斗争。

古希腊奴隶社会发生过两次巨大的战争。第一次是公元前492～449年的希波战争，希腊与波斯展开大战。这次战争是波斯帝国的军事扩展和蓄意侵犯引起的。战争的第一阶段是波斯帝国入侵以雅典为核心的希腊城邦。第二阶段是雅典得胜反攻波斯，大肆扩张，建立希腊霸权。第二次大战是公元前431～404年的伯罗奔尼撒战争。这是一次使希腊社会开始由繁荣走向衰落的战争，当时参战的修昔底德对战争过程做了详细的著述。他写道："在这次战争刚刚爆发的时候，我就开始写我的历史著作，相信这次战争是一个伟大的战争，比过去曾经发生过的任何战争更有叙述的价值。我的这种信念是根据下列事实得来的：双方都竭尽全力来准备；同时，我看见希腊世界中其余的国家不是参加了这一边，就是参加了那一边；就是那些现在还没有参加战争的国家，也正在准备参加。这是希腊人的历史中最大的一次骚动，同时也影响大部分非希腊人的世界，可以说，几乎影响整个人类。"① 可见，战争之巨，牵涉面之大。

罗马的斯巴达克起义是一次著名的奴隶起义。起义领导人斯巴达克是角斗奴隶，在公元前73年，率领70余奴隶，冲破守卫，逃上维苏威山。罗马奴隶主政权派兵前去镇压，被斯巴达克出其不意地发动袭击粉碎了。奴隶主再次派兵，又再次被击溃。在胜利的鼓舞下，斯巴达克的起义队伍很快扩展到7万人。接着，起义军远征，沉重地打击奴隶主政权，起义军发展到了12

① 〔古希腊〕修昔底德：《伯罗奔尼撒战争史》，商务印书馆，1960，第2页。

万人。由于内部分裂，在奴隶主军队的频频攻击下，起义最终失败了，斯巴达克激战至死。被俘的起义奴隶全部被奴隶主军队残忍地钉死在罗马大道旁的十字架上。

中国奴隶社会的战争同样残酷。第一个奴隶制国家夏王朝，历时400多年，战祸不断，最后被商国击败。取而代之的商王朝，一方面内部争斗频仍，一方面不断地对外用兵。到了公元前1027年，周武王与商军决战于牧野，大败商军，彻底摧毁了商王朝。周王朝建立后，由于受戎人侵扰，于公元前770年迁都洛邑，从此中国历史进入春秋战乱时期。

战争使奴隶劳动带有很浓重的军事化色彩，使奴隶社会几乎一直处于战时军事经济状态。中国商周时代，“形成了‘因井田而制军赋’的制度。当时规定，一丘之地（十方井）‘出戎一匹马，牛三头’；一甸（四丘）之地出‘戎马四匹，兵车一乘，牛十二头，甲士三人，步卒七十二人’，干戈武器都需自备。显然，从赋税制度发展史的角度来看，这种建立在奴隶制生产关系上的军赋制度具有很浓郁的原始社会的‘兵农合一’的历史特点。”① 古希腊奴隶社会的两次大战历时近一个世纪，中间仅间隔了10多年，战争成了社会平日主要的生活内容，成了掠夺成性的奴隶主最关心的事情，成为活跃经济的最主要的刺激物。古罗马奴隶社会，同样穷兵黩武，推行军国主义，屡屡发动侵略战争，铁蹄踏碎迦太基，横行于欧、亚、非各洲大地。奴隶在奴隶主手中不仅是“会说话的工具”，而且是“战利品”和“可以投入作战用的兵员”。奴隶的劳动一方面维持着奴隶社会的生存和发展，一方面又始终与战争经济融会在一起。

3. 欧洲中世纪和近代的主要战事

相比奴隶社会，封建社会的战争频度略低一些，但规模和残

① 库桂生、姜鲁鸣：《中国国防经济史》，军事科学出版社，1991，第14页。

酷的程度又是奴隶社会的战争不可比拟的。战争，像瘟疫一样死死地镶嵌在封建社会经济中，劳动的变态继续在疯狂地蔓延。

匈奴族大举入侵欧洲，是欧洲历史上的一个重要转折点。在公元 4 ~5 世纪，匈奴人开始称霸于俄罗斯大草原，公元 5 世纪，匈奴领袖阿提拉率大军亲征巴尔干半岛，被当地联军打败，双方战死 20 多万人。嗣后，阿提拉又挥兵意大利，抢劫米兰，阿提拉死后，这种掠夺性的骚扰仍在欧洲各地残延多年。

公元 527 年，拜占庭帝国查士丁尼一世称帝。他为恢复罗马帝国版图，进行了长期的战争。534 年灭汪达尔王国，535 年攻入罗马，555 年消灭了东哥特王国。而后引来斯拉夫人的大规模进攻。

711 年，阿拉伯人入侵西班牙。西班牙人奋起反抗，战争持续了 7 个多世纪，最后取得胜利。

772 ~814 年间，法兰克查理曼大帝率军发动过大小共 50 多次侵略战争。

公元 9 世纪间，英国爱格伯特统一七国。七国之间的混战结束。

841 年，德国爆发“斯特林迦”起义，后遭镇压失败。

932 年，拜占庭帝国爆发瓦西里起义，政府军打败起义队伍，烧死了起义领导人瓦西里。

941 年，俄国进攻君士坦丁堡，失败。

1066 年，诺曼底大公威廉率军侵入英吉利，用武力征服了英国。

1095 ~1270 年间，教会共发动了 8 次十字军远征。先后有数十万人参与征战。

1223 年，蒙古骑兵入侵欧洲，战争断断续续打了 200 多年。

1303 年，意大利爆发多里奇诺起义，遭教皇军队残酷镇压。

这次起义是中世纪欧洲大规模农民起义的先声，此后，各种起义不断。

1337～1453年，英法两国打了百年战争，争夺领地。

14世纪中叶，土耳其人侵巴尔干半岛，塞尔维亚、阿尔巴尼亚、保加利亚均陷落。

1453年，拜占庭帝国灭亡。土耳其士兵将君士坦丁堡抢掠一空。

1455～1485年，英国国内混战30年，史称红白玫瑰战争。

1494～1559年，法国攻打意大利，引起各国干涉，混战长达半个多世纪。

1789年7月14日，法国革命开始。1797年，拿破仑执政。1804年，拿破仑称帝。此后拿破仑率法国军队飞马扬戈，称雄欧洲一时。1812年，拿破仑进攻俄国，遭惨败。1818年，拿破仑东山再起，又燃战火，最后在滑铁卢被联军击败。拿破仑的军事行动将欧洲能量耗尽，打败了拿破仑，欧洲维持了近40年和平，因为已经没有力量再打仗了。

4. 两次世界大战

进入20世纪以后，欧洲成为人类历史上两次最严酷的世界大战的策源地。1914年，第一次世界大战在巴尔干半岛引燃。这是人类劳动变态的一次总和的疯狂表现，集历史之大成。参战有六大洲的30多个国家，总兵力达6500万人。战争直接伤亡3000多万人。各交战国的经济损失合计为2700多亿美元。欧洲几乎所有成年人都被组织起来为前线服务。除了直接有关军事的行动，其他所有的生产活动基本上停下来。几乎所有强壮男子都被征募入伍，尽管有人家族显赫，也不能幸免，至少也要到军需部门工作。整个战期，欧洲有一半人改变了职业，随军事需要实现了社会职业的根本性转移。坦克、战斗机、毒气弹相继被制造出来，并投入使用，杀伤效果空前。历时 4 年多的大战，使人类的智慧在邪恶的道路上迅猛提升，不断地迸发出绚耀的火花，即都用在了杀人手段的开发上，战期智力的较量就是杀人能力的较量，劳动在欧洲成了全面的军事行动。

第二次世界大战给人类造成的灾难比第一次世界大战更大。1939 年 9 月 1 日，德国进攻波兰；9 月 3 日，英法对德宣战，战争全面爆发。[①] 卷入这场战争，共有 60 多个国家和地区，20 亿以上的人口。战争的头两年，德国侵吞了欧洲 14 个国家，意大利夺取了英法在地中海和非洲的殖民地，日本大举进攻中国和其他亚洲国家。1941 年 6 月 22 日，德国又突然袭击前苏联；同年 12 月 8 日，日本又突然袭击珍珠港美国军事基地。旋即，前苏联应战，英美对日宣战。大战在欧、亚、非洲大陆全面展开。这场历时 6 年的世界大战，造成 5000 多万人死亡，直接财产损失 4 万亿美元，是人类史上最大的灾难。战争期间，所有参战国的经济都走向全面军事化，而发动战争的德、意、日军国主义国家则在战前多年就将本国经济全面纳入军事轨道。无数的枪炮子弹被制造出来，被投向战场，被用于激战。一批接一批的飞机、军舰投入了战斗。如果说上一次世界大战仅仅开了新式武器竞争的先河，那么这一次大战就充分地发挥了人们的军事想像力，人类战争已成为智力角逐下的机动战争、汽油战争。不用说战场上使用新式武器的军人是古代战争中的兵士不可比的，就是现代兵工厂制造新式武器的工人也是古代制造兵器的工匠不可比的。劳动的军事变态从独特的杀人能力的角度显示了人类与动物的等同性。历史留下的镜头，使我们至今可以看到军工厂的工人们欢送大炮出厂时的激动振奋场面。同样，历史留下的镜头，也使我们

① 有一种观点认为，应以 1937 年 7 月 7 日日军全面侵华为第二次世界大战的起点。

至今难忘这些当年的新式武器在战场上发挥的巨大的杀伤威力和所起的巨大的历史作用。正是在这场大战中，原子弹被第一次制造出来并被第一次投入使用。日本广岛、长崎 32 万多人的生命成为这一历史开端的奠基石。当然，原子弹受难者只是第二次世界大战死难者中的一个小小的部分，甚至比起日本军国主义给其他国家造成的死难人数也是很小的一个部分。但不管怎样说，是战争造成了人类的死难。面对战争，人类蒙受着巨大的生存压力。

5. 中国秦统一后的战争经济

中国的历史，也是一部战争史。经春秋战乱，七国争雄，到公元前 221 年，秦朝统一了中国。为了打击复辟势力，防止作乱，秦始皇收缴了全国兵器，铸成 12 个大铜人，并设置了百万常备军。为了防范北方民族入侵，秦王朝一面出兵征战，一面修万里长城。但是，浩大的军队与工程，使军费剧增，民不聊生。随着农民起义的浪潮，刘邦、项羽掀起了灭秦战争。

几年战后，刘邦建西汉。从这时起到东汉灭亡（公元前 206 ~ 公元 220 年），共 426 年，两汉王朝不断地与北方民族发生战争。军费一直是两汉经济的沉重负担。

三国两晋南北朝时期，中国内战繁乱。三国期间，魏、蜀、吴鼎立，大操干戈。两晋期间，“八王之乱”，宗室相残。至十六国递变，南朝兴替，北朝更迭，战事从未休止，直到隋王朝统一。

但隋王朝刚建，就接连发动对高丽的战争。为此征用人丁数百万，竟使有的村庄不见成年男子，十室九空，田园荒芜。结果，豪强群起，兴兵反隋，隋最终为唐取代。

唐王朝的建立，在中华历史上是极显赫的一页。建朝初期，“贞观之治”，国泰民安，谓之鼎盛。中唐以后，世道败落，“安史之乱”把全国拉向战海。屡屡的战乱，使唐王朝终于崩溃。以后，历史进入五代十国时期，这是又一个大动乱、大分裂、战火连天的时期。

宋王朝重新统一中国后，中央集权，广设冗兵，军费颇巨，但国防实力十分虚弱。引起北方民族入侵，先是辽和西夏来打，后是金，最后是蒙古大军长驱直入，灭掉宋。

蒙古人建元王朝。这是一个军事王朝，除了内战，就是远征。东要打日本，南要占缅甸，但屡战屡败，衰落了国力。人民痛苦不堪，纷纷起义，元王朝终于在农民起义战争中倾覆。

元后是明。在明王朝统治的270年历史中，虽内战不多，但外战不断。退出中原的蒙古人始终不死心，妄图打回来，经常南下抢掠。到明末，朝政腐败，农民起义军揭竿而起，推翻了朝廷。

当推翻明王朝的农民起义军立足未稳，一直觊觎中原的满族人趁机打进关来，取代了明王朝，建大清帝国。但清的统治，闭关锁国，甘于落后。直到1840年，英国的炮舰打开了天朝的大门。经过两次鸦片战争，甲午战争，八国联军侵华战争，清王朝完全在西方列强面前臣服了。巨额的战争赔款，耗尽了中国人的血汗。在侵略的炮火下，中华大地满目疮痍。

辛亥革命推翻了清王朝。但接下来又是连年的军阀混战。

1924年，中国共产党与国民党开始第一次合作，随后，发动了第一次国内革命战争，向反动军阀开战。后来，国共分裂，成千上万的共产党人被杀。

1927～1937年是第二次国内革命战争时期。中国共产党领导工农红军与国民党军队殊死搏斗，最后打破围剿，长征到陕北，建立了革命根据地。

1937～1945年是抗日战争时期。中国共产党与国民党开始第二次合作。中国人民在世界人民的支持下，取得抗日战争的胜利。日本军队在侵华期间杀害了3500万中华儿女，给中国经济予毁灭性的打击。

1946～1949年是第三次国内革命战争时期。中国共产党领导的人民解放军，消灭了国民党800万军队，解放了除台湾省外的全国领土。至此，延绵数千载的频频战火才在中华大地上平息下来。

6. 美国的战争经济

美国是一个年轻的国家。美国的历史是从17世纪殖民地时期开始的。1776年，美国独立。此后6年时间，是美国的独立革命战争时期。1861～1865年，美国爆发南北战争，战争的结果维护了美国的统一。

第一次世界大战期间，美国开始只做军火生意，战争接近尾声才直接参战。据此，美国军费开支212亿美元，阵亡约5万人。但战争刺激了美国经济的发展。提高了美国的国际地位。

第二次世界大战爆发后，美国保持中立。直到珍珠港事件后，美国才参战。战争期间，在财力、物力、人力上，美国发挥了重大作用。美国开支军费约为3250亿美元，阵亡将士约30万人。二次大战后，美国在国际社会的地位更加巩固和提高。

此后，美国又不断卷入世界各地的局部战争。美国的军工生产膨胀。成为世界上最大的兵工厂和军火商。1945～1970年间，美国出口了价值约500亿美元的军火。

美国的国防军费开支逐年上升。1974年为811亿美元，1980年为1359亿美元。在里根政府任内，美国提出了震惊世界的“星球大战计划”。

1991年1月17日至2月28日历时42天的海湾战争，是美国战争经济的一次充分展示。这是一场反映20世纪80年代高科技水平的尖端武器搏斗的战争。以美国为首的多国部队依靠优越的军事实力取得了这场战争的胜利。在战争中，美国国家安全局的两颗地球同步轨道卫星 24 小时运转，专门捕捉战场无线电信号；还用两颗遥感卫星侦察对方电话内容和活动情况。另外，有 10 多颗军事导航卫星在距地球 2 万公里的轨道上运行，不断地播放出导航数据，使地面接收机可根据这些数据计算出本身所处的经纬度，误差不超过 10 米。代号为“长曲棍球”的雷达侦察卫星在地球上空 750 公里的轨道运行，可在夜间和透过云层发现战区内对方的雷达设施。导弹预警卫星在赤道上方 36000 公里处与地球同步运行，它装备的红外望远镜能在导弹发射后几秒钟内，发现导弹发射时喷射的火焰，以使自己方面能够及时地进行截击。此外，还有照相侦察卫星、气象卫星、通讯卫星等为战斗部队直接提供服务。美国的“爱国者”导弹比较成功地拦截了对方发射的“飞毛腿”导弹，成为整个战争中高技术实用的典型范例。美国空军动用了最先进的飞机，如 F－15C/D“鹰”式和F－16C/D“战隼”式战斗机、A－10 型“雷电”式攻击机、F－111 可变翼战斗轰炸机、F－117A 隐形战斗轰炸机、EA－6B“徘徊者”电子干扰飞机和 F－4G“野鼬鼠”式反雷达飞机等，有效地夺得了战场的制空权。美军投入战斗使用的 M－1A1 型坦克具有复合装甲，由可改变炮弹轨道的极其坚硬的陶瓷层和比较“软的”能吸收炮弹动能的材料层交替组成，比普通钢质装甲的防护能力高 2 倍，并且，除了火炮、军舰等武器装备外，美军还装备了大量的电子计算机，使得复杂的立体作战指挥运作有条不紊。体现现代化特点的海湾战争整个军费开支约 600 亿美元，投入 100 多万兵员。这种局部战争向人类发出严重警告，战争对于社会经济的影响已经到了无可复加的地步。虽然美国方面赢得了胜利，但是整个人类付出的代价太大了。人们对现代战争的恐惧感普遍增强，似乎感到现代化的战争只能给他们带来现代化的毁灭。

战争对美国经济的刺激作用是不可忽视的，海湾战争的胜利是这一作用的相对集中体现。①

（二）剥削——劳动变态的文明表现

就一般意义上讲，剥削是一种劳动变态行为，是剥削劳动对被剥削劳动的经济关系的实现，即只靠占有劳动要素来占有劳动要素作用而取得劳动成果。我们对于剥削的这一界定是严格的，除了明确这是一般意义所指外，对这一界定的认识应把握住3点：第一点，要把握剥削是只靠占有劳动要素的劳动行为，行为者参与了劳动过程，但却不是作为劳动要素直接参与的，而是通过占有劳动要素间接参与的，行为者本身并不能直接与其他要素产生物质能量的交换，所以，这是一种变态的劳动行为。也就是说，介入劳动过程，却没有能量交换。第二点，把握剥削劳动者在劳动过程中并不是仅仅占有劳动要素，而是通过占有劳动要素进一步占有了劳动要素的作用。这就是说，如果占有的劳动要素没有投入使用，或是使用了没有发挥作用（在商品经济中，这种作用要被社会承认才行），都不会使剥削成为可能。第三点，是把握落点，即行为者既占有劳动要素又占有劳动要素作用的结果是落在取得劳动成果上。显然剥削劳动得到的劳动成果是劳动要素作用的成果。这样，才是完整地认识把握了剥削，即认识了这种劳动变态实现的含义。在界定清楚的前提下，下面，我们对剥

① 美国宾夕法尼亚大学教授、诺贝尔经济学奖获得者 I. R. 克莱因认为："海湾战争的爆发，使美国经济一下好转了。美国通过向海湾地区派出大批部队，运送和使用大量武器，同时又从日本、西欧、中东收入大笔美元，大大刺激了美国经济。实际上美国是通过对外出口军事劳务赚了大把外汇，减少了国内财政赤字，平衡了国际收支"（参见《克莱因谈 1991 年后的世界经济形势》，《中国社会科学院研究生院学报》1992 年第 1 期）。

削的历史做一番考察。

撇开原始社会末期出现的剥削不说，奴隶社会是第一个出现剥削的社会。相比战争，剥削是以变态劳动行为取得生存条件的文明表现。而战争，是直接的抢夺，是你死我活的拼斗。在奴隶社会，奴隶主是剥削者，奴隶是被剥削者。奴隶主是通过占有奴隶和生产资料即全部劳动要素实现其剥削的。奴隶的来源主要有3条：一是买来的，买别人家的子女做奴隶。二是抢来的，通过海盗行为抢人做奴隶。三是战俘，不杀战俘留下做奴隶。奴隶主剥削的主要特征是，不仅占有生产资料，而且占有奴隶劳动者本身，是将全部劳动要素作用都占有了的一种剥削。因而，奴隶劳动的全部劳动要素更新是在奴隶主的剥削过程中进行的。但要明确，这里讲的是奴隶主的剥削劳动，而不是奴隶主的全部劳动。奴隶主的劳动除了具有二重性的剥削劳动之外，一般还包括社会管理、艺术、教育、研究等方面的非剥削劳动。

封建社会的剥削与奴隶社会的剥削不同，主要在于作为剥削者的地主不是对全部劳动要素占有，而只是占有主要的生产资料，即只占有劳动要素中的物的一部分，不占有劳动者本身。地主的剥削主要是靠占有土地来实现的。在封建社会，土地是最主要的生产资料，占有了土地便取得了对劳动的支配权。在农民的劳动过程中，土地发挥了客观上的作用，而这种作用被地主占有了，并依此取得劳动收益。同样，变态的剥削劳动也不是地主劳动的全部，地主也从事一定的非剥削劳动。劳动的社会表现是十分复杂的，因为剥削劳动与非剥削劳动在地主劳动中总是融合在一起。

资本主义剥削是建立在大工业生产基础之上的。同封建剥削一样，这种剥削也只是占有一部分生产资料的剥削。所不同的是，封建地主主要占有的是土地等自然条件，而资本家主要占有的是厂房、机器等资产条件；封建剥削主要实现在农业劳动上，而资本主义剥削实现在以工业为基础的各行各业劳动上。说到底，资本主义剥削与封建剥削没有什么实质性的不同。而且，资本主义剥削总还包含着封建剥削在内。两种剥削者的差别主要在占有的劳动要素作用的不同上。但无可否认，资本主义剥削更加发达。一般讲，劳动过程中的资产条件作用多大，资本家获取的剥削量就有多大，当然，这是指社会总量或平均量而言。我们还应强调，资本家的剥削劳动也不是资本家劳动的全部，而剥削劳动在发达资本主义国家也已经分散化、社会化了。

社会主义社会原则上是消灭剥削的，但是，在社会主义初级阶段，仍然存在一定程度的剥削。这是与社会主义劳动发展的整体水平有关的。所以，应从客观性上去认识社会主义国家现实剥削的存在，实事求是地承认剥削的存在，大胆灵活地利用剥削的历史作用。但同时，也不能因事实上的剥削存在而模糊社会主义消灭剥削的原则。灵活的利用不能取消原则的坚持。从社会主义初级阶段存在剥削，到社会主义最终实现消灭剥削，还需要走一段劳动的辩证发展过程。

三 辨 析

（一）人类劳动发展的自然历史过程与辩证历史过程

我们已经指出，正态劳动与变态劳动是对人类劳动一般意义上的区分，是在人类无差别劳动质同基础上做的态的差别的区分。对正态劳动的理论确认和对变态劳动的理论揭示，使我们能从人类劳动发展的自然历史过程深入下去发现与它同步发展的辩证历史过程。正态劳动与变态劳动的对立发展构成劳动的辩证发展的历史过程。这种在历史深层展开的劳动发展过程，也就是人类劳动自起源时就形成并保持至今的常态劳动的发展过程。将历史的和现实的劳动确定为常态而不是正态，体现了辩证思维的认识成果，而只有这样认识，才是符合事实的。历史的考察表明，在人类劳动发展的历史过程中，军事劳动变态是自始至终存在的，剥削劳动变态从奴隶社会到现在仍然发展着；而且，特别重要的是这使人能够认识到，军事劳动变态在前，剥削劳动变态在后；军事劳动变态是基本的，直接与动物的求生方式沟通的，至今而言，不论战争的手段多么先进，人类战争与动物间的生死搏斗是一脉相承的；而剥削劳动变态则是在军事劳动基础上演变的，比较而言是一种文明的变态行为。劳动的变态表现在军事上比在剥削上有着更大的破坏性。人类在战争中，自古至今，消耗了多少劳动是无从统计的，毁灭了多少劳动成果也是不计其数的。我们只能肯定，这是一种劳动的变态消耗，正是在这一基点上，说明人类还很不完善，还没有完全脱离动物界，还不是真正的人。从古代罗马帝国摧毁迦太基城，到近代英法联军火烧中国的圆明园，再到现代海湾战争中的科威特油田大火，[①] 人类自己的正态劳动成果被疯狂的变态劳动行为毁得何其多。远古的战争耗费难以估量，我们从近代的现代战争费用统计上可以知道得详细一些。仅说美国这个历史很短的大国，从 1775 年 4 月独立革命战争起，到 1973 年 1 月结束越南战争，在近 200 年的时间里，据统计，共伤亡人员达 2348599 人，共耗费军费 5656. 5 亿美元。计算的结果表明，美国军队杀死一个敌兵的费用，第一次世界大战时是约 2. 1 万美元，第二次世界大战时是约 20 万美元。[②]

---

① 据估计，科威特有 922 口油井，其中 749 口被破坏（其中 650 口被点燃），灭火需 20 亿美元。

② 参见〔苏〕R. A. 法拉马江：《美国军国主义与经济》，商务印书馆，1977。

剥削劳动是不能单独存在的，没有被剥削的劳动，就没有剥削劳动剥削的对象。军事劳动也可能是剥削的劳动，也就是说，剥削劳动有可能也是军事劳动。既是剥削劳动又是军事劳动是一种双重的变态劳动。在私有制社会中，几乎是哪里有劳动，哪里就有剥削劳动，剥削劳动参与劳动过程并起支配作用。但事实上，剥削劳动是不结果的劳动，除军事成果外，所有劳动成果都是正态劳动创造的，不论古代还是现代。同样，没有正态劳动，就没有人类社会存在的基础（即人与自然的对立，人与自然的交流，人对自然的能动的改造），而现实的基础又不是排斥变态劳动而存在的，这正是问题的复杂性所在，这也正是辩证地认识人类劳动发展过程的关键所在，正是由于有变态劳动的存在，并历史地起作用，所以，人类社会自起源至今存在的基础不是正态劳动，而是常态劳动。常态劳动包含有正态劳动（没有这种包含就不成其为劳动），因而它才能作为社会基础存在；常态劳动又包含有变态劳动，因而作为基础是常态的而不是正态的。常态劳动支撑着人类常态社会，人类常态社会就是在常态劳动的存在与发展中而存在与发展的。人类社会存在的根本是人类生存，这种生存水平会历史地呈现提升，但不论水平高低，关键总是生存，没有了生存便没有了一切，社会经济活动从最根本上说就是解决人类的生存问题，也是从最根本上解决人类的生存问题，这一解决的实质内容是劳动，劳动的存在是人的意义上的生存解决，劳动的发展是人的意义上的生存的发展。常态劳动体现正态劳动与变态劳动的对立统一，正态劳动的存在与发展解决人的意义上的生存问题，变态劳动的存在与发展乃是以动物的方式求生存融合在人的意义上的生存解决之中，因此，常态劳动的存在与发展既是人的意义上又不完全是人的意义上解决生存问题。历史的和现实的人既是自然地生存的又是辩证地生存的，所以，人类劳动发展的自然历史过程反映人类生存的自然历史过程，人类劳动发展的辩证历史过程反映人类生存的辩证历史过程。

人类劳动发展的自然历史过程所体现的是劳动的种类、结构、组织形式、生产方式的差别与变化，是生产什么、用什么生产和怎样实现生产的差别与变化，没有体现劳动产品对劳动本身发展的作用的不同，对生产生活用品与生产枪炮子弹的劳动不做态差区分，对剥削劳动与被剥削劳动不做态差区分。这样，军事劳动和剥削劳动对人类劳动辩证发展的重要的历史作用就被自然发展的过程掩盖，人们看到的只是物质生产决定上层建筑，而摸不透物质生产本身内在的对立对整个社会存在与发展的决定作用。人类劳动发展的辩证历史过程所体现的是生产什么和怎样生产基础上的劳动产品的历史作用的不同，是人的意义上和非人的意义上的生存的实现与变迁。正态劳动的产品是解决人的意义上的生存的表现。变态劳动只是动物的求生方式在正态劳动上的依附，是人类还未完全脱离非人的意义上的生存的表现。劳动变态表明历史的和现实的人类还不具有在完全人的意义上解决生存压力的能力。在变态劳动中，军事劳动是间接无成果的劳动，枪炮子弹和战场屠杀的这些劳动成果只能以一部分人不生存来保护另一部分人的生存，对人类整体的生存不具有成果的作用，但它是人类生存压力的直接表现，具有在地球封闭空间内促使人类意识生存压力奋起抗争的历史作用；而剥削劳动则是直接无成果的劳动，虽参与劳动过程但却不产生物质能量交换，靠支配被剥削劳动而获取自身的生存条件，它是人类生存压力的间接表现，客观上起人类劳动整体能力相对有限时保护最主要的劳动要素的历史作用。

从人类劳动发展的自然历史认识过程中，人们还不能将剥削劳动与被剥削劳动的对立以完整的劳动的态差问题揭示出来，而只能以劳动的一个方面并且是派生的方面即人与人的关系方面的表现形式揭示这种对立，这样也就不能从完整的劳动中的更根本方面即人与自然的关系方面来揭示剥削劳动产生的内在原因及其历史作用；更不能将军事劳动与非军事劳动的对立置于经济的最基础的层次来认识，揭示它们之间存在的劳动态差问题。从某种意义上看，自然历史过程认识的局限性，与从经济形式上而不是从经济内容上分析社会经济生活不无关系。对人类劳动发展的辩证历史过程的考察阐明，由于历史的和现实的劳动分为正态劳动与变态劳动，所以各个社会经济形态的劳动不仅在人与人关系方面表现形式上即生产关系上体现出常态的特征，而且在人与自然关系方面表现形式上即生产力上也是常态的结构。这就是说，在常态劳动发展条件下，生产力也是含有正态与变态两个对立方面内容的。坚持常态生产力的正态与变态两个方面的积极发展是当前资本主义社会的现实，却不是人类社会发展的必然方向。因为虽然正态生产力的发展表现正态劳动这一社会存在基础的加强，但变态生产力的发展表现变态劳动这一对人类生存能力的背离可能将社会推向毁灭。而人类社会发展的根本意义是要生存，所以，社会主义社会的进步性就在于，它要积极发展生产力的正态，抑制生产力的变态，直至消灭生产力的变态。因而，如果从理论上不能达到这种辩证认识的高度，笼统地说社会主义的根本任务就是发展生产力，不区分现实的生产力发展的正态与变态，只能造成人类社会主义思想的混乱。

总之，劳动是人的本质，是社会存在的基础，只有对劳动发展过程做出全面的辩证的认识，我们才能真正自觉地认识社会经济生活，才能真正找到理解人类全部社会发展史的钥匙。

（二）变态劳动与异化劳动

异化劳动理论是马克思早期研究政治经济学创立的理论和方

法。在《1844年经济学哲学手稿》中，马克思对异化劳动理论做了详细的阐述。马克思认为："劳动对工人说来是外在的东西，也就是说，不属于他的本质的东西；因此，他在自己的劳动中不是肯定自己，而是否定自己，不是感到幸福，而是感到不幸，不是自由地发挥自己的体力和智力，而是使自己的肉体受折磨、精神遭摧残。因此，工人只有在劳动之外才感到自在，而在劳动中则感到不自在，他在不劳动时觉得舒畅，而在劳动时就觉得不舒畅。因此，他的劳动不是自愿的劳动，而是被迫的强制劳动。因而，它不是满足劳动需要，而只是满足劳动需要以外的需要的一种手段。劳动的异化性质明显地表现在，只要肉体的强制或其他强制一停止，人们就会像逃避鼠疫那样逃避劳动。外在的劳动，人在其中使自己外化的劳动，是一种自我牺牲、自我折磨的劳动。最后，对工人说来，劳动的外在性质，就表现在这种劳动不是他自己的，而是别人的；劳动不属于他；他在劳动中也不属于他自己，而是属于别人。"① 所以，马克思做出的抽象概括是："异化劳动，由于（1）使自然界，（2）使人本身，他自己的活动机能，他的生命活动同人相异化，也就使**类**同人相异化；它使人把**类生活**变成维持个人生活的手段。"② 在《资本论》中，马克思仍然谈到劳动的异化作用，他说："工人不断地像进入生产过程时那样又走出这个过程——是财富的人身源泉，但被剥夺了为自己实现这种财富的一切手段。因为在他进入过程以前，他自己的劳动就同他相异化而为资本家所占有，并入资本中了，所以在过程中这种劳动不断物化在别人产品中，因为生产过程同时就是资本家消费劳动力的过程，所以工人的产品不仅不断地转化为商品，而且也转化为资本，转化为吸收创造价值的力的价值，转化

① 马克思：《1844年经济学哲学手稿》，人民出版社，1985，第50页。
② 马克思：《1844年经济学哲学手稿》，人民出版社，1985，第52页。

为购买人身的生活资料，转化为使用生产者的生产资料。可见，工人本身不断地把客观财富当作资本，当作同他相异化的、统治他和剥削他的权力来生产，而资本家同样不断地把劳动力当作主观的，同它本身物化的和实现的资料相分离的、抽象的，只存在于工人身体中的财富源泉来生产，一句话，就是把工人当作雇佣工人来生产。工人的这种不断再生产或永久化是资本主义生产的必不可少的条件。"①

在分析人类劳动发展的辩证历史过程中，我们指出，劳动分正态劳动与变态劳动，历史的和现实的劳动是正态劳动与变态劳动对立统一的常态劳动。其中变态劳动是对正态劳动背离的劳动，但又是一种历史存在并起历史作用的劳动。从逻辑上讲，变态劳动是认识人类劳动发展的辩证历史过程的基本范畴，是经过长期探索后对社会经济生活实质内容深化认识的理论概括，是在新的时代对人类自身的存在基础做出的新的抽象认识。而异化劳动是马克思研究政治经济学使用的一个范畴。这两个范畴，变态劳动与异化劳动，是不同的，我们从马克思的论述中是可以明显地看出来的，也就是说，变态与异化②的所指是不一样的。但为了不至于使人们由于它们词语义相近而混淆，我们还是有必要对这两个范畴的含义再做一些明确的理论区分。

第一，变态劳动与异化劳动概括的劳动内容在范围上不一致。异化劳动主要指因剥削存在，私有制存在，而使劳动者的劳动异化了，成了劳动者外在东西，并未包括对军事劳动或战争耗

① 马克思：《资本论》，第 1 卷，人民出版社，1975，第 626 页。

② "异化的基本含义是指，人（主体）的创造物，同创造者相脱离。不仅摆脱了人的控制，而且反过来违背人的意愿变成奴役和支配人的、与人对立的异己力量"（参见李秀林等主编：《辩证唯物主义和历史唯物主义原理》，中国人民大学出版社，1982，第 435 页）。

费的批判。但这并不是说，马克思认为这方面关系不在劳动内容之内。马克思曾这样指出过："某些经济关系，如雇佣劳动、机器等等，怎样在战争和军队等等中比在资本阶级社会内部发展得早。生产力和交往关系在军队中也特别显著。"[①]《资本论》中，马克思曾更明确地表示："暴力本身就是一种经济力。"[②] 所以，只能说马克思的异化劳动范畴未包括对暴力方面内容的批判，不能说马克思排斥暴力是劳动。马克思是同样认为战争、军事归属劳动内容的，只不过他在异化劳动理论中没有将这些方面内容统纳进去。而相对正态劳动背离的变态劳动范畴，则是在理论上包含了两个方面的变态表现的。一方面归纳了剥削劳动的存在表现的变态。一方面归纳了军事劳动或战争耗费的存在表现的变态。因而，相比异化劳动范畴，变态劳动范畴概括的理论范围更大一些。

第二，变态劳动与异化劳动表述的活动对象不同。异化劳动主要讲的是工人劳动的异化，"对于通过劳动而占有自然界的工人来说，占有就表现为异化，自主活动表现为替他人活动和他人活动，生命过程表现为生命的牺牲，对象的生产表现为对象的丧失，即对象转归异己力量、异己的人所有。"[③] 马克思还认为："工人在他的对象中的异化表现在：工人生产得越多，他能够消费的越少；他创造价值越多，他自己越没有价值、越低贱；工人的产品越完美，工人自己越畸形；工人创造的对象越文明，工人自己越野蛮；劳动越有力量，工人越无力；劳动越机巧，工人越愚钝，越成为自然界的奴隶"[④]。按照马克思的分析，相对工人

① 《马克思恩格斯选集》，第 2 卷，人民出版社，1975，第 111 页。

② 马克思：《资本论》，第 1 卷，人民出版社，1975，第 819 页。

③ 马克思：《1844 年经济学哲学手稿》，人民出版社，1985，第 59 页。

④ 马克思：《1844 年经济学哲学手稿》，人民出版社，1985，第 49 页。

作为异化活动的对象，资本家的异化是另一回事，“凡是在工人那里表现为外化、异化的活动的，在非工人那里都表现为外化、异化的状态。”① 而实质上，马克思所强调的是，在异化劳动存在条件下，资本家是得益者，不是受害者。② 但变态劳动讲的是剥削劳动变态，变态的不是被剥削者而是剥削者。被剥削者可保持劳动的正态。只有单靠占有劳动要素来占有劳动要素作用而取得劳动收益的介入劳动之中的行为者是变态的对象。劳动是人的本质，在变态劳动范畴的理论界定下，被剥削者并非不可以保持人的本质，而剥削者却只表现为人的本质的变态。从表面上看，资本家生活得很舒适；而从深层来看，过这种舒适生活的不过是寄生虫，绝不会有任何人的精神生活的寄托，因为这种舒适者丝毫没有（指单纯剥削的抽象义）人的本质的创造。真正养活社会的是正态劳动，被剥削者才可能具有人的意义上的生存。按照异化劳动理论：“人（工人）只有在运用自己的动物机能——吃、喝、性行为，至多还有居住、修饰等等的时候，才觉得自己是自由活动，而在运用人的机能时，却觉得自己不过是动物。动物的东西成为了人的东西，而人的东西成为动物的东西。”③ 其实，从正态劳动与变态劳动的辩证认识观点来看，做正态劳动的人绝不是动物，做变态劳动的人绝不是真正的人，动物的东西成不了人的东西，人的东西也成不了动物的东西。问题的关键是，要看

① 马克思：《1844 年经济学哲学手稿》，人民出版社，1985，第 59 页。

② 马克思和恩格斯在《神圣家族》中这样指出：“有产阶级和无产阶级同是人的自我异化。但有产阶级在这种自我异化中感到自己是被满足的和被巩固的，它把这种异化看做自身强大的证明，并在这种异化中获得人的生存的外观。而无产阶级在这种异化中则感到自己是被毁灭的，并在其中看到自己的无力和非人的生存的现实”（参见《马克思恩格斯全集》，第 2 卷，人民出版社，1960，第 44 页）。

③ 马克思：《1844 年经济学哲学手稿》，人民出版社，1985，第 51 页。

劳动的实质，而不能看生活的表面。不然，认识就要落入非人的发展成为人的发展的根本动力的悖论中去。

第三，变态劳动与异化劳动表现的认识角度是截然相反的。异化劳动是从主观角度认识，认为在异化劳动中，工人劳动不是自愿的，是被迫的，是牺牲，“在这里，活动就是受动；力量就是虚弱”,① 强调的是主观意愿性。而变态劳动是从客观角度认识，认为变态劳动是人类常态劳动历史发展中的客观存在，有其内在的深层的产生及发展的原因，强调的是历史的客观的决定性。可以这样说，就一个人而言，他可能愿意劳动，也可能不愿意劳动；他可以劳动，也可以不劳动；但是，作为整个社会的存在和发展，劳动是必需的，正态劳动更是必需的。不论是强迫劳动，还是自主劳动，都是必须劳动的。在常态劳动中，劳动资料的所有权可能是与一定的劳动者相分离的，但是，在现实的劳动过程中，不管所有权在哪里，劳动资料是必须与劳动者结合的。因而，考察劳动，有认识角度的不同，也有认识范围的不同，从社会大范围来认识，主观的意愿性是次要的，劳动的客观的决定性才是至关重要的。

第四，变态劳动与异化劳动对于人类劳动的概括是有程度上的差别的。异化劳动指的是人类劳动的全面异化，即不存在不异化的劳动，社会进入私有制社会，劳动就全面转为异化劳动。而变态劳动讲的只是人类劳动的一部分。即使讲这部分很大，也永远只是一部分，不会成为人类劳动的全部。除了变态劳动，人类劳动中必须有正态劳动，否则，人类社会就失去了存在基础。完全变态的劳动发展是不可能的，因为不用等到那时，人类社会早已毁灭了。

① 马克思：《1844 年经济学哲学手稿》，人民出版社，1985，第 51 页。

第五，变态劳动与异化劳动认定的时间起点是不同的。异化劳动理论认为，私有制的产生是异化的开始，也就是从奴隶社会开始劳动异化，至多上推到原始社会末期。而变态劳动范畴的界定，是从人类劳动起源时开始，即是从原始社会初期开始的，所以，人类劳动的起源才是常态劳动的起源。时间起点认定的不同是与各自范畴概括的内容范围不同有关。

总之，变态劳动范畴不是异化劳动理论的继承和发展，而是根据人类劳动发展的历史和现实做出的与异化劳动范畴完全不同的辩证的新的理论概括。

将人类劳动发展的历史过程，不仅看做一个自然历史过程，而且看做一个辩证历史过程，是人类的认识向历史深处的推进。从这一新的理论凝铸中，我们得到的并不仅仅是探析了历史的和现实的劳动的态势差别，而是已经具有了获得新的一般的认识方法论的意义，已经使人类的历史观实现了跃然的提升——从唯物史观通向辩证唯物史观。

第五章　论辩证唯物史观

视迄今为止的人类社会发展为常态社会的历史，即常态劳动为社会存在基础的历史，承认常态社会是基于常态劳动中正态劳动与变态劳动对立统一的存在与发展而存在与发展的，这样的历史观是辩证唯物史观，也就是，辩证历史唯物主义。

辩证唯物史观将战争作为人类劳动变态的基本表现概括在社会物质生产之中，是从劳动的角度即社会经济生活的实质内容的角度，认识战争在人类社会发展中的地位与作用。这样认识战争，战争就不再是远离社会经济的事情，不再是仅仅作为政治斗争的最高表现进入人类历史观。根据对劳动变态的理论透析，辩证唯物史观直接从社会的物质生产内找到了战争的经济存在基础。脱离战争，仅仅从人的吃、喝、住来看待人类发展的历史，是不能辩证地认识历史发展的深层动因的。战争始终伴随着人类历史向前发展，这本身就说明它具有一种历史存在的必然性，因此，将战争看做历史偶然性的表现，或是历史派生性的东西，都不能解释社会对于战争的历史的接受。在现实的社会的人看来，不懂得战争，不准备战争，不仅仅是白痴，而且，无疑是历史的罪人。而辩证唯物史观对于战争认识的重要理论意义就在于，它将为人类最终消灭战争即最终消灭这种劳动变态，提供自觉的认识基础。

人类劳动发展的辩证历史过程阐明，剥削是一种文明的劳动变态行为表现。它的文明只是相对战争的野蛮而言。但剥削确实是在战争之后出现的劳动变态。人类社会发展延绵至今已有几百万年，出现剥削也已数千年，因而，对于社会现实仍然存在的，已有悠久历史的剥削，揭示他的历史存在的必然性和它的历史灭亡的必然性，至少是同等重要的。甚至可以说，没有对剥削存在的辩证认识，就无法从根本上阐明它的必然灭亡。无论是历史学家、哲学家，还是经济学家，都不能用对剥削的道义上的批判来充做对它作为人类社会发展一定历史阶段的一种必然存在的理解。社会的存在必须要用社会的存在来解释。既然古代奴隶社会奴隶的锁链是社会发展的代价能为现代社会的人们所公认，那么现代社会千百万工人所承受的巨大苦难又何尝不是一种社会发展的代价呢？如果仅仅从受剥削的工人的苦难来解释社会发展的必然，那么物质生产的决定作用又从何体现呢？如果保持社会存在与发展的劳动者仅仅是牛马，是物，是非人，那么社会的必然发展如何靠牛马靠物或非人来实现呢？面对剥削，到底谁是非人，这是唯物史观提出的一个根本性理论问题，而这一问题的根本解决要靠辩证唯物史观。辩证唯物史观不仅承认剥削历史存在的作用和意义，而且指出剥削者是非人，是人的本质变态的体现。在辩证唯物史观的理论认识上，存在非人的剥削是人类劳动整体的发展还没有能力达到完全正态的表现，剥削的存在程度是与人类劳动辩证发展的程度相一致的，并在一致的基础上对人类劳动向正态发展起它的历史作用，而正态劳动也正是在同这种变态劳动对立中发展起来的并将努力消灭这种劳动变态。

更重要的是，从人类劳动发展的辩证历史过程中，辩证唯物史观做出了历史的和现实的人类社会是常态社会存在的理论发现。这对于科学地认识人类社会的历史和人类社会的现实，是极为重要的。这对于人类准确地展望社会发展的未来和自觉地为社会必然的未来而努力，是新的理论基础。这种历史观认为，人类社会的起源是常态社会的起源，从那时起至今，由常态劳动决定人类社会一直是正态与变态两种态势并存，而这种辩证的对立并不用意识形态来解释，而是植根于社会物质生产之中，正是由于经济实质的变态存在导致了整个社会的变态存在，而常态社会既是对变态的容纳也是对变态的制约。人类常态社会的历史事实表明，古代社会的蒙昧是常态的蒙昧，现代社会的文明也是常态的文明，人类常态的起源和发展是必然的，从纯粹的动物向纯粹的人转化必须要有这样一个常态的发展过程。

马克思创立的唯物史观，是人类对自身历史探索的光辉结晶，是辩证唯物史观建立的基础。唯物史观的基本原理是，“社会经济形态的发展是一种自然历史过程。”① “历史中的决定性因素，归根结蒂是直接生活的生产和再生产。”② “这种历史观就在于：从直接生活的物质生产出发来考察现实的生产过程，并把与该生产方式相联系的、它所产生的交往形式，即各个不同阶段上的市民社会，理解为整个历史的基础。”③ 而辩证唯物史观也是在这一基础上建立的。辩证唯物史观对于社会发展的辩证认识，根植于对社会劳动辩证发展过程的认识——直接从劳动的内在对立的变化来说明社会的发展变化，因而，辩证唯物史观是以唯物史观阐明的认识基点为认识前提的，并且，是坚持在唯物史观的理论基础上做进一步的认识阐发的。社会物质生产始终是辩证唯物史观理论考察的基础，而且正是在这一基础上做出理论发现的。辩证唯物史观一直遵照唯物史观的原理，从人们的社会存在来说

① 马克思：《资本论》，第1卷，人民出版社，1975，第12页。
② 《马克思恩格斯选集》，第4卷，人民出版社，1972，第2页。
③ 《马克思恩格斯全集》，第3卷，人民出版社，1960，第42页。

明人们的社会意识，而不是用人们的社会意识去解释人们的社会存在。辩证唯物史观对于人类社会发展中的战争变态分析，是从对社会物质生产的变态分析开始并贯彻到底的，而不是脱离社会物质生产将它看做单纯人的疯狂和单纯社会的疯狂，也不是将它看做社会上层建筑领域的变态表现。辩证唯物史观对于劳动剥削存在的认识，也是从物质生产变态的批判开始的，并不仅仅是作为一种道义批判的理论出现的。辩证唯物史观阐明剥削的历史存在和灭亡的必然性要从整个人类劳动的发展过程来认识。辩证唯物史观还阐明人类社会发展的辩证历史过程是以自然历史过程为基础的，辩证的发展是社会常态的发展，自然历史过程就是常态社会发展的自然历史过程。更根本的是，辩证唯物史观坚持唯物史观的理论结论。辩证唯物史观认为，正态劳动与变态劳动矛盾发展的趋势是消灭变态劳动，即消灭剥削和战争，进入真正的人的社会，即共产主义社会。辩证唯物史观是从劳动的辩证发展考察中做出的这一认识的，这与唯物史观从对人类社会发展的自然历史过程的考察做出的人类最终进入共产主义社会的结论是一致的。辩证唯物史观对于剥削和战争的认识，是从社会经济生活的实质内容出发对社会的现实做出的批判，同时也科学地阐明社会生产力的正态才是社会主义社会发展的目标。因而，辩证唯物史观就是在唯物史观的认识的基础上，更加明确了社会主义的方向。

辩证唯物史观既是以唯物史观为基础，又是在这一基础上的发展。唯物史观是从社会经济形式出发揭示社会发展规律，辩证唯物史观则是从社会经济生活的实质内容出发认识社会的发展。唯物史观的考察没有将战争列入历史观认识的基本范畴之内，辩证唯物史观则是首先抓住战争的变态来认识人类常态社会历史的存在。唯物史观只认识到物质生产基础，而辩证唯物史观则是从这一基础进而深入认识它的正态与变态的对立统一的存在。

理论界一般认为，唯物史观是马克思主义关于社会历史的辩证法。恩格斯讲："唯物主义历史观及其在现代的无产阶级和资产阶级之间的阶级斗争上的特别应用，只有借助辩证法才有可能。"① 所以，唯物史观在传播、研究、运用的过程中，有时被直接称做历史的辩证法，或其他一些表示辩证含义的名称。

如：《马克思的自然概念》一书专门写了一节"人与自然的物质交换概念——历史的辩证法和'否定的'本体论"。作者还认为："在马克思的唯物主义看来，辩证法只有作为历史的方法才是可能。"作者还说："在《资本论》的草稿或《资本论》本身中，导入了历史辩证法概念的重要分化。"在这部研究专著中还写道："在马克思看来，严格地说只存在两种真正的历史辩证法，即从古代——封建时代向资产阶级时代转变的辩证法，另一种是从资产阶级时代向社会主义时代的最终解放转变的辩证法。当然重点在于后者。"作者的分析是："如果从历史哲学来说，工业之前发展了的极抽象的'要素的'辩证法，在马克思那里已具体化为根本性的生产力与生产关系的辩证法。换句话说，推进资本主义形成的历史辩证法，是从资本主义本身长期的历史中——它的'生成'中发现的"。②

有学者认为："人们往往容易把历史唯物主义仅仅理解为唯物主义，而忘记了辩证法。这是片面的。历史唯物主义就包括历史的辩证法，是对人类社会发展的辩证规律的揭示。没有辩证法，就不可能产生历史唯物主义。马克思在形成自己的唯物主义历史观的过程中，曾积极地吸收和改造德国古典哲学，特别是黑格尔的辩证法。""他着力探求私有制的起源和发展，分析私有制

① 《马克思恩格斯选集》，第3卷，人民出版社，1972，第377页。

② 〔德〕A. 施密特：《马克思的自然概念》，商务印书馆，1988，第75、181、182、195页。

的内在矛盾，并历史地考察劳动者和生产资料如何由直接或间接的统一，发展到对立的过程。马克思也不是把资本主义制度看成和谐的有机体，而是揭示资本主义制度下人与自然、人与人、对象化与自我确证、自由和必然、个体和类、存在和本质之间的矛盾，并把私有制的积极扬弃，看成是这些矛盾的解决。”马克思“肯定了黑格尔的历史辩证法的思想。”这“对于马克思形成历史辩证法的思想是十分有益的。”①

还有的学者认为：“马克思和恩格斯创立的唯物史观大致经历了5个发展阶段，在每一个发展阶段上，它都具有相对独立的表现形态。

第一种表现形态：萌芽的唯物史观（1844年）；

第二种表现形态：批判的唯物史观（1845~1846年）；

第三种表现形态：决定论的唯物史观（1859年）；

第四种表现形态：经验的唯物史观（1879~1882）；

第五种表现形态：辩证的唯物史观（1890~1895年）。

这五种表现形态构成总体的唯物史观。构成唯物史观的开放系统。”②

在一部专门研究马克思和恩格斯创立与发展唯物史观的著作中，作者做了这样的提法，“唯物史观就是辩证唯物主义的社会历史观。”③

此外，还有的提法是：“马克思更多地研究历史辩证法，恩格斯更多地研究自然辩证法。”④ 这就是将唯物史观的提法等同

---

① 陈先达：《走向历史的深处》，上海人良出版，1987，第160、163、168、169页。

② 黄凤荣、张战生：《反思与超越》，工人出版社，1988，第290页。

③ 彭立荣：《马克思恩格斯唯物史观的创立与发展》，上海社会科学院出版社，1989，第17页。

④ 孟氧：《恩格斯传·经济学篇》，中国人民大学出版社，1988，第1页。

于历史辩证法的提法。还有的提法是这样讲的："只有历史的辩证法才能创造一个崭新的局面。"① 而更有一些文献中将唯物史观直接称为"辩证历史观"。②

总的说，唯物史观包含马克思主义的辩证法思想。上述将唯物史观的名称加以辩证的明确的各种提法表达的都是这个含义。唯物史观所表达的辩证思想核心是：社会的发展体现生产力与生产关系、经济基础与上层建筑的矛盾的运动，生产力决定生产关系，经济基础决定上层建筑，生产力的发展是一切社会历史发展的基础。因而，在辩证的认识上唯物史观只揭示了人类社会发展的自然历史过程，而未揭示辩证历史过程。③

为此，辩证唯物史观突出地表现了人类历史观理论蕴含的扩展。与唯物史观的辩证思想表达不同，辩证唯物史观在历史的考察中，即对人类劳动完整的历史的辩证的认识中，发现了人类社会历史本身存在的根本的辩证关系。辩证唯物史观确定了对人类常态社会发展辩证运动的理论认识。这一新的历史观，所讲的辩证含义是特指的，即特指社会中的正态与变态的对立统一，这是与现有理论对马克思主义历史观辩证思想的理解有根本区别的。辩证唯物史观所体现的是历史观中更深一层的辩证内容。

辩证唯物史观对常态社会发展的辩证思想认识并不同于唯心主义的善恶进化论。中国清末经学大师章太炎于本世纪初做《俱分进化论》等文，阐述善恶进化论思想。他说："进化之所以为进化者，非由一方直进，而必由双方并进，专举一方，唯言智识进化可尔。若以道德言，则善亦进化，恶亦进化；若以生计言，

---

① ［匈］卢卡奇：《历史和阶级意识》，华夏出版社，1989，第202页。

② 参见中外名人研究中心编：《马克思主义哲学导读》，上海人民出版社，1990，第54页。

③ 参见陈先达：《走向历史的深处》，上海人民出版社，1987，第309页。

则乐亦进化，苦亦进化。双方并进，如影之随形，如罔两之逐影，非有他也。智识愈高。虽欲举一废一而不可得。曩时之善恶为小，而今之善恶为大；曩时之苦乐为小，而今之苦乐为大。”①他认为：“以道德言，彼虽亦有父子兄弟之爱，顾其爱不能持久，又不知桄充其爱，组织团体以求自卫，聚尘之丑，争食之情，又无时或息也。人于前者能扩张之，于后者能禁防之，是故他物唯有小善，而人之为善稍大。虽然，人与百兽，其恶之比较为小乎？抑为大乎？虎豹以人为易与而啖食之，人亦以牛羊为易与而啖食之。牛羊之视人，必无异于人之视虎豹，是则人类之残暴，因与虎豹同尔。虎豹虽食人，犹不自残其同类，而人有自残其同类者！太古草昧之世，以争巢窟、竞水草而相杀者，盖不可计，犹以手足之能，土丸之用，相抵相射而止。国家未定，社会未形，其杀伤犹不能甚大也。既而团体成矣，浸为戈矛剑戟矣，浸为火器矣，一战而伏尸百万，喋血千里，则杀伤已甚于太古。纵令地球统一，弭兵不用，其以智谋攻取者，必尤甚于畴昔。何者？杀人以刃，固不如杀人以术，与接为构，日以心斗，则驱其同类，使至于悲愤失望而死者，其数又多于战，其心又于战，此固虎豹所无，而人所独有也。由是以观，则知由下级之哺乳动物，以至人类，其善为进，其恶亦为进也。”② 可以说，这一善恶并进的哲理阐述概括地反映了人类常态社会的真实，今天人类社会的现实，就是善恶同存，依然处于常态。恶之存在，源于动物。原始社会的凶恶野蛮状态，虽无文字记载，但人们不难认识，看一看现实的动物世界的残暴，便无可否认当初原始人类行径的野蛮，因为那时的常态毕竟仅仅是才超出一点点动物界。奴隶社会的锁链，残忍的角斗乃至殉葬，是恶的进一步发展延续。

① 《章太炎全集》（四），上海人民出版社，1985，第386页。

② 《章太炎全集》（四），上海人民出版社，1985，第387页。

封建的压迫，资本主义的剥削，疯狂的战火，又使恶的膨胀步步升级。中国明代宦官专权，横行一时，竟使当时社会形成一股自宫求进的时潮，并且由阉割肉体滚向政治上出卖灵魂，对于权势阿谀拍马，助纣为虐，遗毒久远。当今资本主义世界，花花绿绿，无奇不有，阴诈回邪，诡计猖獗，黑道的残毒，赌场的疯魔，淫窟的放荡，政治的丑闻，无以形述，无以收敛。可见，在人类饮食文明、服饰文明、寝居文明、语言文明、法制文明、环境文明、厕所文明等等社会文明以及科学技术高度发达的今天，感受真、善、美的同时，人们又不得不接受自己同类（或多或少也包括自己）创造的那荒谬、粗鄙、冷漠、麻木、诡谲、野蛮的假、恶、丑的现实。《北京日报》1992 年 1 月 15 日首版报道："1 月 14 日上午，在珠海工作的女工刘亚梅专程赶到北京，从民警怀中接过了被拐卖达三年之久的儿子。她的儿子是 1989 年在京刚出生几个月被拐卖的。丰盛派出所接到报案后三下山东，用三个月时间，在山东平原县将孩子救出，使母子重逢。"报上配有大幅照片，亲人间痛哭的场面，使人过目难忘。拐卖者，恶也；救人者，善也；善恶同世，善以制恶。所以，善恶进化论不能不说是人类社会历史事实的归纳。恶存在是事实，恶的发展自古以来已登峰造极。就在本世纪中，在第二次世界大战期间，日本 731 细菌部队残忍地用中国人做活体实验，那惨绝人寰的情景，竟将后来观看再现这一历史的电影的众多观众吓昏；德国纳粹部队建立了许多处杀人的集中营，仅建在波兰的奥斯维辛集中营就先后关押过数百万人，其中有上百万人在那里被用煤气毒死，虎口余生的幸存者们想到当时的惨景，至今心有余悸。①然则，这一恶源并未杜绝，据报纸报道，随着东欧剧变、前苏联

① 在这个集中营的大门口用德文写着：劳动带来自由。

解体，欧洲曾再度掀起新纳粹主义恶浪。为此，英国的“反纳粹同盟”决定从1992初起也恢复组织活动。当然，善良的人们庆幸的是，恶在进化，善也在进化，而善的进化无疑是人类进步的希望。

事实是不可抹杀的，问题是，应该如何认识善恶的并进呢？章太炎对此做出了唯心主义的解释，他说：“善恶何以并进？一者由熏习性。生物本性，无善无恶，而其作用，可以为善为恶。是故阿赖邪识，惟是无覆无记；其末那识，惟是有覆无记；至于意识，而始兼有善恶无记。纯无记者，名为本有种子；杂善恶者，名为始起种子。一切生物，无不从于进化之法而行，故必不能限于无记，而必有善恶种子与之杂糅；不杂糅者，惟最初之阿米巴尔。自尔以来，由有覆故，种种善恶，渐现渐行，熏习本识，成为种子。是故阿赖邪识亦有善恶种子伏藏其间，如清流水杂有鱼草等物。就轮回言，善恶种子，名为羯磨业识，此不可为常人道者。就生理言，善恶种子，则亦祖父遗传之业识已。种子不能有善而无恶，故现行亦不能有善而无恶。生物之程度愈进而为善，为恶之力亦因以愈进，此最易了解者。二者由我慢心。由有末那执此阿赖耶识，以为自我，念念不舍，于是生四种心。希腊古德以为人之所好，曰真、曰善、曰美。好善之念，惟是善性；好美之念，是无记性；好真之念，半是善性，半无记性。虽然，人之所好，止于三者而已乎？若惟三者，则人必无恶性，此其缺略可知也。今检人性好真、好善、好美而外，复有一好胜心。好胜有二：一、有目的之好胜，二、无目的之好胜。凡为追求五欲财产、权位、名誉而起竞争者，此其求胜非以胜为限界，而亦在其事、其物之可成，是为有目的之好胜；若不为追求五欲财产、权位、名誉而起竞争者，如鸡、如蟋蟀等，天性喜斗，乃至人类亦有其情，如好弈棋与角力者，不必力求博贶，亦不必为求名誉，惟欲得胜而止，是为无目的之好胜。此好胜者，由于执我而起，名我慢心，则纯是恶性矣。是故真、善、美、胜四好，有兼善、恶、无记三性，其所好者，不能有善而无恶，故其所行者，亦不能有善而无恶。生物之程度愈进，而为善为恶之力，亦因以愈进，此亦易了解者。若在一人，善云恶云，其力皆强，互相抵抗，甲者心为乙者征服而止，固非善恶兼进。而就一社会、一国家中多数人类言之，则必善恶兼进”。[①] 章太炎将原因归于两个方面：一是熏习性，一是我慢心。熏习性是指阿赖邪识被善恶意识所熏染，因而有善恶种子藏在其内。我慢心是指末那识执阿赖邪识为自我，纯属恶性。据他自己解释，末那识是意根，阿赖邪识是万物的主因。所以，概而言之，章太炎是以意识为起点分析善恶并进的原因。他的归因都指的是人的心理意识，“熏习本识，成为种子”，是为善有善种，恶有恶种；“其所好者，不能有善而无恶，故其所行者，亦不能有善而无恶”。这样，善、恶就成了先验的、天性既定的东西了，因而，他的分析并没有触及历史的事实，更没有从事实本身找原因，而是站在历史之外编造回答问题的遁词。显然，这种脱离事实本身的观念分析说明不了什么，没有比事实更进一步，根本无法让人理解，所以成了“不可为常人道者”。本来，善恶并进，是常人之事，然常人之事不能为常人道，就说明没有能解释问题，而只是将问题搞得神秘主义化了。

只有辩证唯物史观，才能对人类历史中的善恶并进，做出彻底的唯物主义的解释。这一历史观阐明的原理是：人类是在劳动的起源中起源的，劳动是人的本质，但劳动的起源事实上是以常态劳动起源的，即刚刚起源的劳动尚未完全脱离动物的求生方

① 《章太炎全集》（四），上海人民出版社，1985，第389页。

式，这种常态一直保持发展至今，而常态劳动是正态劳动与变态劳动的统一，正态劳动体现人的本质，变态劳动是人的本质的变态，正态劳动与变态劳动的矛盾运动形成人类社会发展的辩证历史过程。根据这一原理，人类社会的善恶，只能来自人的本质，即人类劳动本质。人不是神的创造物，人是人自身劳动的创造，脱离了劳动就根本无法认识人类本身。人类劳动创造了人类社会的一切。在人类社会，加入或滞留着非属人的本质劳动创造的东西就是恶，与恶相对立的东西是人类劳动自我创造的善。以常态劳动为基础认识人类社会，就是：正态劳动创造了社会的真、善、美，真、善、美的本质必是正态劳动的本质展现；变态劳动是人的本质的变态，不论发展程度多高，仍是动物的求生方式的延续，是世间一切假、恶、丑的根源。

以往人们认为，私有制是万恶之源，资本主义私有制是现代一切罪恶的根。但从辩证唯物史观来看，私有制不过是变态劳动的一种表现形式，资本主义私有制不过是变态劳动发展一定阶段上的表现形式，形式虽然表现内容，但根本上是由内容决定的。所以，对于恶的根源的认识，必须落在变态劳动上。

如同对唯物史观在19世纪中叶创立起决定性作用的是当时的时代条件一样，对在20世纪末建立辩证唯物史观起决定性作用的正是这一个多世纪以来的社会发展实践。

两次世界大战的爆发，每一次都几乎将人类社会拖向毁灭。但新的社会也随之而生。第一次世界大战中产生了第一个社会主义国家前苏联，第二次世界大战后产生了中国等一批社会主义国家。如何认识这一历史过程？因为事实上不是资本主义经济危机引爆社会主义革命，不是资本主义经济危机毁灭资本主义社会，而是世界大战的爆发几乎毁灭全世界，世界大战的爆发造成了社会主义革命的有利时机。比起战争的疯狂，资产阶级对无产阶级的阶级压迫和经济剥削相对成了危及人类进步命运的尚属次要的问题。侵略国家的统治阶级发动战争，侵略国家与被侵略国家的被统治阶级都成了战争的牺牲品。战场上交锋的主要是普通的工人或农民，杀人的是，被杀的也是。纳粹部队的基本兵员是德国工人。日本侵华部队中的绝大部分士兵是疯狂了的日本工人和农民。而中国抗日军队的主要兵源是中国贫苦的农民。战争越是疯狂，越是将更多的劳苦大众推向死亡，这比残酷的剥削来得更快。这一基本的事实为辩证唯物史观认识军事劳动变态铺通了道路。

20 世纪中期以后，资本主义社会发展相对稳定。资本主义剥削不仅在西方国家保持，而且在东方一些国家重新出现。近年来，中国加大了向西方开放的步伐，仅 1990 年就实际使用外资 101 亿美元，中国领导人表示愿意遵照国际惯例保障来华投资外商的利益，不用讳言，这个国际惯例就是资本主义剥削的惯例。可以说，当代资本主义经济的高度发展更加掩盖了资本主义剥削的实质。在一些发达的资本主义国家，一个多世纪以前的那种血汗劳动制度，如我们在《资本论》中所看到的描述，在卓别林电影中所看到的情景，基本上消失了。一个工作日的劳动时间长达 10 多个小时，已经被每个工作日 6 小时、每周 5 个工作日的劳动制度取代。衣不蔽体，食不果腹的悲惨的工人生活，已经被炊具电气化、洗衣电气化、取暖电气化、照明电气化、交通电气化等几乎全部电气化的生活取代。我们知道，两德统一之前，民主德国是社会主义国家中人民生活水平最高的一个国家，人均国民生产总值已达 8000 美元，但是，比起联邦德国当时普通工人的生活水平还差了许多。实行有资休假制度，在西方各国，已经是比较普遍的事情。据报载，世界上享受假期最长的是比利时钢铁工人，每年可享受 31 天的有资假。飞机来，飞机往的国际游客中，并非个个都是大亨，其中不少是利用有资假期做自费旅游的工人和农民。正是在这一事实启迪下，辩证唯物史观做出了迄今为止的人类社会是常态社会的理论认定。根据人类劳动发展不仅是一个自然历史过程而且是一个辩证历史过程的理论认识推进，辩证唯物史观对历史的和现实的社会做出的理论概括表明，不能再像传统认识那样将资本主义社会视为完全腐朽的社会，而是要看到它是人类常态社会发展的一个阶段，它具有常态社会所具有的内在的辩证统一性，即它是一个正态与变态对立统一发展的合体社会，现代资本主义国家的活力是来自人类正态劳动的发展活力，而资本主义变态劳动的存在与发展仍然还是抵制人类正态社会进步的阻力。问题的复杂性仅仅在于，这种阻力对于人类常态社会的发展也并非是完全没有作用的。资本主义社会的进步是正态劳动的积极作用的结果，资本主义社会的腐朽是变态劳动极度发展的作用表现。所以，既不能将资本主义社会发展的积极力量归根于剥削劳动与军事劳动，也不能否认资本主义社会现实的积极发展的事实，必须科学地准确地认识正态劳动的高度发展促进资本主义社会发展的作用和变态劳动的现代化致使资本主义社会走向毁灭的效能。正是在这一理论创新点上，我们看到，辩证唯物史观不仅深刻地解释了当代资本主义社会发展的现实，而且恢弘地阐明社会主义社会的建立就是对资本主义社会正态劳动的继承和对资本主义社会变态劳动的否定。

辩证唯物史观建立的常态社会观，不承认有先在的人，不承认社会是由好变坏的，因而，不承认有人是可以被解放出来的人，不承认社会的发展是将社会重新变好。它认为，历史的和现实的人和社会是常态的人和社会，常态的人和社会是还未完善的人和社会，所以，在历史和现实中绝不存在真正的人和社会。它认为，决定常态的人和社会存在的是常态劳动的存在，常态劳动既含有人的意义上的求生方式又含有动物的求生方式，最基本的生存活动分为两大态势（正态与变态）的差别，这就是与传统认识的未做辩证区分的物质生产的不同，这才是辩证存在的常态社会的历史与现实。

黑格尔有句名言，叫做：

> “凡是合乎理性的东西都是现实的；
> 凡是现实的东西都是合乎理性的。”①

这句话的“玄奥”使得许多普通的人对它顶礼膜拜，这句话的“粗俗”使得许多高雅的人对它不屑一顾。其实，不论别人怎样看它，说出这句话的黑格尔本人对这句话的含义也说不清楚。或许我们可以这样讲，如果人们不是用辩证唯物史观的方法去认识常态社会的历史与现实，那么就不可能科学地解释这种含有深刻辩证思想的箴言。有人将黑格尔的这句话改成：“凡是合理的都是现实的，凡是现实的都是合理的。”然后再引申，不合理的也是现实的，现实的也是不合理的，所以得出不合理的也是合理的悖论。显然，这是越说越糊涂的，没有认识其中的辩证含义。但是，以常态社会观来认识这句话，人人都不难于理解。先说：凡是合乎理性的东西都是现实的。由于理性的东西是劳动的东西，人类的理性只能来自劳动，而只有劳动的东西对人才能成为现实的东西；所以凡是理性的东西都是现实的没有错，但关键在于现实的理性是常态的理性，也就是说，现实的劳动是常态的劳动，常态劳动包括正态劳动与变态劳动，因而理性就分正态的理性与变态的理性，正态劳动产生正态的理性的东西，变态劳动产生变态的理性的东西，这都是现实的，因为劳动是现实的，不论

① 黑格尔：《法哲学原理》，商务印书馆，1979，第11页。

正态劳动还是变态劳动都是现实的，所以劳动产生的理性的东西也是现实的；也就是说，正态的理性是理性，变态的理性也是理性，正态的理性的东西是现实的，变态的理性的东西也是现实的；这就是常态的现实，这就是常态劳动决定的理性的现实，这就是常态现实社会对变态的包容。反过来说：凡是现实的东西都是合乎理性的。道理是一样的。因为现实是常态的，劳动是常态的，所以，凡是现实实现的东西不是合乎正态劳动的理性的，就是合乎变态劳动的理性的，总之，合乎理性的就是劳动的，凡是劳动的都是现实的，凡是现实的是劳动的，劳动是常态的，只要认识到劳动是常态的，那么对合乎理性的就能取得辩证的认识并能使之与现实统一起来。这就是说，绝不能将黑格尔讲的合乎理性的理解为通常意义上的合理，而应将其理解为合乎常态劳动决定的常态理性（这是常态社会的一切理性存在，变态的理性是在其中的，与正态的理性同为现实的存在，人们只能接受这一现实，因为正是人类自身发展了变态劳动的）。黑格尔讲了这句话，但是他没能认识他讲的理性是常态理性，是常态劳动决定的常态理性，只是他概括了事实，事实是常态的没有错，所以他的概括才没有错，他自己也知道没有错，然而，正因为他只知道没有错而不知道是常态理性，所以他才只能讲是这样的而自己进一步解释不了。正因如此，相映之下，人们不难看出，今天，辩证唯物史观的建立，对于我们这个时代的人来说，就意味着已经能够在前辈哲人敏锐地思考世界的基础上，对人类社会的历史做出更为深入更为科学的理论认识了。

第二篇

生产劳动与非生产劳动

第六章　研究生产劳动理论的意义

辩证唯物史观为马克思主义政治经济学研究提供了考察社会经济生活的历史与现实的新视角。这就是说，我们的研究将不再仅仅局限在联系生产力研究生产关系上，更不是仅仅局限于研究生产关系上，从劳动入手的研究将进入对劳动整体的辩证关系分析之中和劳动本身的内部矛盾之中。

历史的和现实的生产关系的错综

复杂结构不过是历史的和现实的两种对立态势劳动中的人与人之间关系的一种表现。只看到生产关系中的对立，看不到劳动态势的对立，就会造成事实上的生产关系中心论的政治经济学，只以生产关系来解释社会经济生活的一切，因而也就搞混了生产关系范畴与劳动范畴之间的相互关系。长期以来，人们习惯于用生产关系的社会规定性说明劳动的社会规定性，而不是用劳动的性质来规定生产关系的性质。抽象地讲，这是颠倒了内容与形式的决定与被决定的关系。具体地看，这就使政治经济学的研究落入了简单形式化的窠臼。这就使得政治经济学基础理论研究难以起自身应起的作用。辩证地认识常态劳动的分析方法将使我们有可能从根本上改变这种局面。

从劳动入手研究社会经济生活，首先要研究生产劳动与非生产劳动理论。这是一个对劳动的社会作用给予评判分析的基础理论问题。

生产，《辞海》的解释是：以一定的生产关系联系起来的人们利用生产工具改变劳动对象以适合自己需要的过程。是人类社会存在和发展的基础。

劳动，《辞海》的解释是：人们改变劳动对象使之适合自己需要的有目的活动，即劳动力的支出。这是人类社会存在和发展的最基本条件。

显然，按上述释义，生产与劳动基本没有区别。因为，这本来讲的是同一对象，只是没有区别认识的角度的不同而已。人们所阐释的生产不过是劳动的形式。形式与内容的统一，表现为两种释义的基本一致。

不用说，从形式与内容的关系不能解释生产对劳动的限定。从这一理论研究的底蕴所涉及的问题和实际所起的作用综合起来看，我们得到的概括认识是：生产劳动范畴所讲的生产，实质上指的是对社会的生存和发展所起的有益作用性。生产劳动即是对社会的生存和发展具有有益作用性的劳动。从价值范畴讲，劳动相对应的是价值，生产劳动相对应的是有益价值。有益的益，并非泛指任何有益性，而是特指对社会生存和发展的有益性。因而，对社会的生存和发展起不到有益作用性的劳动，即使在社会经济生活的其他方面具有有益性，也是非生产劳动。毫无疑问，明确这种生产的涵义，是研究生产劳动理论的首要前提。

政治经济学研究的范围是社会化劳动。但生产劳动与非生产劳动这一对正负概念的论域却并不是社会化劳动。社会化劳动包括有用劳动和无用劳动，无用劳动是没有劳动成果的劳动，划分劳动成果的作用性质当然要将无劳动成果的劳动排除在外，因而，只有社会化劳动中的有用劳动才可以进行生产与非生产的划分，也就是说，有用劳动是生产劳动与非生产劳动的论域。因而，相应要明确，非生产劳动并非指生产劳动以外的一切劳动，而是只指有用劳动中除生产劳动以外的劳动。在商品经济中，有用劳动表现为实现社会使用价值和价值的社会必要劳动，因此，商品经济劳动中的生产劳动与非生产劳动的论域是社会必要劳动。商品经济的非生产劳动就是社会必要劳动中除生产劳动以外的劳动。我们将这些概念间的相互关系用下图表示：

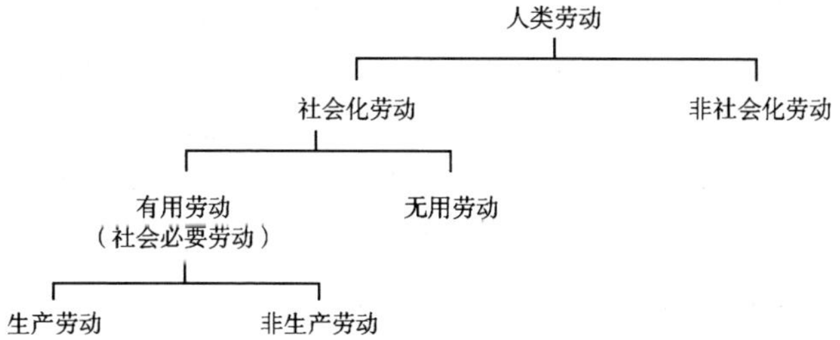

生产劳动与非生产劳动以社会必要劳动为论域表明，社会自发实现的劳动，即商品经济中得到社会承认的劳动，并非都是对社会的生存和发展具有有益作用性的劳动。因此，社会必要劳动一是表现出自发性，包括能自发地实现社会的生存和发展所需要的劳动；再是表现出社会实现劳动的范围已经超出社会的生存和发展的需要。而对生产劳动的认识则是对社会自发实现的劳动是否对社会的生存和发展具有有益作用性的理性的确定。这种确定目前还不能阻止社会自发地去实现非生产劳动，但却是衡量社会实现的劳动的作用的标尺，是使社会能自觉地实现生产劳动的理论依据。对生产劳动认识的逐步发展，体现了政治经济学理论认识的不断深化。

早在古典政治经济学著名代表亚当·斯密窥探生产劳动的内蕴之前，就有重商主义和重农学派的经济学家开始对这一问题进行研究了。重商主义是代表早期资本主义社会商业资本家利益的经济学说。他们认为社会财富只是货币，货币是从流通中产生的，所以财富就是流通创造的，生产不过是流通创造财富的先决条件。因此主张少进口多出口，以求通过国际贸易获得更多的货币。在重商主义看来，只有形成顺差的对外贸易才是生产的。这种只从流通领域认识社会生产的方法表现出极大的片面性和局限性，但在当时对社会经济却产生过强烈的思想影响。重农学派是早期古典政治经济学的一个学派，其代表人物最先明确提出生产劳动与非生产劳动的划分问题。他们认为只有农业劳动才能创造出“纯产品”，即剩余产品，因而只有农业劳动才是生产劳动，只有农业劳动者才是生产劳动者。其他劳动者，包括工业劳动者在内，都是非生产劳动者。他们将财富的创造确定在农业领域，一方面是对农业劳动生产作用的科学肯定，另一方面是对生产劳动范围的盲目认定。但无论如何，重农学派对生产劳动与非生产劳动的认识，比之重商主义是前进了一步。

亚当·斯密是古典政治经济学生产劳动理论的集大成者。他在自己的代表作《国民财富的性质和原因的研究》一书中，阐明了他的生产劳动理论的观点，并据之评价了重农学派的理论。关于亚当·斯密的论述，我们在后边做专章的分析，这里不予陈述。值得人们注意的是，他的理论引起了后来的经济学家们的广泛兴趣。赞颂和修补的有之，继承和发展的有之，然反对的亦有之。马克思认为："反对亚当·斯密提出的关于生产劳动和非生产劳动的区分的论战，主要是由二流人物（其中施托尔希还算是最出名的人物）进行的；我们在任何一个重要的经济学家那里，在任何一个可以说在政治经济学上有所发现的人那里，都没有看到这种论战"。[①] 但不论是修补，是发展，还是反对，后来的经济学家对于生产劳动的看法都是针对斯密的区分阐述的，斯密的观点流传甚远。

马克思创作《资本论》之初，曾拟定过一个第一部分（即后来的第一卷）的撰写计划草稿，共9点：

"（1）导言：商品，货币。

（2）货币转化为资本。

（3）绝对剩余价值：（a）劳动过程和价值增值过程；（b）不变资本和可变资本；（c）绝对剩余价值；（d）争取正常工作日的斗争；（e）同一时间的工作日（同时雇用的工人人数）。剩余价值额和剩余价值率（大小和高低?）。

（4）相对剩余价值：（a）简单协作；（b）分工；（c）机器等等。

① 《马克思恩格斯全集》，第26卷1，人民出版社，1975，第167页。

(5) 绝对剩余价值和相对剩余价值的结合。雇佣劳动和剩余价值的比例。劳动对资本的形式上的隶属和实际上的隶属。资本的生产性。生产劳动和非生产劳动。

(6) 剩余价值再转化为资本。原始积累。威克菲尔德的殖民学说。

(7) 生产过程的结果。

(占有规律的表现中的变革可以在第6点或第7点中考察。)

(8) 剩余价值理论。

(9) 关于生产劳动和非生产劳动的理论。"①

这个计划草稿拟于1863年1月，其中有两处计划阐述生产劳动与非生产劳动问题。可见当时马克思对这一理论是十分重视的。虽然后来出版的《资本论》第一卷没有按这个计划写生产劳动与非生产劳动，但是这一问题终归在第四卷经济学说史部分做了相当详尽的阐述。所以说，生产劳动理论无疑是马克思主义政治经济学的一个重要组成部分。

也许，人们不难理解理论发展的道路总是曲折的。在马克思之后，关于这一问题的研究情况更为复杂了。美国经济学家艾·亨特做了这样的概括："从十九世纪七十年代到1957年这段期间里，划分生产劳动与非生产劳动问题差不多普遍被学术界经济学家们抛弃了。这种划分通常被看做只有在古典经济学家和马克思的著作里才能找到的无用的或错误的理论产物。然而，1957年出版了由马克思主义经济学家写的两本有影响的书。一本是约瑟去·吉尔曼的《下降的利润率》，另一本是保罗·巴兰的《增长的

① 《马克思恩格斯全集》，第26卷1，人民出版社，1975，第446页。

政治经济学》。这两本书的出版重新引起了关于划分生产劳动与非生产劳动理论的兴趣，在马克思主义经济学家中间激起了一场关于生产劳动与非生产劳动各种定义的用途和运用范围的长期争论。”①

同其他社会主义国家一样，中国经济理论界自 1962 年开始讨论生产劳动问题，至今历时 30 年，仍未能形成一致意见。“文化大革命”前的讨论，主要集中在生产劳动划分的社会基础和社会主义生产劳动的划分标准两个方面。

关于第一个方面，大体分为 3 种意见：

“一种意见认为，生产劳动与非生产劳动的区分，在一切社会形态下都存在，并不是某个或者某几个社会形态所特有的。因为劳动的生产性与非生产性的区分，就一般意义来说，就是从事物质资料生产的劳动与物质资料生产以外的劳动的区分，这种区分本身不会以社会形态的不同而转移。历史上存在过的各个社会形态，都有生产劳动与非生产劳动的区分，将来的共产主义社会也不会例外。因此，这一对范畴是一切社会形态所共有的，区别只在于这两个范畴在不同的社会形态下，具有不同的含义罢了。

另一种意见认为，生产劳动与非生产劳动的概念，是资产阶级经济学者为研究资本主义生产关系而首先提出的。在那里，只有直接与资本交换，从而为资本家带来剩余价值的劳动才是生产的，否则就是非生产劳动。因此，生产劳动与非生产劳动这一对范畴反映了资本主义生产关系的剥削实质，是资本主义生产关系所特有的。在社会主义条件下，社会劳动的各个部分都是社会所必要的，都是为了满足整个社会日益增长的物质和文化的需要，因而没有区分生产劳动与非生产劳动的必要，事实上也不存在这

① 〔美〕艾·亨特：《马克思经济理论中的生产劳动与非生产劳动范畴》，《科学与社会》1979 年第 3 期，转引自《经济学译丛》1980 年第 5 期。

种区分的经济条件。

第三种意见不同意上述两种看法，认为生产劳动与非生产劳动这两个对立的范畴，既不是资本主义社会所特有的，也不是一切社会所共有的。这种意见认为，生产劳动与非生产劳动的对立是随着社会分工和阶级的出现而出现的。在原始社会，生产力极为低下，人们必须用全部活动时间从事物质资料的生产，才能维持生存，不可能还有时间去从事物质资料生产以外的活动，那个时候，劳动的概念和物质资料生产的概念是同义的，并不存在与之对立的非生产劳动的概念。随着生产力的发展，有了剩余产品，出现了社会分工和阶级，生产劳动与非生产劳动的界限才开始形成。它们的对立在奴隶社会、封建社会，特别是资本主义社会得到了进一步的发展。到了社会主义社会，虽然消灭了生产劳动与非生产劳动之间的对抗性矛盾，但由于社会主义社会仍然存在着旧式分工的残余，每个人的劳动还被固定在一种职业上面，因此还存在生产劳动与非生产劳动这一对范畴的客观条件。只有到了共产主义社会，彻底消灭了旧式分工，每个人既从事物质资料生产的活动，也都有物质生产领域以外的活动，到那个时候，生产劳动与非生产劳动的区分就会消灭。”①

关于第二个方面，大体也分为 3 种情况：

一种意见认为，社会主义生产劳动就是创造使用价值或物质财富的劳动，否则，就是非生产劳动。生产劳动与非生产劳动的区分，只能以是否创造物质财富为标志。

还有一种意见认为，社会主义生产劳动与非生产劳动划分的标志是对社会主义生产目的实现方式的不同。凡是能直接满足整个社会的物质和文化需要的劳动，就是生产劳动；只是间接有助

① 华溪：《生产劳动与非生产劳动问题若干观点简介》，《光明日报》1963 年 12 月 16 日。

于社会的物质文化需要的满足或不能满足社会需要的劳动，就是非生产劳动。

再一种意见认为，社会主义生产劳动的基础是物质资料生产，在这一基础上，不仅要生产出新的使用价值，而且要生产出新的价值。因此，社会主义生产劳动是能生产出剩余产品的劳动。

由于众所周知的原因，中国理论界关于生产劳动与非生产劳动的讨论中断了 10 多年。直到 1980 年，才接续研究。重新开始的讨论焦点集中在社会主义生产劳动与非生产劳动的划分上。大体形成了宽、窄、中三大派观点。各派依据自家对马克思有关论述的理解，深文究义，辩理求正。宽派认为，凡是社会主义社会需要的劳动包括各种服务劳动都是生产劳动。窄派坚持只有生产物质资料的劳动才是生产劳动。中派介乎二者之间。虽然观点迥异，争执不下，但不论哪一派，都充分肯定研究生产劳动与非生产劳动的划分是一个十分重要的理论问题。

那么，研究生产劳动理论的意义何在呢？

有人认为："根据这方面的原理，马克思深刻地揭露了资本主义的剥削实质及其对抗性矛盾。在社会主义制度下，研究这一问题……对进一步理解社会主义经济的本质及其优越性，对确定社会主义国民收入的实际数额，正确理解社会主义制度下国民收入的分配和再分配的形式和过程，正确安排国民经济各部门之间以及各个部门内部的比例关系，正确安排人力、物力和财力，以及加强社会主义企业的管理和核算等方面，都具有直接的重要的意义。"①

有人认为："科学地阐明这对范畴，将揭示出社会主义生产

① 何炼成：《试论社会主义制度下的生产劳动与非生产劳动》，《经济研究》1963 年第 2 期。

方式所依以建立的劳动的特殊经济形式，将有助于社会主义再生产问题（主要是国民收入的创造、分配和使用，国民经济比例的安排，劳动力在各部门间的配置和使用等问题）的研究，也将有助于对提高劳动生产率、增加社会主义积累等问题的认识。”①

有人认为：“正确地理解社会主义条件下的生产劳动这一经济范畴，不仅有助于揭示社会主义社会生产的本质，而且对于解决社会主义社会再生产的一些问题，也有着重要的意义。”②

有人认为：“正确认识和明确区分社会主义制度下的生产劳动和非生产劳动，对于合理安排国民经济的比例关系，发展科学、文化、教育和服务事业，研究国民收入的分配和再分配等，都有重要意义。”③

有人认为：“研究这个问题，有助于我们更全面地认识生产关系的性质，正确划分物质生产劳动与非物质生产劳动，安排二者的比例关系，研究国民收入分配和再分配等等。”④

有人认为，讨论生产劳动与非生产劳动的目的，“就是怎样安排我们的国民经济、怎样处理和安排好物质生产、精神生产、劳务以及其他活动之间的关系，怎样统计我国的国民收入及其分配。”⑤

有人认为：“有多方面的意义：一是这个问题与如何更好地实现社会主义生产目的有关；二是它与如何正确计量国民经济总

① 胡培：《什么是社会主义制度下的生产劳动与非生产劳动》，《浙江学刊》1963年5月创刊号。

② 许柏年：《略论社会主义条件下的生产劳动》，《江海学刊》1964年第1期。

③ 张寄涛、夏兴园：《社会主义制度下生产劳动与非生产劳动》，《经济研究》1980年第12期。

④ 杨长福：《社会主义制度下的生产劳动与非生产劳动》，《经济研究》1964年第10期。

⑤ 卫兴华：《马克思的生产劳动理论》，《中国社会科学》1983年第6期。

量指标，从而合理安排国民经济结构有关；三是它与如何克服经济生活中的浪费，提高社会劳动的生产性即经济效率有关。”①

以上学者所述，基本上代表中国经济学界现有的讨论中对研究生产劳动理论意义的认识。总的说来，就是揭露资本主义剥削和体现社会主义优越性、指导统计工作、为提高社会经济效率服务等等。

但是，严格说来，上述对生产劳动理论意义的认识，看到了生产劳动在资本主义制度下与在社会主义制度下的不同，却还没有能将其置于人类劳动发展的整个辩证历史过程中来认识；阐述了多方面的意义，却对各方面意义的认识都还比较笼统。

现在来看，我们对于研究生产劳动理论的意义，应有更深一步的认识。首先，这一研究对于人类自觉地调整社会经济活动具有重要意义。生产劳动是对社会的生存和发展起到有益作用性的劳动，因此，科学地区分生产劳动是社会有意识地保护自身的存在和发展的先决条件。其次，在社会主义条件下研究生产劳动有特殊意义。与资本主义劳动的发展不同，社会主义劳动的发展是一种自觉的创造。这种发展必须要以科学的理论为指导。因而，能否正确认识社会主义生产劳动，分清社会主义的非生产劳动，关系到能否更好地实现社会主义的劳动实践创造。再有，一般说来，生产劳动理论是国民经济统计理论建立的基础。有了科学的生产劳动与非生产劳动的划分，才能有相应准确的对国民经济的内容的大类划分的科学的统计认识。总之，积极地深入地进行生产劳动理论研究，对于马克思主义政治经济学能够更好地指导社会主义经济实践，具有基础性的理论意义。

---

① 刘国光：《关于马克思的生产劳动理论的几个问题》，《中国社会科学》1982年第1期。

第七章　对生产劳动的辩证唯物史观认识

一　生产劳动是一个历史的辩证发展的范畴

从生产劳动理论的提出到现在，早已经通过了几代人的认识，但我们所做的研究还不得不从最基础的概念定义谈起，这本身就表明经济学对社会经济生活的实质内容认识的进程是多么的艰难。我们界定的生产劳动内涵，与其说是现时代人对生产劳动理论做出的新的思考，毋宁说是对政治经济学先哲大师们的初衷做出的明达表述。两个多世纪以来，人们不断地探讨着生产与非生产的划分，正是在这一点上，引缀了纷纭的众说，流漾着睿智的困惑。

颇令一些现代人不解的是，为什么古代人能忍受做奴隶，尤其是那种自卖自身的虔举。但如果说这就是历史，古代人不可能有现代人的思维意识，那么问题不是解决，而是可以消失。因而，在生产劳动的分析上，今人也大可不必拘泥前人的论说，认识的发展是历史的必然。一个束缚了经济学界多年的思想是，生产劳动只存在于物质劳动之中。这其中隐匿着社会的生存和发展只靠物质劳动成果的含义，而且，这些物质劳动成果又被囿于有形产品的范围。这种观念，即使是从最宽泛的意义上说，也必须要破除。也就是说，仅仅从有形产品，从一般意义，从简单劳动过程出发，不能导引我们去正确地分析生产劳动。将生产劳动一般定义为生产有形产品的物质劳动，是长期以来学术界自我束缚思想的绳索。劳动是不是生产劳动，绝不能以劳动分工的领域和劳动成果的形态来划分的。我们坐在家中，邮递员送来友人的信，我们能看到的仅仅是送信的邮递员的工作，我们看不到的则是有好多的人为了这封信能送到我们手中所付出的劳动。事实上，即使友人的信发自本埠，也绝非送信的邮递员一人完成的工作。在邮电系统内，取信、分拣、运送等等工序成流水线作业。在邮电系统外，运输部门还有一系列的人参与了这项工作。再往远说，为邮电系统、运输系统服务的部门，亦有作用在内。难道谁能置众多人的作用于不顾，而单讲送信的邮递员一人的作用？在对待生产劳动的问题上，早期的重商主义学派却正是这样做的。他们只看到钱是最后从商人手中得到的，所以就认定只有经商赚钱才是生产的，而对商业后面的整个经济系统的作用全然无视。在重商主义者心目中，货币是物质财富的象征，似乎有了货币就有了物质财富，所以也就将货币等同社会的生存和发展的保障。不用说，重商主义的生产劳动观，在后人眼里是十分幼稚可笑的。然而，遗憾的是，这些人们的笑，却不无五十步笑百步之虞。后来的人们，虽然不再把生产的作用仅限于商业贸易，但却仍然存在着种种的不同层次的局限。或许可以这样说，后来人们的许多争论就是在对认识局限的范围差别上产生的。重农学派比重商主义进了一步，抛开了直观的商业，看到了农业的生产基础作用。但他们又只承认农业劳动是生产劳动，不承认农业以外的劳动是生产劳动。他们将工业劳动看成是非生产劳动，这在今人看来几乎是不值一驳的事情。现代社会，农业虽然还是生产粮食的，但离开工业，粮食的生产寸步难行。无须说北美洲大陆上的机械化农业生产对工业的依赖，就是在中国这样的农业大国，每年没有上千万吨的化肥，没有上百万吨的农药，也是绝对过不去的，农业同工业的联系，农业同科技的联系，农业同各行各业的联系，都是十分紧密的，并非只是农业对其他行业有基础作用，其他行业对农业没作用，而是各行业之间相互作用。粮食是作为农业劳动的产品生产出来的，但生产粮食，绝不只是农业一个部门的作用。可问题是，今天人们勇敢地否定了重农学派，却没有明智地否定自己。现在人们对生产劳动的认识不是拘泥于具体的农业、工业部门，而是拘泥在物质劳动领域，甚或只承认直接生产有形物质产品的劳动才是生产劳动。我们用前边的例子可以看出，这同样是抽象认识不到位造成的认识局限。如果说劳动能对社会的生存和发展起有益作用，那么它是不是直接生产有形产品的劳动有何关系？与是不是物质劳动又有何关系？如果说劳动不能对社会的生存和发展起有益作用，那么即使它是直接出产品的劳动也是不能算做生产劳动的，即便是物质劳动也不能成为生产劳动。这其中的道理是很明显的。譬如，制毒品，用于医学治病救人，就是对社会的生存和发展起有益的作用；而供人吸食，就是有害于社会。所以，生产与非生产，不在是不是物质产品，也不在是什么物质产品，关键是要看干什么用的，起什么样的社会作用。进一步说，在人类社会经济生活中，精神劳动的产品是必不可少的，如果我们今天还将精神劳动完全排除在生产劳动之外，实质上如同重商主义无视农业劳动的生产作用性，如同重农学派只认农业劳动为生产劳动排斥工业劳动为生产劳动是一样的。

正因为生产劳动与非生产劳动不能以物质产品或有形产品来划分，不能以物质劳动与精神劳动的领域来划分，所以，一般说来，也不能以劳动的部门来划分。种植、养殖、制造、服务等各个部门，大体上都是既含有生产劳动，又含有非生产劳动。长期以来，人们讨论生产劳动与非生产劳动的划分问题，以部门为界，不能不说是一个根本性的歧误。

最重要的是，人类劳动发展是一个辩证历史过程，正态劳动与变态劳动的区分是常态劳动的最基础的对立关系，所有其他劳动对立关系的区分只能建立在这一基础之上。因此，生产劳动与非生产劳动的划分必须以正态劳动与变态劳动的态势差别为认识基础。这也就是说，我们要看到，在生产劳动中必须区分更基础的正态劳动与变态劳动，即正态的生产劳动与变态的生产劳动，在非生产劳动中也有正态的非生产劳动与变态的非生产劳动之别。总之，我们必须依据常态劳动观来解决生产劳动与非生产劳动的划分问题。这是我们认识生产劳动理论的新基点。

维持人类常态社会存在基础的是正态劳动，在正态劳动的整体作用中还要区分有益作用与无益作用。具有对社会的存在和发展有益作用性的正态劳动是正态的生产劳动，不具有对社会的存在和发展有益作用性的正态劳动是正态的非生产劳动。正态的生产劳动是正态劳动的基础，是以人的意义生存的社会的根本保障。正态的非生产劳动是指奢侈性、娱乐性和消极性的正态劳动。奢侈的界限带有一定模糊性，但它的参考系十分明确。人类活在自然界，就生存条件讲，整体劳动能力必须与生活消费水准平衡，在平衡的意义上形成的劳动才具有有益作用性，而超过能力的消费则是奢侈。满足这种奢侈消费的劳动就是一种不具有有益作用性的正态劳动。原始社会的详情，我们不得而知，但在现今一些仍处于原始状态的部落生活中，从出土文物来看，也可知道原始人喜爱装饰品，只不过他们的喜爱物是极其简陋的，也许是几颗磨过的骨头，也许是几支山禽的羽毛，生活在现代化社会的人们可能对这些东西不屑一顾，然而对于原始人，则可能要付出相当的劳动。这些劳动是正态的，但就原始人的整体劳动能力讲，形成的这些满足社会消费的劳动是非生产的。今天，人们吃的、穿的、用的，只就一般水平而言，不用说对原始人，就是对前两个世纪的较富裕的人家讲，也是极其奢侈的。这就是说，劳动的奢侈性是个相对概念，历史概念。奢侈还是不奢侈，要看所处的时代，要看当时的整体劳动能力，离开了历史的特定时代，界限是无从确定的。随着劳动整体能力的提高，人类生活的消费水准相应提高，于是，奢侈的认定标准就随之改变。我们知道，奢侈总是与浪费相连的，有奢侈，就有浪费。而我们有时只以为是浪费的东西，其实也是奢侈，或许这些东西与社会虚幻的生活水准相比不太明显罢了。今天的人们，使劲地消耗着地球上的石油资源，发达的国家几乎家家有汽车，例如美国，据官方统计，共有1.8亿辆汽车。而不发达的国家似乎也在向这方面努力，好像只有汽车多了，才是现代化生活的建成。但从奢侈的角度来认识，超过必要的汽车（不是从量上而是从使用形式上）是浪费，是资源的浪费，是对人类自身现实生存环境的威胁。汽车滥用，造成石油资源的大量开采，再有50年左右，地球上的石油资源就要告罄。人类中不管是谁，对超过整体劳动能力的消费追求都是于整体的生存无益的。对此，并不是说石油资源绝对地不能大量消耗，只要人类劳动整体能力的提高，能开发出新的广阔的能源，人们就可用。然而，就现实而言，这样的硬话还不敢说，因为人类刚刚打开天国的大门，从近期开发看，太阳能和原子能的利用技术还远未完备，切尔诺贝利的事故至今使人心情不安。在现实的这种状态下，大量消耗石油，有必要的无必要的都消耗，那无必要的消耗就是奢侈。这一方面的经济问题，从个人，从市场，看不出什么道理来，人们都是一样地付钱买，一样地开车用，但是，只要我们将这种消耗同人类现实的整体劳动能力加以比较，任何人都会一眼就看出奢侈性，差别可能只在于有的人贪图自身享受不愿承认罢了。不从整体来认识问题，至今在人类社会，还是大多数人的习惯，现在只有少数的人能够与众不同学会整体认识方法。不管这少数人少到何种程度，政治经济学的研究人员应该是其中的一部分，也就是说，研究政治经济学的人必须要具有认识整体性的素质，而且这种整体性的认识还必须符合相应的时代要求。如果撇开历史，撇开整体，政治经济学绝对不可能为人们提供有用的知识。因而，从整体上说，造成人力、物力、资源相对浪费的奢侈性的正态劳动，尽管也出产品，尽管也为人们提供了物质的需要，但却不是正态的生产劳动，而是正态的非生产劳动。

娱乐性劳动成为社会劳动分工的一个组成部分是有历史原因的。原始社会的人们，只能集劳作娱乐于一身，提不上有人专作娱乐性劳动供大家享受，大家也不把娱乐当做一种对劳动的消费。人们一起干活，一起玩乐，彼此彼此。奴隶社会开始了奴隶主对奴隶的压迫，奴隶主不仅迫使奴隶劳动提供吃的、穿的、用的，还要让奴隶提供玩的，做玩物，做技乐，甚至做残忍的角斗，供奴隶主消遣，于是娱乐性劳动也就成为奴隶劳动中的一类，这是人类劳动发展史上一些人专门从事娱乐性劳动供另一些人享受（满足社会需求）的开端。娱乐性劳动起源的本身说明它是历史的产物，因此，它的演变也就体现了历史的演变。奴隶社会解体，娱乐性劳动并没有随之抹去，而是以更大的规模、更丰富的内容，更广泛地传播。歌曲琴和，舞影摇红，既为宫廷享受，也是市井闹观。西湖歌舞未休时，南宋江山已易主。如同山在、水在，娱乐性劳动自产生就成了一种历史存在。随着跌宕岁月的流逝，供人们娱乐的劳动，很多成为艺术劳动，凝聚着人类的智慧，闪烁着耀人的光彩。但是不管娱乐性劳动发展得多精，付出的汗水多大，它终归只能是非生产劳动。这种正态的非生产劳动与人们劳动之余的娱乐活动是有质的差别的，后者不是经营性的，不是劳动，而前者成为正态劳动中的一类实在是人类对自身劳动投入的慷慨大度。

消极性劳动对社会的生存和发展也是无益的。人类自己造就了这样一些劳动，是聪明，是愚蠢，是无奈，还是有意识的，抑或兼而有之。物质上的麻醉和精神上的避世，都表现为这种消极性。人作为一种生物，一生都要奋争，幻想摆脱尘世的烦恼，宽恕世间的罪恶，能起到使人忍受现实苦难的作用，却没有抗击生存压力的力量。世人自明知，从有文字记载的历史开端以来，人间苦难源源不断，世上罪孽罄竹难书，有时人之残忍比野兽胜百倍，想一想这些，尽如黑夜，随之消沉，固不足为奇。更何况，即便没有人为的恶患，大自然也未有长久慈善的笑脸，山呼、海啸、地动、风暴，水火无情、冷暑难熬，活在世上，确实不容易。于是，是积极地抗争，还是消极地避世，就成了人生旅途的分道。抗争者，是进取，是社会抗击生存压力的力量；避世者，是隐退，看似与世无争，实为自我安慰，只有这个作用。要求常态社会之初，人人都进取，是不可能的，人类劳动整体还没达到那个能力，要求现实常态社会人人都进取抗争也是不可能的。种种天灾人祸，逼人进取，也逼人逃避。这种逃避性的消极性的劳动，或许今后长久不会绝迹，但只要它存在，它就是非生产劳动。

同起精神消极作用的劳动一样，制造物质的毒品麻醉人的神经的劳动也是非生产劳动。这一点，天下昭然。在现时代，没有哪个国家不禁毒的。一旦查获毒品，无论何地，都尽数销毁。令人费解的是烟草，一边制烟，一边治病。没有什么好作用的烟草，似乎哪代人都离不了。老烟民们还未过够瘾，小烟民们又产生。且从原始人嚼烟叶，到现代人抽过滤嘴，越来越精。大多数人随波逐流，愿意抽就抽，不愿抽就不抽，反正染上了便没有几个人能再戒的。抽烟的人总是列举抽烟的好处，现代医学科学认为抽烟有百害而无一利。随着科学的发展，相信总有一天烟草会走向衰落，如果说烟草能提神，那时一定会有更好的没有副作用的替代品问世，这其实是不难做到的。总之，我们认为种烟、制烟、售烟劳动是消极性的非生产劳动。尽管现在许多人还认识不到这一点，许多地方还在大上烟草，许多国家还在烟税上大做文章，但这只是暂时的，烟草劳动的非生产性质总有一天会被世人所公认的。人类采取积极措施，制止这种消极性劳动蔓延的自觉日子将会很快到来。

对变态劳动中的生产劳动与非生产劳动的划分，更需要给予辩证地认识。关键是要认识变态劳动是一种客观历史的存在，变态的生产劳动是对变态的社会生存和发展起有益作用性。在常态社会中，不能排斥变态的存在，因而也就不能排斥对这种存在起有益作用性的劳动的存在。

在军事劳动中，划分生产劳动与非生产劳动的标准是看其对军事劳动整体是否起到有益作用性。能对军事劳动整体起有益作用性的劳动就是对变态社会的生存和发展起有益作用性的劳动，同样，不能对军事劳动整体起有益作用性的劳动就是对变态社会的生存和发展起不到有益作用性的劳动。一般说来，即使到了科学高度发展的今天，人们也不能做到所设置的军事劳动全都是对自身整体有益的。无奈地或不自觉地形成了非生产的军事劳动是难免的。比如，过分讲究军服艳丽的劳动投入，过分豪华的军事办公设施的建筑，等等。

剥削劳动的生产劳动与非生产劳动的划分是依据被剥削劳动的生产劳动与非生产劳动的划分进行相应的划分。因为，剥削劳动变态是无法单独存在的，没有可供剥削的劳动，便没有剥削劳动。所以，剥削劳动对变态社会的生存和发展的作用要依被剥削劳动的作用来定。在常态中，变态的存在是以常态表现的，是社会承认并接受的，因此，无论被剥削的劳动是正态劳动还是变态劳动，它的生产劳动性质决定剥削它的劳动是生产劳动，它的非生产劳动性质决定剥削它的劳动是非生产劳动。

正态的生产劳动与正态的非生产劳动和变态的生产劳动与变态的非生产劳动划分的不同点在于，前者看其对正态社会的生存和发展是否起到有益作用性，后者看其对变态社会的生存和发展是否起到有益作用性。首先要区分是否是正态劳动，然后才能区分是否是生产劳动。我们知道，历史的和现实的社会的生存和发展是正态社会与变态社会相统一的常态社会的生存和发展，所以，不论是正态的生产劳动还是变态的生产劳动，都是对常态社会的生存和发展起到有益作用性的。这也就是说，生产劳动内部存在着更基础的辩证统一关系，生产劳动的发展本身是一种辩证发展过程，生产劳动的发展存在着内在的变化，并非凡生产劳动都会保存，而是态势之间不同的生产劳动的发展趋势将不同，正态的生产劳动将发展为生产劳动整体，而变态的生产劳动将逐渐被取消，否则人类生产劳动就脱离不了常态的发展阶段。非生产劳动，不论是正态的非生产劳动还是变态的非生产劳动，都是对常态社会的生存和发展起不到有益作用性。只不过，在人类劳动辩证发展过程中，正态的非生产劳动将会随着正态劳动的存在而存在，变态的非生产劳动将会随着变态劳动的消亡而消亡。

总之，历史的和现实的生产劳动与非生产劳动是常态的生产劳动与非生产劳动，人类常态劳动的辩证发展决定生产劳动与非生产劳动的发展，生产劳动与非生产劳动的发展内在地体现着人类劳动发展的辩证历史过程，我们绝不能脱离这一过程去认识生产劳动与非生产劳动的存在及其作用。

二　提供生产消费品的劳动与提供生活消费品的劳动

从以上对生产劳动与非生产劳动范畴的辩证分析中，我们看到这对特定范畴内的正态与变态的区别，也看到它们在常态劳动下的统一。常态劳动是历史也是现实，所以，下面的分析，除特别说明之外，我们概以常态劳动为阐述对象。

（一）生产消费与生活消费

提供生产消费品的劳动，是社会再生产的第Ⅰ部类劳动，其成果用于生产消费，包括有形产品与无形产品，但不等同生产劳动。提供生活消费品的劳动，是社会再生产的第Ⅱ部类劳动，其成果用于生活消费，也包括有形产品与无形产品，但不等同非生产劳动。劳动成果的社会消费用途的区分与生产劳动的认定是不相同的。因而，我们不能将提供生产消费品的劳动与提供生活消费品的劳动混同于生产劳动与非生产劳动。按劳动成果的社会消费用途划分的劳动，就是社会再生产中劳动的两大部类的划分。这里讲的生产，不是生产劳动的生产，而是劳动表现形式涵义上的生产。在提供生产消费品的劳动中，既包括生产劳动，也包括非生产劳动，在提供生活消费品的劳动中，也是既包括生产劳动，也包括非生产劳动。这也就是说，在两大部类劳动中都是既有生产劳动又有非生产劳动，不论是生产劳动还是非生产劳动，都参加社会再生产大循环。

社会再生产的概括是全面的，两大部类劳动之间有着不可分割的联系。事实上，由于生活消费中存在奢侈性、娱乐性和消极性的劳动成果，因而，不仅制造这些消费品的劳动是提供生活消费品劳动中的非生产劳动，而且为制造这些生活消费的经济组织提供的生产消费品，也都属于非生产劳动的成果。非生产劳动是一连串的，不以生产消费与生活消费为划分，而是只要出现非生产劳动，就必然既包括生产消费品又包括生活消费品。比如，一座工厂专门制造毒品，毒品用于出售供人吸食，是一种有害的生活消费品，因此，这座工厂内的劳动是非生产劳动。而进一步看，为这座工厂制造机器设备、厂房设施等生产消费品的劳动也是非生产劳动。再讲下去，那就是说所有为这种毒品制造提供了间接服务的劳动都是非生产劳动。明确这一点，对于社会有意识地制约非生产劳动是十分重要的。因为现在各个国家，尤其是发展中国家非常需要有理智地限制非生产劳动的发展。如果一个国家的国民经济中的非生产劳动比重过大，到处办起歌舞厅、娱乐场，那么这个国家的经济发展实力必然会被削弱。要知道，不仅这些娱乐性劳动是非生产劳动，而且所有为其开业而投入的建筑劳动、制造业劳动、服务业劳动等等，全都是非生产劳动。一个国家的人力、物力在一定时期内总是有限的，因此，投到这里，就投不到那里，投到非生产劳动的多了，投到生产劳动的就少了。由此可见，只要提供生活消费品劳动中的非生产劳动多了，那么提供生产消费品劳动中的非生产劳动就也要增多，而这就必然影响整个生产劳动的发展，随之而后造成国家经济发展实力的削弱也就不可避免了。我们不能将劳动用于生产消费还是用于生活消费作为生产劳动与非生产劳动的划分标准，但是，却一定要明确提供生活消费品的非生产劳动与提供生产消费品的非生产劳动是关联相通的，绝不可将并不直接制造非生产劳动成果的生活消费品而只是为其制造提供生产消费品的劳动，排除在非生产劳动之外。

（二）生产性建设与非生产性建设

投入建设的劳动都是生产消费的劳动。在已有的社会主义经济实践中，对这种建设有生产性与非生产性的区分。

“生产性建设指直接用于物质生产或直接为生产性建设服务的建设。主要包括：（1）工业建设，指工矿企业建设项目中的生产车间、矿井、实验室、仓库及其他工业用构筑物的建造，生产用机械设备的购置及安装；（2）建筑业建设，指施工企业和自营施工单位的建筑生产和施工用建筑物的建设和设备购置等；（3）农林水利建设，指用于农场、牧场、拖拉机站、造林、防洪、灌溉、渔港码头、水产养殖和气象等建筑物、构筑物的建造和生产用设备的购置；（4）运输、邮电建设，指铁路、公路、桥梁、航道、码头、机场、邮电线路、微波、市内电话等的建设，以及车辆、船舶、飞机等设备的购置等；（5）商业和物资供应建设，指商业服务网点的建设和生产性设备的购置（不包括食品加工、粮食加工、肉类加工等工业建设）；（6）地质资源勘探建设，指从事地质资源勘探（包括普查）用的设备及其他工程建设。

非生产性建设指直接用于满足人民物质、文化生活福利需要的建设。包括：（1）住宅建设，指专供居住使用的房屋建设，如职工家属宿舍、职工单身宿舍等；（2）文教卫生建设，指各种学校、影剧院、体育场（馆）、图书馆、出版社、广播电视台（站）等文教建设；各种医院、卫生院、托儿所、保健站等卫生保健福利方面的建设；（3）公用生活服务事业建设，指城市环境保护、电车、汽车、轮渡等公用事业，旅馆、宾馆、理发馆、浴室等服务事业的建设（城市中独立的自来水厂、煤气厂等这些建设应包括在生产性的工业建设中）；（4）其他建设，指各级行政管理机关和团体的办公用房建设，以及其他非生产性建设。”①

由于在生产消费的劳动中既有生产劳动也有非生产劳动，所

① 参见《计划工作手册》，中国财政经济出版社，1984，第633页。

以在建设劳动中也有相应的区分，但以上生产性建设与非生产性建设的区分并不是这种区分。其生产性建设包括的内容，既有为提供生产消费品劳动所做的建设也有一部分为提供生活消费品劳动所做的建设；其非生产性建设的内容，指的是一部分为提供生活消费品劳动（主要是财政拨款的事业部门劳动）所做的建设，所以，这种区分也不是提供生产消费品劳动的建设与提供生活消费品劳动的建设的区分。

（三）生产建设与非生产建设

按照生产劳动与非生产劳动的区分，各个国家的国民经济建设中相应有生产建设与非生产建设之分。生产建设指对生产劳动需用的建筑、设备、设施等方面的建设，非生产建设指对非生产劳动需用的建筑、设备、设施等方面的建设。显然，从事生产建设的劳动也是生产劳动，从事非生产建设的劳动也是非生产劳动。发展国民经济，在发展中国家，要限制非生产劳动发展，首先要限制非生产建设。如果投资向非生产建设倾斜，热中于搞奢侈品消费，热中于娱乐场所的建设，热中于把钱花在消极避世上，那么社会表面上会有一派繁荣景象，而且经济也会在一定水平上持续地繁荣下去，但是，社会生产的水平难以提高，实力必然没有后劲，相对落后即为定中之事。这种情况，古代有，现代也有。也许有人奇怪，为什么注定要吃亏的事非要干。事实就是如此，常态社会下的人不是不可理喻的，而是不可完全理喻的。正态劳动的发展水平低，变态劳动的事实存在，足以构成人们的经济意识的蒙昧和丑陋。我死后哪怕洪水滔天的思想，在专制时代的帝王头脑中是普遍存在的，并像毒汁一样浸润对他顶礼膜拜的臣民们的脑子。及时行乐是庸俗腐朽的剥削者生活的普遍写照。雕梁画栋，金碧辉煌，钱财耗尽，国力尽衰。如果说，古代人糊涂，愚不可救；统治者心怀鬼术，挥霍无度，尚有因由；那么现代人，尤其是生活在社会主义条件下的现代人，也一时一晌地动不动就向非生产建设发热，又该当何解呢？事实总归是事实。认识这种事实不容易，解释这种事实更不容易。一些地方，图书馆没有，却先盖娱乐场；温饱尚未解决，却先买豪华轿车；看似个个都精明能干，实则对社会办的都是傻事，而且，甚至对操办者来讲，也未必都有利可图。前一阵子，卡拉 OK 在北京风行一时，但终因消费水准过高（对目前大多数中国人来讲），渐渐很少再有人问津，一些经营者连建设投资都难以收回。对此，我们不能简单地将原因归为盲目性和受到外来影响太大，而是应从深层本质上看到这是对非生产劳动性质认识的模糊。不论在什么社会条件下，只要人们对于生产劳动的重要性认识不足，对非生产劳动的作用认识不够，就完全可能出现这种社会经济行为的紊乱。表面上是行为盲目，根子上是认识问题。遗憾的是，人类社会已步入 21 世纪，可不用说普通老百姓，就连理论界对这一问题也未能搞清。因而，不难想像，愚昧的经济行为像野草一样茂生。有些人很舍得花钱消极避世，却不肯用钱办一点儿实事。小学校的房子荒败陈旧，而毗邻的山神庙却修葺一新，香火旺盛。纵然，这里有人们的各种社会意识的影响作用，但根本上不是由它决定的，而是劳动的发展水平决定的，是人类对自身生产劳动与非生产劳动作用的认识幼稚决定的。

生产建设压倒非生产建设是社会经济发展的前提。任何国家都要首先重视生产建设。众所周知，日本在第二次世界大战战败后经济发展很快，1951 年即经济恢复，1952 年实际国民生产总值超过战前水平，1955 年经济腾飞，至 1966 年国民生产总值已经超过英国，1967 年又超过了联邦德国和法国，到 1970 年一直持续高速发展，一跃成为资本主义世界仅次于美国的第二经济大国。据报道，日本1990年国内生产总值为2.9万亿美元，接近欧洲共同体的一半。在整个20世纪90年代，日本预测的年平均增长率为4.2%。日本经济发达起来的原因固然很多，如采取了“倾斜生产方式”即重点生产扶植、“贸易立国”、“技术立国”等措施，但是，从生产建设与非生产建设的角度看，关键是抓住了生产建设。特别需要指出的是，日本战后生产建设的起步，作为一种常态下的建设，包含有大量的变态的生产劳动。因为，“真正使日本战后经济形势改观的是朝鲜战争。它成为日本经济繁荣的起动力量。一是巨额的特需订货，即伴随朝鲜战争而发生的物资和劳务需求；二是反映世界性军备扩张所需物资的出口增加。据大来佐武郎估算，1952～1953年日本的特需收入约8亿美元。由于美军大量订货，日本的外汇储备从1949年底的2亿美元增加到1951年底的9.4亿美元，即一年增加到4.5倍。”①我们已经明确，军事劳动、战争经济在常态下可以是生产劳动，也可能是非生产劳动，关键看它对常态社会的生存和发展能否起有益作用性。像日本战后又发展起来的军事劳动，对日本常态社会的生存和发展确实起了有益作用，所以这是一种常态的生产劳动的起步，日本向军事劳动方面的投资，是一种生产建设。日本正是依靠这种生产建设的起步，实现了经济的起飞，取得了资本主义经济高度发达的成果。

社会主义的生产建设，本质上不同于资本主义的生产建设，生产建设并不能像日本那样依靠军事劳动建设大起步大发展。社会主义的生产建设主要依靠正态的生产劳动建设，它的建设目的是为了更快更好地发展正态的生产劳动。没有生产建设作为经济实力基础，社会主义的扩大再生产就不能很好地实现，而没有很

① 杨坚白主编：《社会主义宏观经济论》，东北财经大学出版社，1990，第473页。

好地实现扩大再生产，社会主义正态的生产劳动就不能大踏步地发展，就不能有效地为完全彻底取消变态劳动积累条件。因此，积极地恰当地进行生产建设，自觉地抵制非生产建设过度，应是社会主义经济实践应遵守的一项重要原则。

三　物质生产劳动与物质非生产劳动

物质生产劳动是物质劳动中的生产劳动，物质非生产劳动是物质劳动中的非生产劳动。这种区分表明，物质劳动中亦存在非生产劳动。这就打破了认为物质劳动都是生产劳动的传统观点。

传统是我们认识的基础，但我们的认识绝不能只局限于传统。在经济学研究上更有意义的，不是简单地排斥传统观点，而是积极地推进我们的认识。如果说，社会发展到今天，我们还认识不到物质劳动也必须划分生产劳动与非生产劳动，那么对我们来说，确切地讲，不是传统错了，而是我们错了。这里存在一个思维转换的问题，因为任何传统的认识只要被我们接受了，就是我们的认识，不能再把它单纯看做传统的产物，我们如果没有推进这种认识，而这种认识又与事实相违背，那么错了，确实怨不得前人，怨不得传统，而只能由我们自己负责。

物质非生产劳动的存在是客观的。在前面我们举的例子中，制造供人吸食用的毒品的劳动是这方面劳动的典型，这种劳动无疑是物质劳动，但是它又确实对社会的生存和发展起不到有益作用。进一步说，物质非生产劳动中亦有正态与变态之分，这如同物质生产劳动中的存在一样。

四　精神生产劳动与精神非生产劳动

精神劳动是人类对自身自然化的认识，是人类运用自己的体力和智力作用于客观的自然化的社会以满足人类生活需要的活动。精神劳动的成果是精神产品。精神产品是人类所独有的自然物，也是人类所独有的一种自然活动。精神生产劳动就是精神劳动中的生产劳动，精神非生产劳动就是精神劳动中的非生产劳动，这也就是说，精神劳动亦有生产劳动与非生产劳动的划分。

我们在此要强调的是，精神劳动的生产与非生产的划分，即精神生产劳动与精神非生产劳动的划分，同物质生产劳动与物质非生产劳动的划分依据是基本一致的。判断一种精神劳动是否是生产劳动，也要看它对社会的生存和发展是否具有有益作用性。当然这是指常态讲的。辩证地认识还要区分正态与变态的不同。从社会实践中，我们知道并非所有的精神劳动都能起有益作用，但是，能起有益作用的精神劳动并不是完全排斥认识社会认识错了的劳动。只要是积极地进取的精神生产，即使认识成果错了，也是生产劳动，因为它的错误将会为正确的认识铺平道路，将会继续引导人们去积极地进取。而精神非生产劳动的消极性的劳动，至今还在精神劳动整体中占有较大的比重。

五　生产劳动与生产性劳动

生产劳动一般指常态社会的生产劳动共性，生产劳动特殊指常态社会中各个社会发展阶段上的生产劳动特殊性。这也就是说，生产劳动一般与生产劳动特殊的区分不是以生产劳动的物质性与社会性区分的。不论是生产劳动一般还是生产劳动特殊，也不论是非生产劳动一般还是非生产劳动特殊，都是对劳动的整体的考察，即考察的是劳动的两个方面——人与自然的关系和人与人的关系的整体。这是一种定性的考察。生产劳动的生产指有益作用性，非生产劳动的非生产指不具有这种有益作用性。

而生产性劳动与非生产性劳动的划分则是一种定量的考察。生产性指效率性，非生产性指无效率性。

生产性劳动就是劳动成果大于或等于劳动耗费的劳动。非生产性劳动就是劳动成果小于劳动耗费的劳动。

由于生产劳动与非生产劳动都存在效率问题，所以：

生产性的生产劳动就是劳动成果大于或等于劳动耗费的生产劳动。生产性的非生产劳动就是劳动成果大于或等于劳动耗费的非生产劳动。

非生产性的生产劳动就是劳动成果小于劳动耗费的生产劳动。非生产性的非生产劳动就是劳动成果小于劳动耗费的非生产劳动。

这种界定不同以往，是我们合乎逻辑地推理的结果。在以往的认识中，生产劳动与生产性劳动，非生产劳动与非生产性劳动，基本上都是不分的。人们或是拿生产劳动当做生产性劳动，把劳动的有益作用性与效率性放在一起讲；或是拿生产性劳动等同生产劳动，认为二者间没有什么区别。总之，将生产与生产性混同，将生产劳动与生产性劳动混为一谈，从某种意义上讲，也是以往生产劳动理论中存在的一个缺陷。

第八章　关于亚当·斯密生产劳动理论的研究

18 世纪英国经济学家亚当·斯密的生产劳动理论是重商主义和重农学派生产劳动理论的发展，又是马克思生产劳动理论研究的来源。因此，当我们已经能够从正态与变态统一的常态劳动观来认识生产劳动与非生产劳动的问题，再简要地回顾一下亚当·斯密当初的思想脉络，是有深刻的理论意义的。

一　对亚当·斯密基本论述的分析

亚当·斯密关于生产劳动理论的论述主要集中在《国民财富的性质和原因的研究》这部著作的第二篇第三章中。其他地方的论述与这一章论述的思想基本上是一致的。所以，我们选这一章为代表对斯密的生产劳动理论进行分析。下面，按原文顺序将全章分为若干问题分析（引文均见该书商务印书馆 1988 年版，第 303 ~ 321 页）。

（一）斯密的基本观点

斯密在这一章的开头写道：“有一种劳动，加在物上，能增加物的价值；另一种劳动，却不能够。前者因可生产价值，可称为生产性劳动，后者可称为非生产性劳动。”这是斯密关于生产劳动与非生产劳动的基本观点。

（1）斯密对这两类劳动的基本划分是：一类是加在物上，能增加物的价值；另一类则不能够。因而是提出了划分的两点依据，即加在物上和能增加物的价值，而不是一点。

（2）这里，将生产劳动称做生产性劳动，将非生产劳动称做非生产性劳动，并非仅仅是字面上的混用，确实也包含两种涵义在内，即指既是生产的又是生产性的。

（3）斯密讲生产劳动是能加在物上的劳动，牵涉物质劳动的有形产品问题。斯密讲生产劳动是能增加物的价值的劳动，是牵涉价值论的问题，或是说，是劳动价值论还是生产劳动价值论的问题，是什么劳动才创造价值的问题。

（4）显然，斯密是笼而统之地区分生产劳动与非生产劳动，根本未能对生产劳动做辩证的认识。

接着，斯密对自己的观点做了举例说明。他认为：“制造业工人的劳动，通常会把维持自身生活所需的价值与提供雇主利润的价值，加在所加工的原材料的价值上。反之，家仆的劳动，却不能增加什么价值。”举出制造业工人的劳动做生产劳动的例子，本身说明斯密比重农学派在认识上前进了一步。但是，相对举家仆做非生产劳动的例子，却内在地表现了与前面表述的矛盾。因为斯密说家仆的劳动不能增加什么价值，是一句十分含混的话，到底不能增加什么价值，不能增加谁的价值，是隐约了。如果说家仆劳动没有价值，那么表面上与前面关于非生产劳动的表述没矛盾，但却与他自己下面的这句话相顶：“家仆的劳动，亦有它本身的价值，像工人的劳动一样，应得到报酬。”这又表明家仆劳动是有自身价值的。因而出现一个两难的问题：要么家仆劳动没有价值，非生产劳动可说是没有价值的劳动；要么家仆劳动有价值，非生产劳动不可说是没有价值的劳动。这说明，起笔，就表露出斯密对生产劳动认识的混乱。

斯密认为："制造业工人的工资，虽由雇主垫付，但事实上雇主毫无所费。制造业工人把劳动投在物上，物的价值便增加。这样增加的价值，通常可以补还工资的价值，并提供利润。"这三句话中：第一句的意思是将生产劳动的问题转变为资本家雇主的花费问题。我们知道，花费是与劳动有联系但全然不同的另一回事。这种转移，暗暗地将对生产劳动本身的研究叉开了。第二句是将一种或然性的事说成了必然性的事。我们知道，劳动获得价值，在商品经济条件下，必须经过两步，第一步是劳动要拿出合格的产品来，再一步是产品必须要能交换出去。绝非一劳动就有价值，不论什么劳动都是同样的。第三句说明剥削制造业工人的劳动通常可以得到利润。这是第一句话转移的落点，在此，研究对象即举例的制造业工人的劳动转为了剥削制造业工人的劳动。由于斯密存在这样的逻辑混乱，他不可能对生产劳动做出正确的认识。

紧接着，斯密又说："家仆的维持费，却是不能收回的。"这是将问题又转移了。前面谈的是资本家雇主的剥削劳动，这里又转成了资本家的生活消费了。虽然，资本家用在剥削劳动上和用在生活消费上都有花费，但花费是不同的，一个是剥削劳动的花费，一个是寄生生活的花费。剥削劳动的花费，将为资本家带来收入；而寄生生活的花费，纯粹是资本家收入的支出。一个是进，一个是出，这二者之间绝不能等同。准确地说，一个属生产范畴，一个属生活范畴，完全不是一回事。因此，不仅家仆的维持费不能收回，资本家用在哪一项生活开支上的费用都是不能收回的。

所以，斯密认为："雇佣许多工人，是致富的方法，维持许多家仆，是致贫的途径。"这就完全把对劳动是生产劳动还是非生产劳动问题的研究转成了资本家的持家理财之道了。这并非讲什么劳动是生产劳动，而是讲多赚少花发家、少赚多花败家的道理。

（二）劳动的随生随灭问题

斯密认为："制造业工人的劳动，可以固定并且实现在特殊商品或可卖商品上，可以经历一些时候，不会随生随灭。似乎是把一部分劳动贮存起来，在必要时再提出来使用。那种物品，或者说那种物品的价格，日后在必要时还可用以雇用和原为生产此物品而投下的劳动量相等的劳动量。反之，家仆的劳动，却不固定亦不实现在特殊物品或可卖商品上。家仆的劳动，随生随灭，要把它的价值保存起来，供日后雇用等量劳动之用，是很困难的。"

（1）斯密是将劳动的随生随灭问题作为划分生产劳动与非生产劳动的依据。根据仍是劳动能加在物上，这里，斯密又将它进一步引申为生产劳动是不会随生随灭的劳动。

（2）劳动成果是否随生随灭本是劳动成果的形态问题，或是说，是有形产品与无形产品的划分问题。斯密这里却将它混同于生产劳动与非生产劳动的划分。我们知道，有形产品与无形产品均是劳动产品，如果生产劳动与非生产劳动可以简单地由劳动产品的形态来划分，那岂不是太容易了，似乎大可不必讨论，任何有眼有珠的人能分辨清楚。这种处理的简单化反映了斯密对生产劳动的认识真正是十分肤浅的。

（3）斯密说家仆的劳动是随生随灭的，这是事实。但是，他又滑笔道，保存价值，供日后雇用等量劳动之用，就又将劳动与消费混淆起来。资本家雇用家仆是他的生活消费，消费了的价值怎么能保存起来呢？固然，家仆劳动的成果是随生随灭的，但即使不随生随灭，也未见有生活消费了的东西还能存在其价值的。这是个简单的道理，只不过让斯密弄得复杂罢了。斯密说，这种价值保存起来，供日后雇用等量劳动之用，是很困难的。其实，并不是困难不困难的问题，而是根本不可能的事。把劳动成果的形态是随生随灭的与生活消费的价值不复存在混成一个东西，是斯密甄别非生产劳动的一大特色，也是他的生产劳动理论走向误区的一条甬道。

（三）关于不生产的劳动者

顺着劳动随生随灭这根线，斯密进一步区分了不生产的劳动者。他说："有些社会上等阶级人士的劳动，和家仆的劳动一样，不生产价值，既不固定或实现在耐久物品或可卖商品上，亦不能保藏起来供日后雇用等量劳动之用。例如，君主以及他的官吏和海陆军，都是不生产的劳动者。他们是公仆，其生计由他人劳动年产物的一部分来维持。他们的职务，无论是怎样高贵，怎样有用，怎样必要，但终究是随生随灭，不能保留起来供日后取得同量职务之用。他们治理国事，捍卫国家，功劳当然不小，但今年的治绩，买不到明年的治绩；今年的安全，买不到明年的安全。在这一类中，当然包含着各种职业，有些是很尊贵很重要的，有些却可说是最不重要的。前者如牧师、律师、医师、文人；后者如演员、歌手、舞蹈家。在这一类劳动中，即使是最低级的，亦有若干价值，支配这种劳动价值的原则，就是支配所有其他劳动价值的原则。但这一类劳动中，就连最尊贵的，亦不能生产什么东西供日后购买等量劳动之用。像演员的对白，雄辩家的演说，音乐家的歌唱，他们这一般人的工作，都是随生随灭的。"

(1) 到此，斯密列举了一批不生产劳动者，如君主、官吏、海陆军、牧师、律师、医师、文人、演员、歌手、舞蹈家等。划归这一类的依据就是劳动随生随灭。所以，这种举例谬误难免。比如海陆军劳动者既有（变态的）生产劳动者，也有（变态的）非生产劳动者，不能笼统地划归非生产劳动者。

(2) 斯密的说法总是自相矛盾。一方面说和家仆一样的劳动，都是不生产价值的劳动；一方面又说，在这一类劳动中，即使是最低级的，亦有若干价值，支配这种劳动价值的原则，就是支配所有其他劳动价值的原则。斯密的意思是说这些劳动者的劳动又有价值又不生产价值。这能成立吗？显然他自己都无法自圆其说。

(3) 斯密这里仍然是将不生产价值与劳动不能加在物上、随生随灭连在一起。这本来是两回事，两个问题。价值是不是必须由有形产品来体现，并不是一个多么难于回答的问题。今天对这一问题，恐怕百分之百的人会认为不必争执。因为当今许许多多的国家已有半数以上的劳动者，从事无形产品的劳动，如果他们的劳动不生产价值，那价值又该何在呢？但斯密将这与随生随灭混在一起谈，就好像平添了某种神秘感。其实，这样绕，首先是将他自己绕糊涂了。

(4) 斯密讲，公仆们的劳动，功劳不小，但今年的治绩，买不到明年的治绩；今年的安全，买不到明年的安全。这么讲，看似振振有词，不可驳辩。其实，只不过是貌似深奥。问题是，今年的治绩，干什么要买明年的治绩；今年的安全，买明年的安全干什么。要知道，今年公仆的劳动，使今年社会得到治理和安全，这就够了，何必再要求它保留到明年，明年的事要由明年来做。到了明年，公仆们自然又得为新的一年劳动。劳动总不会一劳永逸，即使是制造业劳动，它的成果也是一年一年地被消耗掉。说有形产品可保留价值在其上，仅仅是可保留，实际未必该物就一定能留得住，一般说，成果生产出来就是为了消费，消费的方式可有不同，但共同的总是消费掉，即用去，若有一些延迟消费也定要由别人借去先消费才行。怎么能将这一消费的必然需要单指向提供无形产品的劳动呢？

（四）生产性人手的多少问题

斯密对生产性人手做了这样的阐述，："生产物的数量无论多么大，绝不是无穷的，而是有限的。因此，用以维持非生产性人手的部分愈大，用以维持生产性人手的部分必愈小，从而次年生产物亦必愈少。反之，用以维持非生产性人手的部分愈小，用以维持生产性人手的部分必愈大，从而次年生产物亦必愈多。除了土地上天然生产的物品，一切年产物都是生产性劳动的结果。"

（1）斯密这里将年产物统归生产劳动成果，即认为非生产劳动是什么也不提供的，这就混淆了非生产劳动与不劳动的区别。不劳动才是什么也不提供的，而非生产劳动，用斯密自己的话讲"亦有若干价值"，既有价值就是提供了劳动成果的。显然，在此斯密又陷入自己制造的混乱和矛盾之中。

（2）一般讲，非生产性人手越大，社会的发展将受影响。但是，斯密所讲的生产性人手的范围是很窄的，所讲的非生产性人手并非是真正的非生产性人员，而是指提供无形产品的劳动人手，因而，他的理解就与事理相违了。我们知道，在新技术革命之后，提供无形产品的劳动人手越来越多，在某些发达国家甚至超过总劳动人手的60%，倘若按斯密的认识推论，这些国家必穷，然事实正相反。所以，经济发展的事实证明斯密的生产性与非生产性人手划分是一种认识的迷误。

（五）年产物的分类用途

斯密说："无论在哪一国，土地和劳动的年产物，都是用来供给国内居民消费，给国内居民提供收入，但无论出自土地或出自生产性劳动者之手，它们都是一出来就自然分成两个部分。一部分（往往是最大的一部分）是用来补偿资本，补充从资本取出来的食料、材料和制成品；另一部分，则或以利润形式作为资本所有者的收入，或以地租形式作为地主的收入。就土地生产物说，一部分是用来补偿农场主的资本，另一部分用来支付利润作为资本所有者的收入，或支付地租作为地主的收入。就大工厂的生产物说，一部分（往往是最大的一部分）是用以补偿厂商的资本，另一部分则支付利润，作为资本所有者的收入。

用来补偿资本的那一部分年产物，从来没有立即用以维持非生产性劳动者，而是用以维持生产性劳动者。至于一开始即指定作为利润或地租收入的部分，则可能用来维持生产性劳动者，也可能用来维持非生产性劳动者。

把资财一部分当做资本而投下的人，莫不希望收回资本并赚取利润。因此，他只用以雇用生产性劳动者。这项资财，首先对其所有者提供资本的作用，以后又构成生产性劳动者的收入。至于他用来维持非生产性劳动者的那一部分资财，从这样使用的时候起，即由他的资本中撤出来，放在他留供直接消费的资财中。”

（1）这里讲的前提仍然是仅以生产劳动成果为年产物全部。这本身不符合事实。而且斯密最后又认为非生产劳动成果也是供直接消费的，无疑前后是对不上的。

（2）斯密将年产物分成两个部分，一部分补偿资本，一部分作为收入。他认为前一部分全部直接用以维持生产性劳动者，后一部分可能用来维持生产性劳动，也可能用来维持非生产劳动。总之，用途是两方面的，但仍然是劳动者靠劳动投入得到的收入称为维持，这就模糊了劳动者与不劳动者的区别，要知道劳动者是靠自己养活自己的，只有不劳动者才要靠别人或社会维持度日的。

（3）斯密将雇主维持（实则是他消费）非生产性劳动者的那一部分资财称做从资本中撤出来的资财，既混淆了资本与收入的区别，又混淆了劳动与消费的区别。

（六）收入与劳动者的关系

斯密从年产物的用途区分谈到收入与不同劳动者的关系。他说："非生产性劳动者和不劳动者，都须仰给于收入。这里所谓收入，可分为两项：一，在年产物中有一部分，一开始即指定作为某些人的地租收入或利润收入；二，在年产物中又有一部分，原是用来补偿资本和雇用生产性劳动者的，但在归到获得它的人们手中后，除维持他们衣食外，他们往往不分差别地用来维持生产性劳动者和非生产性劳动者。例如，不仅是大地主和富商，就连普通工人，在工资丰厚的场合，也常雇用个别的家仆，看回木偶戏。这样，他就拿一部分收入来维持非生产劳动者了。并且，他也许要纳一些税。这时，他所维持的那些人，虽然尊贵得多，但同样是不生产的。不过按照常情，原想用来补偿资本的那部分年产物，在还未用以雇用本要雇用的足够的生产性劳动者，推动他们工作以前，决不至移用来维持非生产性劳动者。劳动者在未作工获得工资以前，要想用一部分工资来维持非生产性劳动者，是决不可能的。而且，那部分工资往往不多。这只是他节省下来的收入；就生产性劳动者的情况说，无论怎样，也节省不了许多，不过，他们总有一些。就赋税说，因为他们这一阶级的人数是很多的，所以，他们各个所纳虽很有限，但他们这一阶级所纳的，却很可观。地租和利润，无论在什么地方，都是非生产性劳动者生活所依赖的主要资源。这二种收入，最容易节省。它们的所有者可以用来雇用生产者，亦同样可以用来雇用不生产者。但是，大体上，他们似乎特别喜欢用在后一方面。大领主的费用，通常用于供养游惰人们的多，用于供养勤劳人民的少。富商的资本虽只用来雇用勤劳人民，但像大领主一样，他的收入也大都用来豢养不生产的人们。”

（1）我们看到，斯密这里又将劳动者与不劳动者混在一起。非生产性劳动者是劳动者，他们与不劳动者根本不同。一个简单的道理：劳动者是靠自己劳动吃饭，不劳动者是靠别人来养活。而斯密却认为非生产性劳动者与不劳动者一样需别人来养活。

（2）斯密将收入只归为两项，即雇主收入和生产劳动雇工收入，而将非生产劳动雇工收入排除在外。这不论生产劳动与非生产劳动怎样划分，在收入的计算上都是不对的。根子在于，斯密没有认识到非生产劳动雇工与雇主之间同样存在商品经济交换关系。

（3）斯密所说的“不分差别地用来维持生产性劳动者和非生产性劳动者”，实际证明的就是生产劳动与非生产劳动都同样贯彻商品经济交换原则。只是斯密并没有严格地将这一思想贯彻到底。

（4）必须明确，斯密讲的用工资维持非生产性劳动者，实际是生产性劳动者用工资与非生产性劳动者的成果相交换。用维持来表述他们之间的关系是根本错误的。

（5）斯密讲赋税是养活非生产劳动者的，也是根本错误的。

（6）斯密讲非生产劳动者依赖地租和利润生活，是将经济交换关系说成是供养关系。

（7）斯密将剥削者的地租和利润这两种剥削收入说成“可以用来雇用生产者，亦同样可以用来雇用不生产者”，是对资本，土地所有权与资本家和地主的生活消费的混淆。收入总是要分为投资用和生活用的，仅仅在收入形式上是辨不出其用途和差别的。

（8）斯密说，富商的收入“也大都用来豢养不生产的人们”。这是弄混了。家仆等雇工绝非是同剥削者一道去享用剥削收入，而是将他们自身的劳动作为剥削者的享用对象，换取自己的生活需要。

（七）生产者与不生产者的比例及两种基金的比例

斯密认为：“由土地、由生产性劳动者生产出来的年产物，一生产出来，就有一部分被指定作为补偿资本的基金，还有一部分作为地租或利润的收入。我们现在又知道，随便在哪一国，生产者对不生产者的比例，在很大程度上取决于这两个部分的比例。而且，这比例，在贫国和富国又极不相同。”照斯密这样说，好像补偿资本的基金都是用于生产者，而资本家和地主的收入都是用于非生产者。补偿资本基金与地租或利润基金的比例是存在的，而且这一比例在不同国家确实也不相同，但是这一比例绝不会同于生产者与非生产者的比例。第一，补偿资本的基金分为生产资料的补偿和生活资料的补偿。而且有生活资料补偿的一部分是对生产者的补偿。第二，资本家和地主的收入并非都用于非生产劳动成果消费，他们的必需生活消费基本都是由生产劳动提供的。第三，在资本投入中本身就含有非生产劳动的费用开支。总之，这两种比例根本不是一回事。

斯密对此却津津乐道，回顾历史，分析当时，由对生产与非生产的论述转向对资本与收入比例的论述，他说明“富国居民由资本利润而得的收入也比贫国大得多。但就利润与资本的比例说，那就通常小得多。”

所以，接下来斯密断定：“与贫国比较，富国雇用生产性劳动的基金，在年产物中所占比例，也大得多。”

为更进一步引申这一问题，斯密继续发挥他的想像力，写道："这两种基金的比例，在任何国家，都必然会决定一国人民的性格是勤劳还是游惰。和我们祖先比较，我们是更勤劳的，这是因为，和二三百年前比较，我们用来维持勤劳人民的基金，在比例上，比用来维持游隋人民的基金大得多。我们祖先，因为没受到勤劳的充分奖励，所以游惰了。俗话说：劳而无功，不如戏而无益。在下等居民大都仰给于资本的运用的工商业城市，这些居民大都是勤劳的、认真的、兴旺的。"本来，这两种基金的比例根本与人民的勤劳与游惰是不成因果关系的，竟让斯密给说成了必然的因果关系。我们知道，任何比例都是对事实的不同部分当量对比的测定，它可以反映事实，却不能决定事实的存在。更何况勤劳与游惰是品行之分而非劳动性质之分，怎么可能由资本与收入的比例来决定呢？这就叫差之毫厘，谬之千里。再说，是谁游惰呢？到底是受资本家或地主雇用的非生产性劳动者，还是资本家或地主本人呢？

（八）资本与收入和资本与节俭

斯密进一步讨论了这个问题。他说："无论到什么地方，资本与收入的比例，似乎都支配勤劳与游惰的比例。资本占优势的地方，多勤劳；收入占优势的地方，多游惰。资本的增减，自然会增减真实劳动量，增减生产性劳动者的人数，因而，增减一国土地和劳动的年产物的交换价值，增减一国人民的真实财富与收入。"

"资本增加，由于节俭，"斯密说，"一个人节省了多少收入，就增加了多少资本。这个增多的资本，他可以亲自投下来雇用更多的生产性劳动者，亦可以有利息地借给别人，使其能雇用更多的生产性劳动者。个人的资本，既然只能由节省每年收入或每年利得而增加，由个人构成的社会的资本，亦只能由这个方法增加。"

斯密由此而说："资本增加的直接原因，是节俭，不是勤劳。诚然，未有节俭以前，须先有勤劳，节俭所积蓄的物，都是由勤劳得来。但是若只有勤劳，无节俭，有所得而无所贮，资本决不能加大。节俭可增加维持生产性劳动者的基金，从而增加生产性劳动者的人数。他们的劳动，既然可以增加工作对象的价值，所以，节俭又有增加一国土地和劳动的年产物的交换价值的趋势。节俭可推动更大的劳动量；更大的劳动量可增加年产物的价值。"

(1) 斯密对于资本支配勤劳和收入支配游惰的认识，源于他对生产劳动认识的局限和对非生产劳动性质的歪曲。而且，将人的勤劳归于资本的作用，是颠倒人与物关系的最好证明。

(2) 斯密将增减生产劳动者的人数，看成是对一国土地和劳动的年产物的交换价值的增减，是对劳动与生产劳动的混淆。劳动对应的是价值，生产劳动对应的是有益价值。人们在商品经济中交换的是价值，非生产劳动亦参加交换，而且斯密也承认他们"亦有若干价值"，怎么能在计算一国年产物的交换价值中又将非生产劳动的交换价值去掉呢？这样计算，是与事实不相符合的。

(3) 斯密说，资本增加，由于节俭。这如同说，汽车行驶，是由于车轮转一样。因为人们看得见的只是车轮转，根本不用管它的发动机如何，根本不用找车轮转的原因，这就是直观思维的斯密的认知逻辑。我们知道，没有劳动的扩大生产，哪里能有资本的增加。但是，斯密认不清这些，所以，他的生产劳动理论是个半截子理论。

(4) 节俭是一个消费适度的表示。而劳动整体能力的提高才需要扩大投资。节俭并不等于投资，即使投资是节俭下来的钱，这也不等于是由于节俭才使资本增加的。所以，斯密只看到了表面关系，他对这一问题的认识是不深入不准确的。

（九）奢侈与妄为

斯密认为："资本减少，由于奢侈与妄为。"这是人间天话。资本家的奢侈与妄为，需要更多的资本来满足，或是说，资本主义生产的发展，是与资本家的奢侈与妄为并进的。因此，在资产阶级的奢侈与妄为下，需要总资本增加，而事实上总资本也是一直在增加的。即使个别资本家破产，原因也是多方面的，它的资本的减少是无碍于总资本增加的，是无碍于整个资产阶级的奢侈与妄为的增长的。

关于奢侈，斯密认为："奢侈者就是这样滥用资本：不量入为出，结果蚕食了资本。正象把一种敬神之用的基金的收入移作渎神之用的人一样，他把父兄节省下来打算作点事业的钱，豢养着许多游手好闲的人。由于雇用生产性劳动的基金减少了，所雇用的能增加物品价值的劳动量亦减少了，因而，全国的土地和劳动的年产物价值减少了，全国居民的真实财富和收入亦减少了。奢侈者夺勤劳者的面包来豢养游惰者。如果另一部分人的节俭，不足抵偿这一部分人的奢侈，奢侈者所为，不但会陷他自身于贫穷，而且将陷全国于匮乏。"

（1）斯密混淆了奢侈与不量入为出的差别。似乎奢侈就是支大于收，就是减少资本于生活支出。事实上，奢侈是一个消费标准问题，超过一定的社会限度的消费是奢侈。而不量入为出，是一个理财问题，或者说是一个生计问题。纵使奢侈可引起不量入为出（事实是许多奢侈并不引起这个问题），但不量入为出绝不等同于奢侈。

（2）斯密将奢侈指为豢养非生产性劳动者是根本错误的。在斯密眼里，似乎是非生产性劳动存在才使地主或资本家奢侈的。这不是颠倒黑白，就是稀里糊涂。

（3）斯密将奢侈的结果说成是使全国陷于匮乏，这种假定与事实不相符。事实上资产阶级总是奢侈极度的，但之所以全国不陷于匮乏，是因为劳动整体能力大幅度提高了。斯密只以一点因素来分析，而且没有抓住关键点，当然就难以得出符合事实的推断。

（4）斯密讲："奢侈都是公众的敌人，节俭都是社会的恩人。"虽然好似金石之言，但其实按斯密自己的解释，是一窍不通的。斯密讲的奢侈指非生产性劳动者得到豢养，将节俭指为资产阶级的社会美德。因而，实际就将这句话的含义表述为：非生产性劳动者都是公众的敌人，资本家是社会的恩人。因为在斯密的眼里，非生产性劳动者是游惰的，资本家是节俭的，并且是天经地义的。

关于妄为，斯密说："妄为的结果，和奢侈相同。"他认为："农业上、矿业上、渔业上、商业上、工业上一切不谨慎的、无成功希望的计划，对于雇用生产性劳动的基金，都有使之减损的趋势。固然，投在这种计划上的资本，亦只用生产性劳动者消费，但由于使用不适当，所以，他们消费的价值，不能充分再生产出来，与使用适当的场合比较，总不免减少社会上的生产基金。"这里，斯密实质讲的是劳动取得成果的或然性问题。但斯密的表述不严谨：第一，妄为只产生雇用生产劳动基金减少的可能性，不是造成趋势。第二，投在妄为计划上的资本，并非只由生产性劳动者消费。斯密自己认为非生产性劳动包括一切提供无形产品的劳动，而这些劳动亦在农业上、矿业上、渔业上、商业上、工业上体现。所以，斯密自己的表述含有内在的矛盾。

（十）政府消费与战争费用

斯密这样讲："私人有很多浪费，政府也有很多浪费，而且发生了许多次费用浩大的不必要的战争，原用来维持生产者的年产物，有许多移用来维持不生产者。有时，在内讧激烈的时候，浪费的浩大，资本的破坏，在任何人看来，都会感觉这不但会妨碍财富的自然蓄积（实际上确是如此），而且会使国家在这时期之末陷于更为贫困的地位。查理二世复辟以后，英国境况是最幸福最富裕的了，但那时又有多少紊乱与不幸事件发生呢？如果我们是生在那时，我们一定会耽心英格兰的前途，说它不仅要陷于贫困，怕还会全然破灭吧。你想想看，伦敦大火以后，继以大疫，又加英荷两次战后的革命骚扰，对爱尔兰战争，1688、1702年、1742年和1756年四次耗费巨大的对法大战，再有1715年和1745年二次叛乱。不说别的，单就这四次英法大战的结果来说，英国欠下来的债务，就在14500万镑以上，加上战争所引起的各种特殊支出，恐怕总共不下2亿镑吧。自革命以来，我国年产物，就常有这样大的部分，用来维持非常多的不生产者。假使当时没有战争，那末当时当作那样用费的资本，其中定有一大部分会改变用途来雇用生产性劳动者。生产性劳动既能再生产他们消费的全价值，并提供利润，那末，我国土地和劳动的年产物的价值每年的增加，就可想见了，而且每一年的增加，又必能更增多下一年的增加。如果当时没有战争，建造起来的房屋一定更多；改良了的土地一定更广大；已改良土地的耕作一定更加完善；制造业一定增多了，已有的制造又一定推广了；至于国民真实财富与收入将要怎样增加起来，我们也许难于想象。”

（1）斯密讲的是事实。政府铺张，战争频仍。在斯密时代，他还没有看到以后出现的更惊人的升腾，他只看到英荷战争、英法战争，看到2亿镑战争费用。他恐怕想不到几十年后，英国远涉重洋跑到中国来打鸦片战争。但斯密所看到的，已经足以说明事理了，政府开支和战争费用都是经济学研究不可回避的问题。

（2）问题不在于承认事实，而在于怎样认识事实。政府浪费与战争费用应分别来认识，不能将战争费用简单概括在政府浪费之中。关于政府浪费，斯密认为："虽无疑曾阻碍英格兰在财富与改良方面的自然发展，但不能使它停止发展。"这是有道理的，历史事实也是如此。今天来看，这种浪费属于非生产劳动。但要明确，这是政府部门劳动中的非生产劳动，并非政府部门劳动都是非生产劳动，政府部门劳动还有生产劳动的一面。

（3）战争费用是变态劳动的耗费。变态劳动中既有生产劳动又有非生产劳动。倘使斯密能看到中英鸦片战争之后，清政府向英国支付的巨额战争赔款，恐怕那白花花的银子不会使斯密不承认战争行为中的生产性质。对于怎样认识军事劳动的变态性质，是更深层的思考。在斯密时代，人们还没有可能认识到这一点。事实是直到20世纪末，人类才把握住这种与正态劳动相对立统一的辩证矛盾中的存在性质。正是需要达到这种辩证认识的高度，我们才能确定战争对变态社会乃至常态社会存在所起的有益作用或无益作用，也就是说，才能确定战争费用中的生产性质和非生产性质，而不是将它看做全部是非生产劳动费用。我们的研究表明，劳动的正态与变态是更基础的划分，劳动的生产性质与非生产性质是在劳动态势划分基础上的再划分，没有态势划分在先就不可能清楚地认识生产劳动与非生产劳动的划分，因而也就是说，人们不可混淆变态与非生产界定的各自内涵。对此，不能苛求前人，而只能要求今人必须认识清楚。

（4）到这里，斯密区分生产劳动与非生产劳动的用心已逐渐阐明。他是在积极地颂扬资产阶级的社会作用。对比政府浪费与战争费用，他说："一方面虽有政府的诛求，但另方面，却有无数个人在那里普遍地不断地努力改进自己的境况，节省哪、慎重哪，他们不动声色地、一步一步地把资本累积起来。正是这种努力，受着法律保障，能在最有利的情况下自由发展，使英格兰几乎在过去一切时代，都能日趋富裕，日趋改良。”这就是斯密对生产劳动的认识。而斯密认识的局限性则在于，他竟然把资产阶级政府作用与资产阶级个人的社会作用截然对立了起来。事实上这两个方面最终是统一的。斯密思想的核心是希望资本主义社会“将来永远照样进行下去”。

（十一）耐久的物品与国富的增长

斯密认为资本家：“个人的收入，有的用来购买立时享用的物品，即享即用，无补于来日。有的用来购买比较耐久的可以蓄积起来的物品，今日购买了，就可以减少明日的费用，或增进明日费用的效果。”那么，这种区分有什么意义呢？斯密的解释是：“对个人财富较有益的消费方法，对国民财富亦较有益。”就是说，对购买耐久物品，斯密所倡言的这种消费方法，他将之与国民财富的问题联系了起来。

斯密认为资本家之类的人购买耐久物品，而不是消费随生随灭的劳动或即享即用的物品，其美妙之处在于：“富人的房屋、家具、衣服，转瞬可一变而对下等人民中等人民有用。在上等阶级玩厌了的时候，中下阶级的人民，可以把它们买来，所以，在富人一般都是这样使用钱财的时候，全体人民的一般生活状况就逐渐改进了。在一个富裕已久的国家，下等人民虽不能自己出资建造大厦，但往往占用着上等家具。”我们看，斯密的这种安排是多么的合情合理！在斯密看来，整个社会的富裕都仰赖着剥削者们的这种合理的消费方式。

为此斯密诚恳地进一步向富人们说教：“把收入花费在比较耐久的物品上，那不仅较有利于蓄积，而且又较易于养成俭朴的风尚。设使一个人在这方面花费得过多，他可幡然改计，而不致为社会人士所讥评。如果原来是婢仆成群，骤然撤减，如果原来是华筵广设，骤然减省，如果原来是陈设丰丽，骤然节用，就不免为邻人共见，而且好象是意味着自己承认往昔行为的错误。所以，像这样大花大用的人，不是迫于破产，很少有改变习惯的勇气。反之，如果他原爱用钱添置房屋、家具、书籍或图画，以后如果自觉财力不济，他就可以幡然改习，人亦不疑。因为此类物品，前已购置，无需源源购置不绝。在别人看来，他改变习性的原因，似乎不是财力不济，而是意兴已阑。"我们不难看出，斯密为了规劝握有地租或利润收入的上等人士怀有虔诚的社会责任感走上他指出的光明大道，用心何其良苦？就连面子问题，斯密都替他们想到了。然而，这也表明斯密始终是从上等人的眼光来看生产劳动问题，而且一直是从上等人理财的角度认识问题的。

斯密不愧是经济学家，在这方面，他比一般常人考虑得要仔细而深切得多。他认真地告诫靠剥削收入为生的人们应怎样理财过日子。他说："费财于耐久物品，所养常多；费财于款待宾客，所养较少。一夕之宴，所费为二三百斤粮食，其中也许有一半倾于粪堆，所耗不可谓不大。设以宴会所费，用以雇用泥木工、技匠等等，则所费粮食的价值虽相等，所养的人数必加多。工人们将一便士一便士地、一镑一镑地购买这些粮食，一镑也不会消耗毁弃。"总之，斯密的信条是："一则用以维持生产者，能增加一国土地和劳动的年产物的交换价值，一则用以维持不生产者，不能增加一国土地和劳动的年产物的交换价值。"

最后，斯密说明其研究生产劳动的目的。他写道："我上面的意思，不过是说，费财于耐久物品，由于助长有价商品的蓄积，所以可奖励私人的节俭习惯，是较有利于社会资本的增进；由于所维持的是生产者而不是不生产者，所以较有利于国富的增长。"斯密认为，关键在此。我们对斯密的这一章论述，到此，应该说全明白了！

二 对亚当·斯密理论的综合评价

在以上分析的基础上，下面，我们对斯密有关生产劳动与非生产劳动论述中的主要存在问题予以归纳。

问题Ⅰ：斯密没有给生产劳动与非生产劳动下定义。

这是必须澄清的首要问题。我们从斯密的论述中根本找不到定义表述。

斯密反反复复地述说他对生产劳动与非生产劳动的认识，并做了许多例证，但都没有达到下定义的学术要求。所以，关于斯密对生产劳动与非生产劳动存在两个定义的说法应予纠正。

定义，是学术上对某一概念的内涵所做的规范的周严的明确的表述。有其通用的格式。并非对事物所做的任何形式的说明都可算定义。

前面的分析表明，斯密对生产劳动与非生产劳动的认识，总的说是十分含混的，没有做出定义的表述与此是相联系的。

斯密所做的最郑重的一段表述就是开头讲的："有一种劳动，加在物上，能增加物的价值；另一种劳动，却不能够。前者因可生产价值，可称为生产性劳动，后者可称为非生产性劳动。"但这不能算做定义。

我们可以将斯密的表述与马克思下的规范的定义予比较

马克思是这样写的：

"生产劳动是直接增殖资本的劳动或直接生产剩余价值的劳动"。①

---

① 《马克思恩格斯全集》，第49卷，人民出版社，1979，第99页。

无可置疑，马克思的对生产劳动的定义符合一般下定义规则。而斯密的表述与之一比就看出差异了。

截止到目前，理论界普遍认为存在斯密关于生产劳动的两个定义。这是需要认真考证的。后人对斯密的表述又做了整理，形成定义的表述，那是另外一回事。

在斯密自己的论述中，他对生产劳动是存在两种见解的，但仅仅是见解，不是定义。见解与定义不同。搞学术研究不能不仔细分辨清楚这些事。

问题Ⅱ：斯密将对生产劳动与非生产劳动的研究混转成对资本家剥削工人劳动和消费劳务劳动之间关系的研究。

这是认识斯密生产劳动理论的关键。在没有明确的生产劳动定义的前提下斯密的研究转来转去，转成了对剥削劳动与剥削生活消费关系的研究，即转成了对资本家收与支两种角度的理财问题的研究。

如果是研究生产劳动，研究人类劳动中哪些劳动是生产的，哪些不是生产的从而区别出来哪些劳动是对社会的生存和发展起有益作用的劳动，使社会能够在已有的条件下尽可能地明辨发展的事由，尽可能地为自身的生存而去有意地减少起不到有益作用性的劳动，当然这是指处在现实的常态社会下，那么，研究就必须紧紧地围绕已被社会所接受所承认的所有劳动进行，从这些劳动的人与自然关系和人与人关系的统一中考察其对社会所起的作用，考察角度必须是始终如一的，必须是从社会的人的整体的角度对社会有用劳动（社会必要劳动）提供的劳动成果的社会作用性的认识。

倘若考察者不坚持角度始终如一的原则，一方面从劳动过程及劳动成果来认识生产劳动，另一方面又以社会消费或个人消费的支出来判别非生产劳动，那结果只能是全搞乱了，不可能说清楚任何问题。因为社会有用劳动作为现社会经济生活的实质内容，它都要以自身的过程作用向社会提供成果，这是社会有用劳动的基本特性，是考察生产劳动与非生产劳动的基本立足点。而社会的消费则是另一角度问题，不用说消费有各种方式的不同，如果分别从不同角度来认识生产劳动，那么即使撇开一切狭隘的偏见和认识的时代局限，也绝不会做出合乎逻辑的明晰的认识。

斯密的研究实际进入的就是这样的一个怪圈。首先，他的基本观点是二重的。斯密既以劳动创造价值为生产劳动的依据，又以劳动不是随生随灭的为生产劳动的依据。这样，他就给自己的分析先下了绊子。众所周知，斯密一贯坚持劳动价值论。可如果讲只有生产劳动才创造价值，那岂不成了生产劳动价值论？正因劳动价值论与生产劳动价值论的内涵绝不等同，所以，斯密自然陷入进退维谷的境地，一方面他有生产劳动才创造价值的看法，另一方面他又不得不承认非生产劳动亦有若干价值。因为劳动没有价值是不能交换的，存在商品的交换，就存在所交换的劳动的价值。因此，斯密提出的以劳动创造价值为生产劳动的依据，他自己也无法使用。斯密的详细分析展开几乎都是以劳动不是随生随灭的为生产劳动的依据。而这一点实际又变成了对劳动成果为有形产品与无形产品的划分，全然不是对劳动的生产与非生产性质的划分。总之，二重见解，无一是处。而且，这无法讲得通的二重见解像浓雾一样把斯密笼罩起来，使他再难以寻觅其他可行之路。

在这样的前提下，斯密的研究走向两个角度，实际他所做的只是对资本家收与支的理财问题的研究。斯密讲的生产，是从剥削劳动角度讲的；斯密讲的非生产，是从资本家个人生活消费角度讲的。我们已经指出，除了逻辑混乱和表白诚意之外，这不可能对生产劳动与非生产劳动的划分提出任何有价值的见解。斯密认为，资本家把钱花在雇佣制造业工人身上，是生产的；而把钱花在雇用家仆侍候自己上，是非生产的。这只是资本家的收与支的问题，绝不等同于生产劳动与非生产劳动的划分。事实上，资本家所雇用的家仆的劳动是非生产的，并非是因花了资本家的收入，而是因家仆劳动本身是供资本家奢侈享乐的，是对常态社会的生存和发展起不到有益作用的。若以资本家花收入就算是非生产劳动，那么显然制造业工人的劳动成果最终也要有一部分与资本家的收入相交换。最简单的事实就是，最豪华的小轿车大部分都卖给了资本家。但如此矛盾，斯密没有看出来。他还论辩说，买耐久物品有利于国富增长，因为制耐久物品的是生产劳动。试想，除了豪华小轿车，那富丽堂皇的王宫别墅，精雕细镂的金银饰器，珍瑰妍奇的珠宝玩物，哪一样不是耐久物品，而哪一样不是极奢侈品，至少在人类文明发展已过历程中这些都是极其奢侈的。如果将生产这些物品的劳动称为生产劳动，那么毫无疑问像家仆一类的劳动也应当为生产劳动，没有人会否认这二者是异曲同工的，斯密本人不是也觉得这些都是“轻浮性向”的吗？其实，斯密只是想说，花在随生随灭的享受上，比买耐久物品更费钱，仅此而已。这远远不是对社会有用劳动中的生产劳动与非生产劳动的划分。斯密在其明确的两个角度的研究下，只可能为资本家当家理财、量收为支提供一点点精明的算计，而不可能对政治经济学生产劳动理论的研究做出有见地的慎思益解。

问题Ⅲ：斯密对非生产劳动分析推理的整个过程是错误的。

斯密的推理是这样的：

论题：非生产劳动是随生随灭的劳动。

因为（1）随生随灭的劳动是与收入相交换的——（2）不能增加收入——（3）反而消耗收入——（4）造成游惰——(5) 因而奢侈——（6）由此贫困——（7）不利于国富增加——结论（8）所以是非生产劳动。

事实上：

第（1）点起始就转换了角度，由劳动的生产问题转向了收入的消费问题。而且，概括过度，因为并非所有随生随灭的劳动都是用于生活消费的。

第（2）（3）点毫无道理。既然前提是与收入交换，就是生活消费，因而就是支出，支出当然不能增加收入了。资本家除了办工厂雇工可得剥削收入外，他的生活消费与普通人是一样要花去收入的。

第（4）点颠倒是非。照斯密的说法，资本家享乐不是游惰，而为资本家当家仆倒是游惰。

第（5）点是混淆。斯密若指所有的随生随灭的劳动统为奢侈，显然扩大了随生随灭劳动中的奢侈范围；若将奢侈概指随生随灭的劳动，又显然是缩小了奢侈范围。所以是混乱的武断。

第（6）（7）点讲的并非主要原因，因而概括与历史事实不符。

第（8）点结论错误。事实上随生随灭的劳动并非全是非生产劳动，不仅与收入相交换的即生活消费的随生随灭的劳动中存在生产劳动，而且投入生产消费的随生随灭劳动中亦有生产劳动存在。

总之，按照斯密的推理，原来是非生产劳动的家仆劳动，推出来是非生产劳动；原来是生产劳动的劳动，如运送人民口粮的运输劳动，推出来也是非生产劳动。这足以证明斯密对非生产劳动认识的糊涂。

从某种意义上说，斯密对生产劳动与非生产劳动的认识还未能完全摆脱重商主义和重农学派的影响。斯密和他的前辈一样，仍缺乏对社会劳动整体观念的准确把握，未能做到从完整的社会劳动系统中去区分生产劳动与非生产劳动的不同作用性。而且，斯密之所以在二重见解的前提下，又陷入两个角度的认识误区，是与他对劳动范畴理解的欠缺直接有关的。在斯密看来，制造业工人劳动是生产劳动，有钱雇用工人就是实现生产劳动，但没有讲到，雇用工人是受拥有生产资料限制的。没有生产资料，雇用不了工人；有了生产资料，也要按其拥有量，决定雇工的数量。正因为斯密没有重视生产资料对雇用工人的条件限制，所以他才把雇用工人与雇用家仆看成可互换的那么随便。

然则，从更深层的意义上说，斯密不能区分劳动的正态与变态，是他不能清楚地认识生产劳动与非生产劳动划分的基因。斯密由于不懂得变态劳动，所以不懂得社会的生存和发展的复杂性和辩证统一性。他搞不明白变态劳动中生产劳动与非生产劳动的关系，也认识不到变态的生产劳动的社会历史作用及其局限性。他将具体的社会存在的正态劳动与变态劳动混同起来，将变态劳动与非生产劳动混同起来，因而理不清常态社会下的生产劳动问题。于是，我们看到的就是，斯密沿着自己的毫无辩证思想的认识路子，站在维护资本家利益的立场上，说来说去，最后将研究生产劳动问题转成了关切资本家收支理财的算计问题，这虽与劳动问题、与国民财富增长问题颇有联系，但与研究的要旨却早已大相径庭了。因此，在生产劳动理论研究上，我们不能不重视斯密的代表性，不能不重视他的影响，不能不重视对他的研究，但更重要的是，要通过对他的研究敏锐地看到他精思细别的论述中存在的严重错误和混乱。

第九章　关于马克思生产劳动理论的研究

我们知道，马克思原来打算在《资本论》第一卷中详细论述生产劳动与非生产劳动问题。后来，马克思虽没有这样做，但还是在《资本论》第一、二、三卷中留下了一些关于这方面问题的阐述，在《资本论》第四卷中用大量的篇幅做了讨论，而且，在其他一些手稿中也对此有所涉及。马克思的研究是在对前人特别是亚当·斯密的生产劳动理论的批判的基础上进行的，他将这看做是一项很重要的理论工作，给予了高度的重视，投入了辛勤的劳动。今天，我们需要认真地研究马克思的生产劳动理论，才能在辩证唯物史观的指导下更好地推进这一研究领域的认识。在这一章，我们将对马克思有关这方面的主要论述进行分析，并初步梳理出他的认识思路。

一　对《资本论》第一卷有关论述的分析

在《资本论》第一卷中，马克思主要是在第五章和第十四章这两处谈到生产劳动问题。下面分别予以分析。

（一）对第五章有关论述的分析（引文均见该章）

马克思在此章的论述，被理论界通常称之为对生产劳动一般的经典式的表述。

马克思是这样讲的：

> 劳动首先是人和自然之间的过程，是人以自身的活动来引起、调整和控制人和自然之间的物质变换的过程。人自身作为一种自然力与自然物质相对立。为了在对自身生活有用的形式上占有自然物质，人就使他身上的自然力——臂和腿、头和手运动起来。当他通过这种运动作用于他身外的自然并改变自然时，也就同时改变他自身的自然。他使自身的自然中沉睡着的潜力发挥出来，并且使这种力的活动受他自己控制。

> 在劳动过程中，人的活动借助劳动资料使劳动对象发生预定的变化。过程消失在产品中。它的产品是使用价值，是经过形式变化而适合人的需要的自然物质。劳动与劳动对象结合在一起，劳动物化了，而对象被加工了。在劳动者方面曾以动的形式表现出来的东西，现在在产品方面作为静的属性，以存在的形式表现出来。

> 如果整个过程从其结果的角度，从产品的角度加以考察，那末劳动资料和劳动对象表现为生产资料，劳动本身则表现为生产劳动。

对于我们来说，不能将马克思说的“劳动首先是人和自然之间的过程”理解为劳动可以单独存在一个人和自然之间的过程。任何现实的劳动都必然存在两个过程的统一，即人与自然和人与人的统一。我们对正态劳动与变态劳动的划分，也正是建立在这两个过程的统一的基础上的，只是更特别强调了人与自然过程中的态势对立，并且强调人与人的过程是由人与自然的过程决定的。因此，我们不能将劳动中的人和自然之间的过程理解为劳动一般，而应该认识到这个首先的过程只是一个起决定性作用的过程，但终归只是一个过程，可以对它抽象地认识把握，却不可以把它当做完整的具体的劳动现实。

我们还需要充分注意马克思说的：“在劳动过程中，人的活动借助劳动资料使劳动对象发生预定的变化”这段话。这说明，劳动绝不单单是人的体力和智力的付出，没有劳动资料和劳动对象，劳动不能实现。现实的具体的劳动必是借助劳动资料的作用而实现的活劳动与劳动对象的结合。

我们看到，马克思在此强调的是劳动的结果。正由于强调的仅仅是结果，而不是结果的作用性，所以，马克思这里讲的一般劳动是指有结果即有产品的劳动。至于这些劳动的结果在商品经济中能不能交换出来实现价值，进至这些劳动的结果是起正态的生产作用，还是起变态的生产作用，是起正态的非生产作用，还是起变态的非生产作用，马克思都没有区分。

似乎不用争论，马克思在这里讲的一般劳动范围仅指生产物质有形产品的劳动。但是，我们知道，对一般劳动的认定范围是不能以生产物质有形产品的劳动为限的。马克思主义政治经济学需要有理论的发展，发展的依据只能是事实。在我们今天的理论视野里，劳动的分工与联系，劳动产品形态的区别与融合，比之上个世纪的认识是更为开阔和深刻了。人们已经认识到劳务劳动包括生产劳务和生活劳务都是社会劳动分工的组成部分，生产或是说提供无形产品的劳动也在社会一般劳动的外延之中。因此，今天我们可以肯定地说，社会劳动一般包括社会经济生活中的一切劳动，不论其劳动产品是有形的还是无形的。我们没有必要讶异过去认识的局限，更没有必要拘泥于前人的认识。理论只能是一代接一代地向前发展。只有向前发展了的理论，才是指导现实更需要的理论。

马克思认为："劳动过程，就我们在上面把它描述为它的简单的抽象的要素来说，是制造使用价值的有目的的活动，是为了人类的需要而占有自然物，是人和自然之间的物质变换的一般条件，是人类生活的永恒的自然条件，因此，它不以人类生活的任何形式为转移，倒不如说，它是人类生活的一切社会形式所共有的。"因此，从今天来看，这种一般的劳动条件也绝不以劳动的分工和劳动成果的形态差别为转移。所以，将劳务劳动或是说提供无形产品的劳动概括在一般劳动之内，只会使马克思主义政治经济学对于一般劳动的概括提升具有更加完整的理论意义。这样我们才能理解马克思为什么说："劳动在还没有资本家的时期是怎样的，资本家就得采用怎样的劳动。"因为劳动是客观的，它的一般存在并不以人的主观意志为转移。

通过以上分析，更重要的是要看到，与其说马克思这里讲的是生产劳动问题，不如说是讲的生产劳动与非生产劳动的基础更为准确。马克思在此强调的是："对自身生活有用形式上占有自然物质"，是"劳动物化"，是劳动过程的"结果"和"产品"。因此，我们只能从自然经济有用劳动一般的意义上来理解马克思在这一章的论述，却不能将此作为生产劳动一般的描述。虽然，马克思自己称这为："从简单劳动过程的观点得出的生产劳动的定义"，但我们必须从事实出发来认识这一问题。

（二）对第十四章有关论述的分析（引文均见该章）

在第十四章，马克思是接续第五章进行论述的，他说：

就劳动过程是纯粹个人的劳动过程来说，同一劳动者是把后来彼此分离开来的一切职能结合在一起的。当他为了自己的生活目的对自然物实行个人占有时，他是自己支配自己的。后来他成为被支配者。单个人如果不在自己的头脑的支配下使自己的肌肉活动起来，就不能对自然发生作用。正如在自然机体中头和手组成一体一样，劳动过程把脑力劳动和体力劳动结合在一起来了。后来它们分离开来，直到处于敌对的对立状态。产品从个体生产者的直接产品转化为社会产品，转化为总体工人即结合劳动人员的共同产品。总体工人的各个成员较直接地或者较间接地作用于劳动对象。因此，随着劳动过程本身的协作性质的发展，生产劳动和它的承担者即生产工人的概念也就必然扩大。为了从事生产劳动，现在不一定要亲自动手；只要成为总体工人的一个器官，完成他所属的某一种职能就够了。上面从物质生产性质本身中得出的关于生产劳动的最初的定义，对于作为整体来看的总体工人始终是正确的。但是，对于总体工人中的每一单个成员来说，就不再适用了。

但是，另一方面，生产劳动的概念缩小了。资本主义生产不仅是商品的生产，它实质上是剩余价值的生产。工人不是为自己生产，而是为资本生产。因此，工人单是进行生产已经不够了。他必须生产剩余价值。只有为资本家生产剩余价值或为资本的自行增殖服务的工人，才是生产工人。如果可以在物质生产领域以外举一个例子，那末，一个教员只有当他不仅训练孩子的头脑，而且还为校董的发财致富劳碌时，他才是生产工人。校董不把他的资本投入香肠工厂，而投入教育工厂，这并不使事情有任何改变。因此，生产工人的概念决不只包含活动和效果之间的关系，工人和劳动产品之间的关系，而且还包含一种特殊社会的、历史地产生的生产关系。这种生产关系把工人变成资本增殖的直接手段。所以，成为生产工人不是一种幸福，而是一种不幸。在阐述理论史的本书第四卷将更详细地谈到，古典政治经济学一直把剩余价值的生产看做生产工人的决定性的特征。因此，由于古典政治学对剩余价值性质的看法的改变，它对生产工人所下的定义也就有所变化。例如，重农学派认为，只有农业劳动才是生产劳动，因为只有农业劳动才提供剩余价值。在重农学派看来，剩余价值只存在于地租形式中。

对以上论述，我们分析 3 个主要问题：

1. 生产工人概念的扩大

马克思认为，由于协作的发展，生产工人概念必然扩大。这个意思是讲原先只有直接生产过程中的劳动者才是生产工人，而协作的发展使许多不是直接生产过程的劳动者也可成为生产工人，即只要成为总体工人的一个器官就可。并且，马克思还认为，这种扩大概念的认识只可用于从整体来看的总体工人，对单个工人并不适用。今天看来，这种认识值得进一步研究。首先，生产劳动与非生产劳动不是以直接生产过程为划分的，因而并非因协作就可扩大生产工人概念。劳动的有益作用性对于社会的生存和发展总是历史地确定的，这是不能因其他条件的变化而改变的。其次，在既定的作用性下，总体与局部的关系是一致的，不会有背离情况。如果在理论上认为是背离，那么是不符合事实的，需要修改的是理论而不是事实。

2. 生产工人概念的缩小

马克思所说的缩小，是强调资本主义生产方式的特殊性，即是生产工人必须生产剩余价值。但我们认为，生产劳动的区分是一个定性的问题，而不是定量的分析。马克思这里讲的实质是能不能成为资本家可接受的工人的问题。事实上，在这一问题上，资本家是不管生产劳动还是非生产劳动的，只要能为他带来剩余价值就行，而非生产劳动未必就不能为他带来剩余价值。所以，马克思讲的生产工人的缩小不过是指从工人到资本主义雇用工人的概念缩小。

3. 活动和效果之间的联系问题

马克思认为，在资本主义生产方式下，“生产工人的概念决不只包含活动和效果之间的关系”，还包括一定的生产关系。这是说，劳动在本身发展中，不仅存在生产劳动问题，而且还有特殊的社会规定性问题。但马克思并没有能够区分正态的生产劳动与变态的生产劳动。马克思在此主要考察的资本主义劳动的特殊性。

二　对《资本论》第二卷有关论述的分析

马克思《资本论》第二卷主要考察资本主义商品经济的流通过程。其中第六章讨论到有关生产劳动与非生产劳动问题。在这一章，马克思研究了资本主义流通费用，将其区分为纯粹的流通费用、保管费用和运输费用，并将前两种费用称之为非生产费用，即非生产劳动引起的费用。马克思特别区分了这两种非生产费用的不同（引文均见该章）。

马克思认为，引起纯粹流通费用的形式有买卖时间、簿记和货币的磨损3种。

马克思说："买卖时间并不创造价值。错觉是从商人资本的职能产生的。但是，在这里，即使对这个问题不做进一步的考察，事情本来就很清楚：如果一种职务本身是非生产的，然而是再生产的一个必要的因素，现在这种职能由于分工，由多数人的附带工作变为少数人的专门工作，变为他们的特殊行业，那末，这种职能的性质本身还是不会改变的。一个商人可以通过他的活动，为许多生产者缩短买卖时间。因此，他可以被看做是一种机器，它能减少力的无益消耗，或有助于腾出生产时间。"

这里，牵涉价值理论问题。我们已经阐明，非生产劳动并非是不创造价值的劳动。因为价值是人类无差别劳动的凝结，这些无差别的劳动不能不包括非生产劳动，否则就是生产劳动价值论而不是劳动价值论。价值是与劳动相对应的概念，只要是社会承认的劳动，就能实现自身价值。而生产劳动是起有益作用性的劳动，是实现有益价值的。所以，不能将价值与有益价值等同。没有价值，是无法实现交换的，是无法在商品经济中立足的。但实现了价值，又未必一定是有益价值，现实社会还允许相当的无益价值存在。因此，买卖时间，作为一种劳动时间也具有自身的价值。至于这一时间内的劳动是不是生产劳动，那要看它对社会的生存和发展的作用性而定。一般说，总是既有生产劳动又有非生产劳动。

关于簿记，马克思说："簿记所产生的各种费用，或劳动时间的非生产耗费，同单纯买卖时间的费用，毕竟有一定的区别。"

关于货币的磨损，马克思说："这种补偿费用，在资本主义发达的国家是很可观的，因为一般说来被束缚在货币形式上的财富部分是巨大的，金和银作为货币商品，对社会来说，是仅仅由生产的社会形式产生的流通费用。这是商品生产的非生产费用，这种费用，随着商品生产，特别是随着资本主义生产的发展而增大。它是社会财富中必须为流通过程牺牲的部分。”

尽管各有不同，马克思还是将它们与买卖时间的费用同归于纯粹流通费用，同看做是一种扣除，同看做非生产费用。应该说，这种划分是笼统的。这是将整个流通部门劳动看做非生产劳动的逻辑结果。在对这种以部门劳动划分生产劳动与非生产劳动的方法予以否定之后，我们不能不对这种商业流通费用的性质重新认识。

至于保管费用，马克思认为：“它们可以产生于生产过程，这种生产过程只是在流通中继续进行，因此，它的生产性质只是被流通的形式掩盖起来了。”因而马克思说这种保管费用与纯粹流通费用不同。但是，马克思又坚持保管费用与纯粹流通费用同样是非生产费用。马克思认为其区别只在于：“它们在一定程度上加入商品价值，因此使商品变贵。在任何情况下，为保存和保管这种商品储备而耗费的资本和劳动力，总是从直接的生产过程抽出来的。另一方面，这里使用的资本，包括作为资本组成部分的劳动力，必须从社会产品中得到补偿。”

所以，这又涉及价值与生产劳动的问题。其实，对于保管费用，与买卖时间费用、簿记费用和货币磨损的补偿一样，是流通劳动价值的体现，是社会必要劳动的组成部分，因而这部分劳动也要因其起的社会作用性的不同，划分出生产劳动与非生产劳动，而不能统归非生产劳动。

对运输费用，即运输劳动的耗费，马克思曾讲过它是与工农业劳动一样的，[①] 因此，我们这里不用谈它。

---

① “除了采掘工业、农业和加工工业以外，还存在着第四个物质生产领域。这个领域在自己的发展中，也经历了几个不同的生产阶段：手工业生产阶段、工场手工业生产阶段、机器生产阶段。这就是运输业”（《马克思恩格斯全集》，第26卷Ⅰ，人民出版社，1975，第444页）。

三 对《资本论》第三卷有关论述的分析

《资本论》第三卷有关生产劳动与非生产劳动的论述主要在第十七章和第二十三章。下面我们仍分章进行分析。

（一）对第十七章有关论述的分析（引文均见该章）

这一章讨论商业利润问题，马克思是接续第二卷第五章流通时间和第六章流通费用的分析对这个问题进行阐述的。同前面一样，马克思将商业劳动看做非生产劳动，并将这一点作为认识商业利润的基础。

马克思说："商品经营资本，——撇开各种各样可能与此有关的职能，如保管、运送、运输、分类、散装等，只说它的真正的为卖而买的职能，——既不创造价值，也不创造剩余价值，它只是对它们的实现起中介作用，因而同时也对商品的实际交换，对商品从一个人手里到另一个人手里的转让，对社会的物质交换起中介作用。"

马克思认为商业劳动虽没有价值，"但是，因为产业资本的流通阶段，和生产一样，形成再生产过程的一个阶段，所以在流通过程中独立地执行职能的资本，也必须和在不同生产部门中执行职能的资本一样，提供年平均利润。"

而马克思认为商业利润的取得，即"以平均利润的形式归商人资本所有的剩余价值，只是总生产资本所生产的剩余价值的一部分。"

那么，"商人资本怎样从生产资本所生产的剩余价值或利润中获得归它所有的那一部分呢？"

首先，马克思指出："认为商业利润是单纯的加价，是商品价格在名义上高于它的价值的结果，这不过是一种假象。”其次，马克思认为讲成加价是很容易理解的，但“这不过是一条迂回的道路，目的在于通过商品价格的名义上的提高，来分享剩余价值和剩余产品。”再次，马克思说：“认为利润来自商品价格的名义上的提高或商品高于它的价值出售这整个看法，是由对商业资本的观察产生的。”

总之，马克思反对加价说。马克思认为商业利润的获取是由于商业资本家以“低于商品的价值或低于商品的生产价格从产业资本家那里购买商品的。”

马克思的观点可以概括为低价说。即“商人的出售价格之所以高于购买价格，并不是因为出售价格高于总价值，而是因为购买价格低于总价值。”

但问题就是：商品不能靠加价出售，难道能靠低价购买吗？

因此，对于下述分析需要重新思考。

“产业资本所以能获得利润，是因为它把包含在并实现在商品中的、但它没有支付任何等价物的劳动拿出来卖，同样，商业资本所以能获得利润，是因为它没有把包含在商品中的无酬劳动（这是投在这种商品生产上的资本作为总产业资本的一个相应部分来执行职能时包含在商品中的）全部支付给生产资本，相反地在出售商品时却让人把这个仍然包含在商品中的，它没有支付报酬的部分支付给自己。商人资本和剩余价值的关系不同于产业资本和剩余价值的关系。产业资本通过直接占有别人的无酬劳动来生产剩余价值。而商人资本使这个剩余价值的一部分从产业资本手里转移到自己手里，从而占有这部分剩余价值。”

最关键的是，怎么可能实现这种转移呢？商品经济的法则是交换，是等价交换，而不是转移，这一点在商业资本家与产业资本家之间的经济交往中也是一样的。

所以，商业利润只能是商业劳动创造的，而不可能靠别人恩赐。

对此，马克思自己也承认："对商人来说，流通费用表现为他的利润的源泉，在一般利润率的前提下，他的利润和这种流通费用的大小成比例。因此，投在这种流通费用上的支出，对商业资本来说，是一种生产投资。所以，它所购买的商业劳动，对它来说，也是一种直接的生产劳动。"

马克思讲的生产劳动即指创造价值并能给资本家带来剩余价值的劳动。

但是，事实上生产劳动是不能以部门劳动来划分的。因此，商业劳动虽创造价值，可也是既包含生产劳动又包含非生产劳动。

（二）对第二十三章有关论述的分析（引文均见该章）

马克思在这一章分析利息与企业主收入，主要提到管理劳动即监督劳动和指挥劳动与生产劳动的关系问题。在辨别了利息与企业主收入的不同之后，马克思说："企业主收入是劳动的监督工资这种看法，是从企业主收入同利息的对立中产生的，并由于下面这个事实而得到进一步加强：利润的一部分事实上能够作为工资分离出来，并且确实也作为工资分离出来，或者不如反过来说，在资本主义生产方式的基础上，一部分工资表现为利润的不可缺少的组成部分。正如亚当·斯密已经正确地发现的那样，在那些生产规模等等允许有充分的分工，以致可以对一个经理支付特别工资的营业部门中，这个利润部分会以经理的薪水的形式纯粹地表现出来，一方面同利润（利息和企业主收入的总和），另一方面同扣除利息以后作为所谓企业主收入留下的那部分利润相独立并且完全分离出来。

凡是直接生产过程具有社会结合过程的形态，而不是表现为独立生产者的孤立劳动的地方，都必然会产生监督劳动和指挥劳动。不过它具有二重性。

一方面，凡是有许多个人进行协作的劳动，过程的联系和统一都必然要表现在一个指挥的意志上，表现在各种与局部劳动无关而与工场全部活动有关的职能上，就像一个乐队要有一个指挥一样。这是一种生产劳动，是每一种结合的生产方式中必须进行的劳动。

另一方面，——完全撇开商业部门不说，——凡是建立在作为直接生产者的劳动者和生产资料所有者之间的对立上的生产方式中，都必然会产生这种监督劳动。这种对立越严重，这种监督劳动所起的作用也就越大。因此，它在奴隶制度下所起的作用达到了最大限度。但它在资本主义生产方式下也是不可缺少的，因为在这里，生产过程同时就是资本家消费劳动力的过程。”

这里，马克思讲了资本家劳动二重性的问题。马克思的区分是：每一种生产方式中必须有的指挥劳动，即一般管理劳动，是生产劳动；而属于私有制生产方式下的监督劳动，即剥削劳动，是与生产劳动不同的另一重性质的劳动。

因此，按照马克思的分析，资本家在经营企业的过程中，付出的二重性劳动似乎就是生产劳动与非生产劳动的统一。

今天看来，马克思的这种认识很有深入研究的必要。对资本家劳动二重性的提出，这是辩证思想的体现，是深刻地认识社会常态的反映。这是在马克思之前的经济学家中没有做到的。能够分开资本家劳动的不同性质，并看到这不同性质劳动在资本家身上的具体统一，即使从现在社会的认识水平讲，也是很不容易的，这是对人类认识自身劳动的理论发展的一种可贵的贡献。但是，我们还需要明确，只认识到资本家劳动的二重性还不能清楚地说明这种劳动的性质，要说清楚还必须有进一步的辩证认识。首先，我们应看到，资本家劳动的二重性基础并非是生产劳动与非生产劳动的统一，而是正态劳动与变态劳动的统一。[①] 马克思说资本家“创造剩余价值，不是因为他作为资本家进行劳动，而是因为除了他作为资本家的性质之外，他也进行劳动。”这就是说，事实上资本家的具体劳动，既是剥削劳动，属于变态劳动的范畴；又是一般管理劳动，可能属于正态劳动的范畴。这就是说，在生产劳动与非生产劳动的统一之前，基础是正态劳动与变态劳动的统一。倘使认识不是这样，而是以生产劳动与非生产劳动的统一代替正态劳动与变态劳动的统一在先，则不能认识生产劳动存在的辩证性，因而就会产生将变态劳动完全误为非生产劳动的情况。我们说，马克思看到了资本家劳动的二重性，这是极精深的思想，是缺乏辩证认识基础的人所无法比及的，但由于在马克思时代辩证的认识发展还只是起步，所以理论上出现将资本家劳动的二重性基于生产劳动与非生产劳动的统一是在所难免的。而如今，我们已经能够认识常态劳动内存在的正态劳动与变态劳动的对立关系，因此，从这一基础出发就能清楚地探明资本家劳动的二重性的复杂而深刻的内涵。

四　对《资本论》第四卷有关论述的分析

在《资本论》第四卷中，马克思关于生产劳动与非生产劳动的论述最多。整个第四章加上附录的两节共 22 节讨论了这方面的问题。这比马克思在其他地方的有关论述加在一起还要多得多。下面，我们逐节讨论马克思在这卷里的有关论述（引文均见各节）。

---

① 这是指排除了军事劳动的情况。在军事劳动中，任何劳动都是变态的。

（一）关于资本主义制度下的生产劳动

马克思说："从资本主义生产的意义上说，生产劳动是这样一种雇用劳动，它同资本的可变部分（花在工资上的那部分资本）相交换，不仅把这部分资本（也就是自己劳动能力的价值）再生产出来，而且，除此之外，还为资本家生产剩余价值。"

我们说，马克思的这种概括是从资本主义劳动角度进行的，与《资本论》第一卷讲到的资本主义雇用劳动并无二致。所以，如果说马克思在讲到资本主义劳动时，均舍去了不能带来剩余价值的劳动，那么这里所讲的资本主义生产劳动就与马克思以前讲的更多的资本主义劳动是同等意义。至多是在此强调了一下生产性。但并没有阐明资本主义生产劳动与资本主义劳动的不同性，因为能创造剩余价值是马克思本人早已论述过的资本主义劳动的特性，也就是说，马克思未能对生产劳动做出新的理论界定。

在这一节，马克思还谈到："假定不存在任何资本，而工人自己占有自己的剩余劳动，即他创造的价值超过他消费的价值的余额。只有在这种情况下才可以说，这种工人的劳动是真正生产的，也就是说，它创造新价值。"

对此，只能说，马克思在这里讲的是生产性劳动而不是生产劳动。我们已经知道，生产劳动是指对社会的生存和发展起有益作用性的劳动，而生产性劳动只指有效率的劳动，不论生产劳动还是非生产劳动，也不论正态还是变态，都有劳动效率的区分。所以，生产劳动与生产性劳动必须要分辨清楚。在分析斯密思想的上一章，为了沿着斯密的思路走，我们一直将斯密讲的生产性当做生产看待，并在表述上与斯密基本上一致，而实质上我们已经指出了这两个范畴的不同，这一点是需要讲明的。

（二）关于重农学派和重商学派对生产劳动问题的提法

马克思指出："重农学派错误地认为，只有农业劳动才是生产劳动的，但是他们坚持了正确的见解，即从资本主义观点来看，只有创造剩余价值的劳动，并且不是为自己而是为生产条件所有者创造剩余价值的劳动，才是生产的；只有不是为自己而是为土地所有者创造'纯产品'的劳动，才是生产的。"

马克思批判了重农学派的只承认农业劳动是生产劳动的见解，但肯定他们对资本主义生产劳动的看法。我们说，马克思的批判是正确的，但马克思的肯定是依据他对资本主义生产劳动的认识来衡量的，因此也是只强调了生产性，只将资本主义劳动的性质肯定了，还是未对生产劳动做出进一步的解释。

关于重商学派，马克思指出："重商学派的基本观点是：劳动只有在产品出口给国家带回的货币多于这些产品价值的货币（或者多于为换得这些产品而必须出口的货币）的那些生产部门，因而只有在使国家有可能在更大的程度上分沾当时新开采的金银矿的产品的那些生产部门，才是生产的。"

对此，马克思像批判重农学派一样，批判了重商学派的观点。马克思的批判是正确的。

（三）关于斯密对生产劳动问题的第一种解释

马克思说："这里，从资本主义生产的观点给生产劳动下了定义，亚当·斯密在这里触及了问题的本质，抓住了要领。他的巨大科学功绩之一（如马尔萨斯正确指出的，斯密对生产劳动和非生产劳动的区分，仍然是全部资产阶级政治经济学的基础）就在于，他下了生产劳动是直接同资本交换的劳动这样一个定义，也就是说，他根据这样一种交换来给生产劳动下定义，只有通过这种交换，劳动的生产条件和一般价值即货币或商品，才转化为资本（而劳动则转化为科学意义上的雇佣劳动）。”

这就更明确地表现出，斯密讲的只是资本主义劳动，实质没有分析生产劳动。这种讲法，甚至比说资本主义生产劳动是生产剩余价值的劳动还要缺少内容。因为与资本交换后的劳动未必一定能为资本家带来剩余价值。凡资本主义劳动都是与资本交换的劳动（我们暂且用这一说法），而凡是带来剩余价值的资本主义劳动都是资本主义生产性劳动。只是，对于什么是资本主义生产劳动，斯密没有讲清楚。这对马克思认识资本主义生产劳动问题是有一定影响的。因为马克思显然继承了斯密的这种认识，并把它称之为“巨大科学功绩之一”。

马克思认为：“什么是非生产劳动，因此也绝对地确定下来了。那就是不同资本交换，而直接同收入即工资或利润交换的劳动（当然也包括同那些靠资本家的利润存在的不同项目，如利息和地租交换的劳动）。”

从这段话里，人们不难看出马克思的认识受到斯密的影响。斯密就是这样认识的，同收入交换的是非生产劳动。我们已经明确，斯密的这种认识是将劳动与消费相混淆。

关于生产劳动是同资本相交换的劳动这一见解，马克思特别强调这不受劳动的物质规定性限制。马克思说：“劳动的这种物质规定性同劳动作为生产劳动的特性毫无关系。”又说：“劳动的物质规定性，从而劳动产品的物质规定性本身，同生产劳动和非生产劳动之间的这种区分毫无关系。”还说：“生产劳动和非生产劳动的这种区分本身，正如前面已经说过的，既同劳动独有的特殊性毫无关系，也同劳动的这种特殊性借以体现的特殊使用价值毫无关系。”

马克思强调的这个问题是十分正确的。生产劳动与非生产劳动的划分是不受劳动物质规定性影响的，这与我们前边讲的观点是一致的。但这里马克思讲的不受影响，只指不受同资本交换的影响。

由此引出关于服务的问题，马克思说："对于提供这些服务的生产者来说，服务就是商品。服务有一定的使用价值（想像的或现实的）和一定的交换价值。但是对买者来说，这些服务只是使用价值，只是他借以消费自己收入的对象。"

在这一点上，马克思讲得很肯定，服务就是商品。可是，理论界后来长期对这段论述争执不休。今天看来，根子不在这一段论述，而仍在关于劳动与资本还是与收入交换的错误区分上。

马克思说："在一种情况下劳动同资本交换，在另一种情况下劳动同收入交换。在一种情况下，劳动转化为资本，并为资本家创造利润；在另一种情况下，它是一种支出，是花费收入的一个项目。"应该说，马克思已经分清了一个是劳动生产，一个是生活消费。所以，在理论上硬将这两个方面即两种角度的认识拉在一起作为生产劳动与非生产劳动的划分依据，只能是将明白的事越讲越乱。

（四）关于斯密对生产劳动问题第二种解释

马克思说："斯密对'生产劳动'和'非生产劳动'的第二种见解（更确切地说，同上述他的另一种见解交错在一起的见解）可归结如下：生产劳动就是生产商品的劳动，非生产劳动就是不生产'任何商品'的劳动。"

这里，斯密将商品理解为物化的实物性的有形产品，将无形产品即服务等排除在外。

但我们看到，马克思也认为："商品的概念本身包含着劳动体现、物化和实现在自己的产品中的意思。劳动本身，在它的直接存在上，在它的活生生的存在上，不能直接看做商品，只有劳动能力才能看做商品，劳动本身是劳动能力的暂时表现。”所以，“商品必须看做一种和劳动本身不同的存在。”

然而，接下来马克思又讲：“对劳动的物化等等，不应当像亚当·斯密那样按苏格兰方式去理解。如果我们从商品的交换价值来看，说商品是劳动的化身，那仅仅是指商品的一个想像的即纯粹社会的存在形式，这种存在形式和商品的物体实在性毫无关系；商品代表一定量的社会劳动或货币。”

应该说，马克思的这两段话含义很复杂。如果从字面上来看，显然是相互冲突的。如果从不同角度来认识，或许我们可以说，马克思前一段话讲的是劳动与劳动力的区别，后一段话讲的是劳动产品的有形与无形在商品的社会存在形式上的同一。

但接着，马克思又说：“虽然如此，商品表现为过去的、物化的劳动这个说法还是对的，因而，如果它不表现为物的形式，它就只能表现为劳动能力本身的形式，但永远不能直接表现为活劳动本身（只有通过某种曲折的途径，才能表现为活劳动本身，这种途径在实践上似乎是无关紧要的，但在确定各种不同的工资的时候，则不然）。由此可见，斯密本应承认，生产劳动或者是生产商品的劳动，或者是直接把劳动能力本身生产、训练、发展、维持、再生产出来的劳动。亚当·斯密把后一种劳动从他的生产劳动项目中除去了；他是任意这样做的，但他受某种正确的本能支配，意识到，如果他在这里把后一种劳动包括进去，那他就为各种冒充生产劳动的谬论敞开了大门。”

无疑，马克思的这种说法是受到了斯密的影响。前面，马克思从两种不同角度阐述了自己的不同于斯密的看法，到此，马克思又在一定程度上接受了斯密对商品是有形产品（不是随生随灭的）的认识。并且，还对斯密的某种本能表示了赞许。我们看到，马克思没有对斯密从剥削劳动角度讲生产劳动，从生活消费角度讲非生产劳动的两种角度划分的混乱方法进行批判。

也许正是由于这样，马克思接着又有限制地回到斯密的观点上来。马克思讲："因此，如果我们把劳动能力本身撇开不谈，生产劳动就可以归结为生产商品、生产物质产品的劳动"。

在这个地方，马克思是把家仆类劳动看做"可能性"的商品，也没有进一步批判斯密将劳动产品的有形与无形混同于生产劳动与非生产劳动的划分的问题。

因而，马克思才一方面非常确定："如果把这一点撇开不谈，那末（按照斯密的第二个定义），生产劳动就是生产商品的劳动，非生产劳动就是生产个人服务的劳动。"一方面又进一步地解释说："商品是资产阶级财富的最基本的元素形式。因此，把'生产劳动'解释为生产'商品'的劳动，比起把生产劳动解释为生产资本的劳动来，符合更基本得多的观点。"

（五）关于反对亚当·斯密的论战

马克思归纳为3种情况：

（1）"有一批所谓'高级'劳动者，如国家官吏、军人、艺术家、医生、牧师、法官、律师等等，他们的劳动有一部分不仅不是生产的，而且实质上是破坏性的，但他们善于依靠出卖自己的'非物质'商品或把这些商品强加于人，而占有很大部分的'物质'财富。对于这一批人来说，在经济学上被列入丑角、家仆一类，被说成靠真正的生产者（更确切地说，靠生产当事人）养活的食客、寄生者，决不是一件愉快的事。这对于那些向来显出灵光、备受膜拜的职务，恰恰是一种非同寻常的亵渎。"

人们一眼就能看出，马克思是反对斯密的反对者们的。可我们已经讲过，斯密是不对的。将国家官吏这等等一大批人笼统地划为非生产劳动者是不对的，不符合常态社会事实。在这些人中间，有的是变态劳动者，有的是正态劳动者，总的说都是常态存在的。他们的常态劳动中，既有生产劳动，又有非生产劳动，这才是辩证的认识。显然，在这一问题上，马克思倾向于斯密的观点，斯密的认识对马克思有相当的影响。

(2)“有一部生产当事人（物质生产本身的当事人），时而被这一些经济学家，时而被那一些经济学家称为‘非生产’”。

对此，马克思仍坚持斯密的划分，反对斯密的反对者。实质上，这是各做一种全称概括，都没有看到其中既有生产的又有非生产的两种劳动共存的情况。

(3)“随着资本的统治的发展，随着那些和创造物质财富没有直接关系的生产领域实际上也日益依附于资本，——尤其是在实证科学（自然科学）被用来为物质生产服务的时候，——政治经济学上的阿谀奉承的侍臣们便认为，对任何一个活动领域都必须加以推崇并给以辩护，说它是同物质财富的生产‘联系着’的，说它是生产物质财富的手段；他们对每一个人都表示敬意，说他是‘第一种’意义上的‘生产劳动者’，即为资本服务的、在这一或那一方面对资本家发财致富有用的劳动者，等等。”

这里讲的关键是将非生产劳动与变态劳动等同了。其实，一些为资本服务的劳动确实是生产的，只不过是变态的生产劳动。不承认他们是生产劳动，与常态社会事实不符；不认识他们的生产劳动是变态的生产劳动，也是无法清楚地说明问题的。但无论怎样，不能对他们笼统不分地都归于非生产劳动，更不能用非生产劳动的概念来表示变态劳动的含义。

（六）关于斯密生产劳动见解的拥护者

马克思分3部分讲述：

1. 李嘉图、西斯蒙弟对斯密第一种见解的拥护

马克思说："我们还要先举出李嘉图的一段话，他在其中证明，剩余价值（利润，地租）的所有者把剩余价值消费在'非生产劳动者'（例如家仆）身上，比他们把剩余价值花在'生产工人'所创造的奢侈品上，对于'生产工人'要有益得多。"

这说明李嘉图比斯密进了一步，看到了奢侈的一般性，而不是像斯密那样只把奢侈列在家仆之类随生随灭的劳动上。但问题是，他也未能正确地区分生产劳动与非生产劳动，在这方面，他与斯密是一致的。

马克思讲："西斯蒙弟也是按照亚当·斯密的见解来看剩余价值的"。

这说明斯密的影响确实很大，尤其是他的第一种见解即生产劳动是与资本交换的劳动，得到包括西斯蒙弟在内的经济学家的认同。

2. 戴维南特、配第对生产劳动与非生产劳动的区分

在马克思看来，戴维南特的观点是典型的重商学派观点，而配第的观点有一些同斯密的完全合拍。

我们认为，马克思的归纳概括是准确的。

3. 穆勒对斯密第二种见解的拥护

马克思说穆勒"对斯密的（第二种）解释没有增添什么东西。"

因此也就是说，穆勒同斯密一样，将劳动产品的有形与无形之分，混淆为生产劳动与非生产劳动之分。

（七）关于热尔门·加尔涅对斯密的批评

法国经济学家热尔门·加尔涅是斯密著作的翻译者和批评者。马克思总结了加尔涅对斯密生产劳动与非生产劳动划分的4

点批评：（1）区分是错误的，因为根据的是不存在的差别。从斯密理解的生产劳动来看，任何一种劳动都是生产劳动。（2）社会管理劳动不应当被列为非生产劳动。（3）提供物质产品（有形产品）与不提供物质产品的劳动对划分无区别。（4）说乐器制造者是生产的，乐器使用者是非生产的，二者矛盾。

马克思认为："在这些批评意见中，第二点是完全符合怎么也忘不了'桥梁和公路'的法国人的精神；第三点归结为道德；第四点，或者是包含一种胡说，即认为消费和生产一样是生产的（这对于资产阶级社会来说是错误的，因为在这个社会里，一种人生产而另一种人消费），或者是说明，生产劳动的一部分只为非生产劳动提供材料，而这一点，亚当·斯密从来没有否认过。只有第一点包含着正确的意思。"

我们认为，关于第一点，马克思说包含着正确的意思但没说什么意思，而加尔涅是完全否定斯密的，可马克思并不完全否定斯密，这方面的辨析，我们前面已经做过了，斯密的见解是必须被完全批判否定的。第二点批评，则也是片面的。因为社会管理劳动既不能全归生产劳动，也不能全归非生产劳动。加尔涅的第三点批评和第四点批评都是准确的。说明加尔涅没有像斯密、穆勒一样把产品形态的划分混为生产劳动与非生产劳动划分，也看到了生产劳动与非生产劳动的连贯性即一种劳动是非生产的或生产的将引起一连串为它服务的劳动的性质的确定。

（八）关于沙尔·加尼耳的重商主义观点

在这一节，马克思批判了加尼耳的交换为价值源泉的观点。但在生产劳动与非生产劳动的划分问题上，加尼耳落入斯密关于劳动产品有形与无形的混淆之中，他反对斯密的划分，马克思对他的反驳都是就斯密的第二种见解而谈的。这本身就是谈不清楚的，但毫无疑问，尽管斯密是错的，加尼耳的反对也是错的。

（九）关于加尼耳和李嘉图的“纯收入”

马克思的分析是：

> 李嘉图所说的“纯收入”或“纯产品”，并不指全部产品中超过必须作为生产资料（原料或工具）归还给生产的那一部分的余额。相反，他赞同把总产品归结为总收入的这种错误见解。他所说的“纯产品”或“纯收入”，是指剩余价值，指总收入中超过由工资即由工人收入构成的那一部分的余额。

> 加尼耳先生在崇拜“纯产品”方面，并不是始终一贯的。

而问题的差别是，“李嘉图完全赞同斯密对生产劳动和非生产劳动的下面这种区分，即生产劳动直接同资本交换，而（非生产劳动）直接同收入交换。”但加尼耳是反对斯密的这种见解的。不论是赞同还是反对，马克思的分析表明，这二位都是站在资本家的立场上认识的，对工人的收入都未包括在他们认定的“纯收入”之中。

（十）关于收入和资本的交换中的一些见解

马克思在这一节主要分析简单再生产条件下的收入同收入的交换，收入同资本的交换，资本同资本的交换。我们对此不展开讨论，只就有生产劳动问题做一些分析。

马克思认为收入只指生产劳动者创造的利润及其工资，非生产劳动者的收入，“是他们用自己的非生产劳动购买的利润和工资的一部分，因此，这种收入不增加以利润和工资的形式存在的产品，它只决定这种产品中有多大一部分由这些非生产劳动者消费，有多大一部分由工人和资本家自己消费。”

马克思的这种看法就是将非生产劳动排除在人类无差别的劳动以外，即排除在创造价值的劳动以外，同时，也是将有用劳动与生产劳动等同起来，将价值与有益价值等同起来。从理论的源流来看，这是受到了斯密认识的影响。

（十一）关于费里埃对斯密的反驳

法国海关副督察费里埃对斯密的生产劳动与非生产劳动的划分持根本的否定态度。

马克思写道：“这个海关官吏对亚当·斯密把国家官吏叫做非生产劳动者这一点非常恼火。”我们已经知道，生产劳动与非生产劳动是不能用部门劳动来划分的，不论什么部门，一般总是兼有生产与非生产两种劳动。就国家官吏讲，不论在哪个国家，都是既有生产的也有非生产的，如果进一步说，那就是他们都是常态社会下的劳动者。

（十二）关于罗德戴尔伯爵反对斯密的观点

罗德戴尔伯爵认为在资本主义社会统治阶级是最重要的生产劳动的代表，“极力反对斯密关于积累和节约的学说”，“极力反对斯密提出的对生产劳动者和非生产劳动者的区分。”

说起来，不论是在当时，还是在以后，斯密的观点一直为许多人所反对。当然，同时他的拥护者也无计其数。至今人们仍很敬仰这位经济学大师，将他的著作奉为经典。我们说，敬仰斯密是应该的，但批判斯密的生产劳动观点更是应该的。斯密的划分是错误的，这并非从今天看是错误的，并非是社会发展了使他的学说过时了而错误的。斯密的错误是属于能够避免而没有避免的错误。诚然，斯密时代不可能懂得辩证唯物史观，但是，他所犯错误很多是基本的逻辑错误，这一点就当时来说本是应该并且完全能够避免的。没有避免这些错误，从某种意义上说，也许正是贵族或贵族式的人物研究经济学的悲哀。同样，这位反对斯密的伯爵讲的也是有他自己的道理的，只是他能够看出斯密错误，却也没能看出自己的错误。

（十三）关于萨伊对“非物质产品”的见解

马克思说：“萨伊也坚持斯密的补充定义：这些‘服务’以及它们的产品‘通常一经提供，一经生产，随即消失’。萨伊先生把这样消费掉的‘服务’或它的产品，它的结果，一句话，它的使用价值，称为‘非物质产品或一生产出来就被消费掉的价值’。他不把提供这类服务的人叫做‘非生产劳动者’，而叫做‘生产非物质产品的人’”。

这就是说，萨伊看到了斯密的糊涂之处。因为按照斯密说的随生随灭，实际上指的就是劳动产品的有形与无形之分。萨伊把这归纳为生产物质产品与生产非物质产品之分。但萨伊的修正并不准确。因为：一是无形产品并不都是非物质产品。二是物质有形产品不能称为物质产品一般，物质产品应是物质有形产品与物质无形产品的概称。由此可见，在当时对劳动的各种范畴的区分是很不精细的。

（十四）关于德斯杜特·德·特拉西伯爵的资本家是生产劳动者的观点

这一节，马克思主要分析特拉西伯爵关于利润起源的看法。由此批判这位伯爵宣称的产业资本家是惟一的最高意义上的生产劳动者的观点。

马克思说："德斯杜特天真地概括了构成资本主义生产实质的矛盾。因为劳动是一切财富的源泉，所以资本是一切财富的源泉；并且日益增长的财富的真正创造者不是从事劳动的人，而是从别人的劳动中取得利润的人。劳动的生产力就是资本的生产力。"

今天看来，我们对这一问题应有更深入的认识。对资本及资本家在人类社会发展的资本主义阶段所起的社会的历史的作用，没有必要羞羞答答地承认，我们完全应该像朗朗地宣布他们必将成为历史的过去一样，朗朗地肯定他们的历史的这一阶段上的作用。不过，承认资本家剥削劳动可以是生产劳动的前提，是必须明确他们的剥削劳动是变态劳动。所以，资本家的劳动有二重性，他们的剥削劳动是变态的，他们的一般管理劳动除军事劳动外可以是正态的，合起来是常态的体现，在常态的资本家劳动中，有生产劳动，也有非生产劳动。但在当时，不论是斯密，还是德斯杜特，都不可能辩证地认识到这一点。

（十五）关于反驳斯密的生产劳动与非生产劳动的区分的一般特点

马克思说："大多数反驳斯密关于生产劳动和非生产劳动的区分的著作家，都把消费看作对生产的必要刺激。因此，在他们看来，那些靠收入来生活的雇佣劳动者，即非生产劳动者（对他们的雇用并不生产财富，而雇用本身却是财富的新的消费），甚至从创造物质财富的意义上来说，也和生产工人一样是生产劳动者，因为他们扩大物质消费范围，从而扩大生产的范围。"

应该说，这大多数人的意思不过讲的是提供有形产品与提供无形产品的劳动都是创造社会财富的劳动。这是对的。但要明确有形产品与无形产品不是生产劳动与非生产劳动的划分才行。要知道，不论是提供有形产品的劳动，还是提供无形产品的劳动，其中都是既包含生产劳动又包含非生产劳动的。

（十六）关于昂利·施托尔希反对斯密的观点

马克思说："在加尔涅之后，施托尔希事实上是第一个试图以新的论据来反驳斯密对生产劳动和非生产劳动的区分的人。"

施托尔希认为斯密把一切不直接参加财富生产的人排除在生产劳动之外，错误在于没有对非物质价值和财富做出应有的区分。也就是说，没有区分物质生产和精神生产。

马克思的看法是："生产劳动和非生产劳动的区分，对于斯密所考察的东西——物质财富的生产，而且是这种生产的一定形式即资本主义生产方式——具有决定性的意义。在精神生产中，表现为生产劳动的是另一种劳动，但斯密没有考察它。最后，两种生产的相互作用和内在联系，也不在斯密的考察范围之内；而且，物质生产只有从它本身的角度来考察，才不致流于空谈。如果说斯密曾谈到并非直接的劳动者，那只是因为这些人直接参加物质财富的消费，而不是参加物质财富的生产。"

我们知道，物质生产与精神生产是紧密相连的，所以，斯密研究生产劳动与非生产劳动，只限于考察物质生产，不考察非物质生产即精神生产，是根本错误的。当然，施托尔希在批判斯密的同时，自己也没搞清楚什么是生产劳动。

正如马克思所说："从施托尔希的著作本身来看，他的'文明论'虽然有一些机智的见解，例如说物质分工是精神分工的前提，但是依然脱不掉陈词滥调。"

（十七）关于纳骚·西尼耳的观点

为避免重复讨论，这一节，我们只做4个方面的分析：

（1）针对西尼耳反对斯密的生产劳动不包括士兵的观点，马克思说："士兵象很大一部分非生产劳动者一样，属于生产上的非生产费用。"

今天看来，可以准确地讲，大部分士兵的劳动是变态的生产劳动，也有一些士兵的劳动是变态的非生产劳动。

（2）马克思说："如果两个国家人口相等，劳动生产力的发展水平相同，那就始终有充分的理由可以同亚当·斯密一起说：两国的财富应由生产劳动者和非生产劳动者之间的比例来衡量。"

在这一点上，明显地表现出马克思与斯密认识之间的一致性。

（3）马克思说："值得注意的是：一切在自己的专业方面毫无创造的'非生产的'经济学家，都反对生产劳动和非生产劳动的区分。但是，对于资产者来说，'非生产的'经济学家的这种立场，一方面表示阿谀奉承，力图把一切职能都说成是为资产者生产财富服务的职能；另一方面表示力图证明资本主义世界是最美好的世界，在这个世界中一切都是有用的"。

问题就是，只讲生产劳动与非生产劳动，不认识正态劳动与变态劳动，是无法讲清楚常态社会下的生产劳动问题的。以往的理论障碍，根子就在这里。

（4）马克思说："最后，伟大的纳骚自己又接受了斯密的区分。就是说，他以'生产消费和非生产消费'的区分来代替生产劳动和非生产劳动的区分。"

事实上，这里不是代替不代替的问题，斯密对生产劳动与非生产劳动的划分是两种角度的认识，本身讲的就是生产消费和非生产消费的区分。

（十八）关于佩·罗西反对斯密的观点

这一节中的一些提法值得研究：

（1）佩·罗西认为，斯密对生产劳动与非生产劳动的划分只注意交换价值，所以是错误的。

对此，马克思反驳说："既然整个资本主义生产的基础是：直接购买劳动，以便在生产过程中不经购买而占有所使用的劳动的一部分，然后又以产品形式把这一部分卖掉；既然这是资本存在的基础，是资本的实质，那末，生产资本的劳动和不生产资本的劳动二者之间的区分，不就是理解资本主义生产过程的基础吗?"

从这里，我们更加明确地看到斯密的第一种见解实质讲的是资本主义劳动，而不是资本主义生产劳动，因为凡资本主义劳动就都是与资本相交换的劳动（这个提法并不准确，但按习惯用）。马克思讲的资本主义生产过程的基础，也是指资本主义劳动与非资本主义劳动的区分，并不是资本主义生产劳动与资本主义非生产劳动的区分。

（2）马克思说："斯密并不否认，仆人的劳动对他自己来说是生产的。每种服务对它的卖者来说都是生产的。"

其实，每种劳动对它的卖者来说都是劳动，而不能都是生产的，否则就没有划分非生产劳动的可能了。斯密的讲法并不对，他是混淆了劳动生产的有益作用性与效率性。

（3）佩·罗西认为斯密对生产劳动认识的第二个错误是没有区分直接生产和间接生产。马克思反驳说："这种间接参加生产的劳动（它不过是非生产劳动的一部分），我们也称为非生产劳动。"

但事实上，生产劳动与非生产劳动的划分是不能以直接生产与间接生产的区分为标尺的。在一定的分工协作下，直接生产与间接生产的目的是一致的，作用是一致的；如果是生产劳动，那么就都是生产劳动，都起有益作用性；如果是非生产劳动，那么就都是非生产劳动，都不具有有益作用性。从社会劳动整体来看，不论是直接还是间接，都是生产劳动与非生产劳动并存。

（4）佩·罗西还认为对生产劳动者的尊重不应成为体力劳动者独立的特权。对此，马克思说：“亚当·斯密不是这样看的。他认为从事写作、绘画、作曲、雕塑的人是第二种意义的‘生产劳动者’，虽然即兴诗人、演说家、音乐家等等不是这样的劳动者。而‘服务’只要是直接加入生产的，亚当·斯密就把它看作是物化在产品中的，不管这是体力劳动者的劳动，还是经理、店员、工程师的劳动，甚至学者的劳动（只要这个学者是个发明家，是在工场内或工场外劳动的工场劳动者）。”

这里，第二种意义的生产劳动者是指不随生随灭的产品提供者。而且，斯密还把其范围扩大到“只要是加入直接生产的”等劳动。显然，马克思是同意斯密的观点的。但这种说法其实并不能反驳佩·罗西的观点，甚至还可以说是为对方提供了某种程度上的例证。

（5）马克思说：“罗西以为‘交换形式’是无关紧要的，就好比生理学家说，一定的生命形式是无关紧要的，因为它们都只是有机物的形式。但当问题是要了解某一社会生产方式的特殊性质时，恰好只有这些形式才是重要的。上衣就是上衣。但如果它是在第一种交换形式下生产出来的，那就是资本主义生产和现代资产阶级社会；如果它是在第二种交换形式下生产出来的，那就是某种甚至和亚洲关系或中世纪关系等等相适应的手工劳动形式。所以，这些形式对于物质财富本身是有决定作用的。”

我们认为，形式是重要的，但绝不能起决定作用，起决定作用的是内容。经济形式的变化必然是由一定的经济内容的变化决定的，只不过在某些时候人们不容易看出这一点罢了。

(6) 马克思说:"如果我把裁缝工人叫到家里来为我个人缝上衣,我决不因为这一点而成为自己的企业主(从一定经济范畴的意义上说),就象缝纫企业主决不是因为他把他的工人缝的上衣拿来自己穿和自己消费而成为企业主一样。"

马克思举的这个例子,最好地说明了斯密对生产劳动与非生产劳动的划分,以与资本相交换还是与收入相交换为依据,是两种角度的认识。

(7) 反对斯密的人提出了一个非生产劳动者节约别人劳动的问题。马克思认为这些人的逻辑是:"警察节约我为自己当宪兵的时间,士兵节约我自卫的时间,政府官吏节约我管理自己的时间,擦皮鞋的人节约我自己擦靴子的时间,教士节约思考的时间,等等。"

应当明确的是,马克思讲的警察、士兵、官吏等,都是常态社会中的劳动者。马克思认为:"在这个问题上正确的一点是分工的思想。"这是认识问题的必要基础。由于我们知道生产劳动与非生产劳动的划分不能以部门劳动即不能以社会分工来划分,所以说这里根本用不着所谓的节约劳动做反驳斯密的论据。不论是斯密,还是反对斯密的人,在非生产劳动者问题上都是错误的。

(十九) 关于查默斯反对斯密的观点

关于马尔萨斯主义者查默斯,马克思说:"他对斯密的区分是极为反对的。他用整整一章的篇幅来谈这个区分,不过其中除了断言节约等等对'生产劳动者'只有害处以外,没有任何新的东西。"

由于斯密的生产劳动者划分本身就是错误的,所以查默斯牧师的断言节约对生产劳动者只有害处,无从谈起意义。

（二十）关于亚当·斯密的生产劳动和非生产劳动的看法的总结性评论

这是第四章的最后一节。马克思对斯密及其反对者在生产劳动问题上看法分歧的概括总结是：

斯密讲的“是还具有革命性的资产阶级说的话，那时它还没有把整个社会、国家等等置于自己支配之下。”

但今天看来，并不能因为斯密所处的时代是资产阶级还具有革命性的时代，就可取消斯密划分生产劳动与非生产劳动的错误。斯密对生产劳动的认识是极其混乱的，而这种混乱思想的影响又是极其长远的。反对斯密的人固然本身说法也是不对的，但如果说他们都具有精明的政治家的头脑来看待生产劳动问题，那么显然对他们是过誉了。这些人中不乏有一些明智的见解，但总的说对推进这一理论的研究并无建树。

我们知道，关于生产劳动，马克思对斯密的第一种见解一直表示赞同，对斯密的第二种见解也曾有条件地给予肯定。在此节，值得注意的是，马克思对斯密的第二种见解又做了新的概括。马克思认为：

> 第一，亚当·斯密是在重复他在一个地方曾说过的关于商品耐久程度相对大小的意见，在那里他曾说，消费对于财富的形成究竟是较有利还是较不利，要看消费品存在的时间是较长还是较短。因而，这里可以看出他的货币主义观点。
>
> 第二，斯密在他关于生产劳动和非生产劳动的第二种区分上，完全回到——在更广泛的形式上——货币主义的区分上去了。

我们认为，马克思对斯密的批判，没有触及其生产劳动理论的根本错误。这或许可以说明，一种错误的见解一旦流传开来，是多么的不容易纠正。

（二十一）关于一切职业都具有生产性的辩护论见解

本节是第一分册附录的第11节。马克思主要谈到以下观点：

> 哲学家生产观念，诗人生产诗，牧师生产说教，教授生产讲授提纲，等等。罪犯生产罪行。如果我们仔细考察一下最后这个生产部门同整个社会的联系，那就可以摆脱许多偏见。

> 罪犯生产全体警察和全部刑事司法、侦探、法官、刽子手、陪审官等等，而在所有这些不同职业中，每一种职业都是社会分工中的一定部门，这些不同职业发展着不同的人类精神能力，创造新的需要和满足新需要的新方式。单是刑讯一项就推动了最巧妙的机械的发明，并保证使大量从事刑具生产的可敬的手工业者有工可做。

这里，要阐述两点：

一是，生产劳动与非生产劳动的划分是以有用劳动（社会必要劳动）为论域的，论域以外的活动不能牵涉进来。马克思讲的罪犯问题不在社会必要劳动范畴之内，因此涉及此事超出了当有的论域。

二是，在常态社会，社会管理劳动具有二重性，既有正态的一面，又有变态的一面。而变态的一面也同样存在生产劳动与非生产劳动的划分，并非完全非生产的。

（二十二）关于生产劳动与非生产劳动划分的一些基本认识

本节是第一分册附录的第 12 节。马克思在这节谈到的问题较多。下面，我们摘要予以分析。与第四章不同，在这节里，马克思不再是针对斯密的论述和反对斯密的论述阐发看法，而是直接地表述自己的观点。

1. 资本的生产性与劳动的生产性

马克思说："资本的生产性在于资本同作为雇佣劳动的劳动相对立，而劳动的生产性在于劳动同作为资本的劳动资料相对立。"

实质上，马克思讲的劳动的生产性是指活劳动的生产性。在资本主义生产条件下，与资本的生产性相对立的是这种活劳动的生产性。

2. 形式的规定性与内容的规定性

马克思说："生产劳动不过是对劳动能力出现在资本主义生产过程中所具有的整个关系和方式的简称。但是，把生产劳动同其他种类的劳动区分开来是十分重要的，因为这种区分恰恰表现了那种作为整个资本主义生产方式以及资本本身的基础的劳动的形式规定性。"

我们说，长期以来，人们在生产劳动问题上争论不休，恰恰是只注意了劳动的形式规定性。而即使仅从逻辑上讲，认识这一问题也必须首先从内容的规定性出发，也就是说，没有正态劳动与变态劳动的区分，就不可能有生产劳动与非生产劳动的准确区分。

3. 生产劳动对资本的特殊使用价值

马克思认为，生产劳动对资本的特殊使用价值就是能使资本增殖。他说："只有那种在同物化劳动交换时能使物化劳动表现为一个增大了的物化劳动量的劳动，才是生产劳动。”

在这里，用交换来表述是不妥当的，因为生产劳动是表现在劳动成果上的，是由劳动成果的有益作用性决定的，所以不能是表现在交换上。

马克思还认为：“‘生产劳动’是对劳动所下的同劳动的一定内容，同劳动的特殊效用或劳动所借以表现的特殊使用价值绝对没有任何直接关系的定义。”

但今天，我们已经知道，生产劳动与非生产劳动的划分是由劳动的一定内容决定的，完全排除内容的形式不可能说明问题。作为生产劳动，它的内容必须是能对常态社会的生存和发展起到有益作用性。

4. 同一劳动的双重定性问题

马克思认为：“同一劳动可以是生产劳动，也可以是非生产劳动。”

我们认为，马克思这里所说的同一劳动指的是同一种类劳动，由于内容同一，它是不能既为生产劳动又为非生产劳动的。马克思实质讲的是同一种类劳动可以是资本主义劳动，也可以是非资本主义劳动。因为在马克思的论述中，讲的都是资本主义劳动，还未能涉及资本主义生产劳动的规定性。

5. 非生产劳动是提供服务的劳动

马克思说：“凡是货币直接同不生产资本的劳动即非生产劳动相交换的地方，这种劳动都是作为服务被购买的。服务这个名词，一般地说，不过是指这种劳动所提供的特殊使用价值，就象其他一切商品也提供自己的特殊使用价值一样；但是，这种劳动的特殊使用价值在这里取得了‘服务’这个特殊名称，是因为劳动不是作为物，而是作为活动提供服务的，可是，这一点并不使它如同某种机器（如钟表）有什么区别。”

对此，我们既可看到斯密的影响，又可看到马克思认识的发展。由于马克思将生产劳动只看成是资本主义劳动，所以，对于服务，马克思坚持只要是资本主义生产方式下的劳动，就同样是生产劳动。而对非资本主义劳动性质的服务，马克思就认为是非生产劳动即不生产资本的劳动。可见，比起斯密对服务的认识，马克思的思想有一定的向前发展。

6. 资本主义社会中手工业者和农民的劳动

马克思说："农民和手工业者虽然也是商品生产者，却既不属于生产劳动者的范畴，又不属于非生产劳动者的范畴。但是，他们是自己的生产不从属于资本主义生产方式的商品生产者。"

由此可以明显地看出，马克思的生产劳动概念实质指的是资本主义劳动，非生产劳动概念在很大程度上是指直接为资本家生活提供服务消费的劳动。由于农民和手工业者既不是资本主义劳动者，又不是直接为资本家生活提供服务的劳动者，所以马克思才认为他们的劳动既不是生产劳动也不是非生产劳动，"他们是自己的生产不从属于资本主义生产方式的商品生产者。"

7. 关于生产劳动的补充定义

马克思说："假定，一切从事商品生产的工人都是雇佣工人，而生产资料在所有物质生产领域中。都作为资本同他们相对立。在这种情况下，可以认为，生产工人即生产资本的工人的特点，是他们的劳动物化在商品中，物化在物质财富中。这样一来，生产劳动，除了它那个与劳动内容完全无关、不以劳动内容为转移的具有决定意义的特征之外，又得到了与这个特征不同的第二个定义，补充的定义。"

马克思的这种认识显然是受斯密的影响。马克思对斯密关于生产劳动的第二种见解先是批判，后是有条件地加以肯定，再是认为它完全回到货币主义的区分上去了，到此又有条件地从那里引申出自己的第二个定义。人们不可否认马克思的第二个定义与斯密的第二种见解之间的源流关系。

8. 非物质生产领域中的资本主义表现

马克思认为："资本主义生产在这个领域中的所有这些表现，同整个生产比起来是微不足道的，因此可以完全置之不理。"

这仍说明，马克思认定的生产劳动就是资本主义劳动。所以马克思才对当时资本主义生产方式尚未占主要地位的非物质生产领域（实指无形产品生产领域）中的资本主义劳动完全置之不理。

9. 从物质生产总过程的角度看生产劳动问题

马克思说："所有这些具有不同价值的劳动能力（虽然使用的劳动量大致是在同一水平上）的劳动者的总体进行生产的结果——从单纯的劳动过程的结果来看——表现为商品或一个物质产品。所有这些劳动者合在一起，作为一个生产集体，是生产这种产品的活机器，就象从整个生产过程来看，他们用自己的劳动同资本交换，把资本家的货币作为资本再生产出来，就是说，作为自行增殖的价值，自行增大的价值再生产出来。"

总之，从总过程更能明确地看出来，马克思对生产劳动与非生产劳动的划分和对资本主义劳动与非资本主义劳动的划分是等同的。对于不能带来剩余价值的资本主义劳动，在总过程中，是作为极次要的部分抽象掉了的。因而，可以说，在全部《资本论》中，马克思所讲的资本主义劳动均指能带来剩余价值的劳动，亦即马克思所讲的生产劳动。

10. 运输业中的生产劳动

马克思认为运输业是第四个物质领域。他说："在这里，生产劳动对资本家的关系，也就是说，雇佣工人对资本家的关系，同其他物质生产领域是完全一样的。"

马克思说的一样，就是指凡资本主义生产方式下的运输劳动，与其他行业的资本主义劳动一样，是生产劳动。

我们说，生产劳动一般不能以部门劳动划分，所以，从今天来看运输劳动并非完全是生产劳动，至少在理论上是必须这样认识的。

11. 研究范围问题

马克思说："我们这里研究的还只是生产资本，就是说，还只是用于直接生产过程中的资本。后面我们还要谈到流通过程中的资本。"

生产资本是资本的非独立形式，流通资本也是资本的非独立形式。这两种资本都是资本循环过程中的形式。我们研究生产劳动，是研究有用劳动，是研究完整的劳动，是研究劳动的成果所起的社会作用性。所以，从生产资本或流通资本角度研究生产劳动，是与生产劳动理论研究的应有范围不相一致的。

五　对《直接生产过程的结果》有关论述的分析

马克思的这部分著述原拟做《资本论》第一卷第六章，后未收入。关于生产劳动与非生产劳动的划分问题，马克思在这里有较为精炼的论述。其中有一些观点是与第四卷的有关论述相同的，因而对重复的地方就不再做分析了，在此，只就这篇文献的特点做些讨论（引文均见《马克思恩格斯全集》第 49 卷，第 99 ~ 110 页）。

在这篇文献中，最明显的是，马克思强调了生产的直接性对划分生产劳动与非生产劳动的关键性。这一点是不同于其他地方论述的。在此，马克思表明的基本观点是："因为资本主义生产的直接目的和真正产物是剩余价值，所以只有直接生产剩余价值的劳动是生产劳动，只有直接生产剩余价值的劳动能力的行使者是生产工人，就是说，只有直接在生产过程中为了资本的价值增殖而消费的劳动才是生产劳动。”接着，马克思又从一般和特殊的比较角度做了更为规范的表述：“从单纯的一般劳动过程的观点出发，实现在产品中的劳动，更确切些说，实现在商品中的劳动，对我们表现为生产劳动，但从资本主义生产过程的观点出发，则要加上更切近的规定：生产劳动是直接增殖资本的劳动或直接生产剩余价值的劳动”。

在此，马克思讲的直接性只指资本主义劳动，并不泛指一般。他说：“只有工人的劳动过程等于资本或资本家消费劳动能力（即这种劳动的承担者）的生产消费过程，这样的工人才是生产的。”

但是，马克思并没有把直接性限制在与直接出产品的作业很近的范围内。同在《资本论》第一卷第十四章所阐述的总体工人概念一样，马克思在此讲的仍然是总体工人的直接性。他说：“有的人多用手工作，有的人多用脑工作，有的人当经理、工程师、工艺师等等，有的人当监工，有的人当直接的体力劳动者或者做十分简单的粗工，于是劳动能力的越来越多的职能被列在生产劳动的直接概念下，这种劳动能力的承担者也被列在生产工人的概念下，即直接被资本剥削的和从属于资本价值增值过程与生产过程本身的工人的概念下。如果考察组成工场的总体工人，那么他们结合起来的活动在物质上就直接实现在同时是商品总量的总产品中，而单个工人作为这个总体工人的单纯成员的职能距直接体力劳动是近还是远，那都完全没有关系。”

不过，尽管如此，马克思还是将一般服务人员排除在他的总体工人概念之外。他坚持说：“当购买劳动是为了把它作为使用价值、作为服务来消费，而不是为了把它作为活的要素来代替可变资本价值和合并到资本主义生产过程中去的时候，这种劳动就不是生产劳动，雇佣工人就不是生产工人。”实质上，这是马克思受斯密的影响，又是从生活消费的角度来看服务的。而且，马克思对这点并非不知，接下来，他自己就谈到这个问题。他说：“正象资本家为了自己个人消费而购买的商品，不是生产地被消费，没有变成资本的要素一样，他为了服务的使用价值，为了自身消费而自愿购买或被迫购买（向国家等购买）的服务，也不是生产的消费，也没有变成资本的因素。服务并没有成为资本的因素。所以服务不是生产劳动，服务的承担者也不是生产劳动者。”马克思的这段话清楚地表明，任何劳动成果从生活消费来看都是同样地减少消费人的收入。所以，显然这根本不可能成为划分非生产劳动的依据。

于是，马克思遇到的问题是：“随着资本主义生产的发展，所有的服务都转化为雇佣劳动，所有服务的执行者都转化为雇佣工人，从而都具有这种与生产工人相同的性质，——这种现象之所以会引起两者的混同，特别是因为，这是资本主义生产所特有的和资本主义生产本身所造成的现象。另一方面，这种现象为辩护论者提供了借口，把生产工人——因为他是雇佣工人——转化为单纯用自己的服务（即自己的作为使用价值的劳动）与货币相交换的工人。”

对此，怎么解释呢？作为资本主义生产工人，应是生产劳动；作为服务人员，又是非生产劳动。这与以前规定的不同，甚至超越了“同一内容的劳动可以是生产劳动，也可以是非生产劳动”的训条。

马克思的解释是：第一，他把这看做是一种“反常的现象”。第二，他认为“一些非生产劳动有可能偶然地同生产过程联系起来”。

然而，从现实服务业的发展来看，这既不是反常的也不是偶然的。

由于以反常和偶然并不足以解释事实，马克思又进一步讲："整个说来，这样一些劳动同资本主义生产的数量相比是微乎其微的量，这些劳动只能作为服务来享受，不能转化为与劳动者分开的、从而作为独立商品存在于劳动者之外的产品，但是它们可以直接地被资本主义利用。所以，可以把它们完全撇开不谈"。这就是说，可以利用，也可以完全撇开不谈。结果大概只能是这样的。

在排除了（准确讲是撇开了）服务劳动之后，马克思对直接性的论述仍归结为："生产劳动与非生产劳动之间的区别仅仅在于；劳动是与作为货币的货币相交换，还是与作为资本的货币相交换。"又回到斯密的老路上去了！

六 结　语

实事求是地分析马克思对生产劳动理论的研究，就能发现其认识历程的错综复杂。在这一理论领域，马克思的认识是从批判资产阶级经济学家的观点开始的。马克思批判了重商主义，批判了重农学派，批判了斯密和李嘉图，批判了各种资产阶级庸俗经济学的代表人物。马克思批判的核心是资产阶级经济学家对资本主义劳动的混淆和粉饰，对资产阶级社会作用永恒的赞美。马克思认为，资本主义生产是剩余价值的生产，生产劳动是维持资本主义存在的劳动，成为生产工人是一种不幸，他们要无偿地为资本家生产剩余价值。

这样，我们看到，马克思的研究是试图以生产劳动做基本范畴来阐释资本主义经济特征。他一直是在努力朝这一方向做。他在对生产劳动所做的各种说明中，反复强调的都是资本家对工人劳动的剥削。然而，这样做的结果实质上使马克思并没有能对生产劳动做出进一步的规定，而是将资本主义劳动与生产劳动等同。事实上，在《资本论》中，马克思并没有用生产劳动范畴作为资本主义劳动过程分析的主线。

特别需要指出的是，在认识的批判中，马克思分析了斯密的两种见解之间的混乱，反驳了反对斯密的各种见解，但却未能揭示斯密第一种见解的两种认识角度的错误和第二种见解的以劳动产品的有形与无形作为生产劳动与非生产劳动划分依据的错误。并且，在斯密见解的影响下，马克思虽然是从强调生产剩余价值入手，但最后还是做出了与斯密的两种见解近似的两种定义：斯密讲，与资本相交换的是生产劳动，与收入相交换的是非生产劳动。马克思讲，直接创造剩余价值的是生产劳动，与作为货币的货币相交换的是非生产劳动。斯密讲，提供能贮藏的、不随生随灭的商品的劳动是生产劳动，不能贮藏的随生随灭的劳动是非生产劳动。马克思讲，生产劳动是能物化在物质财富中的劳动，非生产劳动是提供服务的劳动。

不仅如此，马克思的批判表现为两类：一类是马克思对斯密的批判，这类批判由于未能切入极度混乱的斯密的两种见解的根本逻辑错误，以致被批判的对象并没有因批判完全垮下来，而是若即若离地与批判者的观点始终保持着一定的联系。再一类是马克思对反对斯密的人的批判，这类批判更明显地表现出马克思对斯密的某些观点的维护，甚至可以说，这使马克思在更大一些的范围受到斯密的影响。马克思对价值与有益价值的等同看待，与斯密的看法是直接相关的。正是由于存在斯密的错误见解，在其导引下，才使得后人们长期以来将生产劳动当做生产价值的劳动，将生产劳动与社会必要劳动混同。更严重的是，斯密对生产消费与生活消费的混同，使得生产劳动与非生产劳动的研究近乎跑了题，虽然马克思在自己的反复研究中逐渐弄清了斯密的这种混淆，但终归还是没有能扭过来斯密的荒谬。

在耐用消费品问题上，斯密振振有词的理财之道充分显示了他的才智，这很能迷惑人，使人落入他的误区。平心而论，仅就理财而言，斯密不仅比他的同代人高明，而且即使今天看来也很有一些人是望其项背的。在一些极贫困的地区，本来就少的财富，还要大量地用于大吃大喝，怎么能不雪上加霜？但回过头说，这理财是另一回事，生产劳动的划分与收支理财讲的并不是一回事。而事实是，在斯密的影响下，马克思也没有将这二者区分开来。斯密讲交换，马克思也讲交换。可是，不论是资本与劳动交换，还是收入与劳动交换，都是经济形式上看不出差别的交换。因此，马克思认为物化劳动是资本，只此可以交换活劳动，能做这样的交换的劳动才是生产劳动，也就是顺理成章的事了。从而，也就把生产劳动是对完整的劳动过程的作用的评价变成了单纯的活劳动间的划分，使得问题的研究变得更加费解和模糊了。而这一切，无例外地都是斯密思想直接影响的结果。

但是，还应看到，马克思在生产劳动理论研究方面是做了许多精深努力的。这相对斯密及其反对者们造成的混乱来说，尤为不易。马克思超出斯密们之上，提出了资本家劳动的二重性。针对斯密的绝对化的第二见解，马克思提出了家仆类服务劳动也要走向资本主义化。更有意义的是，马克思几乎明辨出了资本的消费与收入的消费在生产劳动问题上的根本不同。他详细地说明了资本家雇佣工人，是为自己赚钱，是剥削工人取得剥削收入；而资本家雇佣家仆，是自己花钱，是自己的生活消费，是对剥削收入的减少。而这种减少，同其他有形的生活消费品消费一样，是对购买者收入的减少。无论如何，马克思的这些思想是斯密们的认识一直未能达到的。

问题是，斯密的生产劳动理论确实对马克思有较大的影响。这就使得马克思在批判斯密的同时，一时难以消除他的影响。在人类社会经济生活的认识史上，发生了这样的思想渗透影响的事，似乎是不足为奇的。任何一个时代的思想，总要产生一定的对下一代人的影响的。马克思曾郑重地讲过，当1845年春恩格斯“也住布鲁塞尔时，我们决定共同钻研我们的见解与德国哲学思想体系的见解之间的对立，实际上是把我们从前的哲学信仰清算一下。这个心愿是以批判黑格尔以后哲学的形式来实现的。”① 这就是说，马克思是在受黑格尔以后的哲学思想影响很长一段时间之后，才清算了自己以前所受到的它的影响。而由于种种原因，事实是，从1867年《资本论》第一卷问世，到1883年马克思去世，在这期间，马克思还一直未能来得及有时间清算一下自己所受到的斯密的生产劳动理论的影响，给后人们留下了不尽的遗憾。

更重要的是，在当时，受时代条件限制，马克思还不能区分出正态劳动与变态劳动的对立统一关系，因而，不可能彻底地解决生产劳动问题。马克思是人不是神，而且他只能是他那个时代的人，他的伟大是时代的伟大，他是他那个时代的产物，在社会发展已经进入21世纪的今天，摆在正处于激荡的社会主义改革洪流中的人们面前最紧要的是，要坚持和发展马克思主义政治经济学，就必须使马克思走下神坛，回到人的位置上来。现时代的人必须要根据实践的要求继续推进理论的发展。这才是新的时代的希望，这才是全人类进步的展向。当然，无可否认的是，一个多世纪以来，马克思的生产劳动理论对后代，对社会主义经济理论界特别是中国学术界产生了巨大而深远的影响。

① 《马克思恩格斯选集》，第2卷，人民出版社，1972，第84页。

第十章　述评中国学术界关于社会主义生产劳动的讨论

对于生产劳动与非生产劳动问题，在中国学术界，不论哪一派，都是以马克思的有关论述为依据的。讨论的共同前提是，符合马克思说的就是对的，不符合马克思说的就是错的。我们已经知道，在马克思生前，他还没有来得及清算斯密的生产劳动理论对他的影响，而且他也未能以正态劳动与变态劳动的区分为基础的区分来看待生产劳动问题。因而，这就使得完全以马克思的论述为依据的中国学者，在讨论社会主义生产劳动划分中，难免囿于传统固见，陷入无法解决问题的困境。两次讨论高潮的兴起，随之是两次讨论结局的沉寂。如果说，前一次讨论的中止还是因为“文化大革命”的缘故，那么，后一次讨论的平息则无法说不是理论落后于实践使然。不管人们认为生产劳动理论多么重要，事实是它在学术界的讨论早已销声匿迹了。不要说一般人不再提起此事，就连政治经济学的专业研究人员也绝少有人问津。好似犹未了，但却任了之。我们说，这种讨论的前提，这种讨论的经过，这种讨论的结局，确确实实是值得社会主义经济理论界认真反思的。

诚然，在已有的讨论中，也不乏新见。但纵观全局，一些关键性的认识多是难以成立而又自身不觉的。一般说来，学术界对考察生产劳动的出发点是劳动的社会形式规定性，而不是劳动的根本内容和社会作用性，意见一致，并无分歧。不同点仅在于认识的程度和强调的方式有别而已。有文献强调指出："诚然，对于每一社会的生产劳动都必须把社会形式规定性和劳动内容两方面结合起来，坚持从二重见地进行考察，但是这种考察必须建立在确认这两个方面中，只有社会形式规定性才是生产劳动的根本标志这一前提之下，而不可将社会形式规定性同其物质承担者割裂开来、并列起来。"① 这种似乎不可动摇的原则，实际上抹杀了生产劳动与非生产劳动划分的讨论基础。

在热烈的探讨高潮中，中国学术界还不可避免地遇到价值理论问题。同样，肯定生产劳动就是创造价值的劳动又成为人们共同认定的一个不可动摇的前提。甚至有人以为，只要争论清楚什么是创造价值的劳动，也就等于弄清了什么是生产劳动的问题，我们这里暂不做价值理论分析，但我们已经指出，生产劳动与劳动是不同范畴，不论是生产劳动还是非生产劳动，都是创造价值的劳动，价值是人类无差别质的劳动的凝结，生产劳动与非生产劳动的差别绝不是人类劳动根本质的差别，因为就连正态劳动与变态劳动的态的差别都不影响它们在人类劳动的质上的等同，尽管这种等同是常态质的等同。然而，我们必须承认，长期以来，将生产劳动等同创造价值的劳动是社会主义生产劳动问题讨论中的又一大理论障碍。

至于其他存在问题，我们拟摘要放在对观点的述评中去分析。为了表述准确，对于观点的分析，我们不用笼统的宽、中、窄派表示，而是直接以其论点标明类别。

① 经济研究编辑部编：《中国社会主义经济理论的回顾与展望》，经济日报出版社，1986，第278页。

一 评直接、间接论

直接、间接论是中国学术界关于社会主义生产劳动讨论中先提出的一派有代表性的理论观点。这派的代表认为："在社会主义制度下，由于生产资料的社会主义公有制的确立，社会生产的目的与剥削统治的社会根本不同了，它不再是为了少数剥削者的利益服务，而是为了最大限度地满足整个社会和人民日益增长的物质和文化需要；因此，反映社会主义生产关系本质的生产劳动的特殊定义应当是：凡是能直接满足这种需要的劳动，就是生产劳动，凡是间接有助于这种需要的满足的劳动，就是非生产劳动，至于不能满足这种需要甚至有害于满足这种需要的劳动，则只能算是无效劳动甚至有害劳动了。"①

首先需要阐明的是，中国学术界关于生产劳动与非生产劳动的划分，不论哪一派，都是按部门劳动来划分的。所以，直接、间接论派也不例外。按照这种分法，一个劳动部门若是生产劳动，就整个部门劳动都是生产劳动；一个劳动部门若是非生产劳动，就整个部门劳动都是非生产劳动。我们已经讲过，生产劳动与非生产劳动的划分，一般不能按部门劳动，甚至不能按同一工种的劳动来划分，是不是生产劳动要看具体劳动结果起的作用性。然直接、间接论则是在部门劳动基础上考察，将劳动部门分为直接满足整个社会和人民日益增长的物质文化生活需要的部门和间接满足整个社会和人民日益增长的物质文化生活需要的部门。且不论部门划分方法本来就不对，也不说这一派具体是如何归纳部门的，单就只从直接、间接这字面上分析，这种区分方法

① 何炼成：《生产劳动理论与实践》，湖南人民出版社，1986，第131页。

也是让人颇感迷惑的。尽管其宣称除纯粹商业部门、财政金融部门、文化、教育、科学、卫生等部门、各级党政部门、国防部门等以外所有部门劳动统统都应划做生产劳动，但事实上他们的划分与他们的定义原则并不相符，若说党政部门不能直接满足社会需要，那么，钢铁、机械等部门怎么能算上是直接满足社会需要，恐怕党政部门比钢铁、机械等部门更直接一些，因为政治是社会的灵魂，哪一样社会工作离开政治也不行。即使在远古，人们也是十分重视自身的政治生活需要的。而在现时代，政治是社会上人人关心的事情。因而，至少可以说，党政部门和钢铁、机械等部门是一样直接满足社会需要的。依此类推，商业都门、财政金融部门、教育部门、科学、卫生部门、国防部门，又哪一样不是直接满足社会需要的？最起码人们要天天与商店、银行、学校、医院这些地方打交道。所以，若说直接满足社会需要，哪一个部门都是直接满足的。而若说直接满足人民生活需要，倒是有一些部门不能做到的，首先所有生产资料生产部门是做不到的，这些部门生产出的钢铁、机械、厂房、设施、原材料等等，都是不能直接满足人民的吃、穿、住、用等生活需要的。可是，又有谁能将这些部门劳动统统划归非生产劳动呢？

我们说，生产劳动是对社会的生存和发展起有益作用性的劳动，因而，社会主义生产劳动就是对社会主义社会的生存和发展起有益作用性的社会主义劳动，社会主义非生产劳动就是不能对社会主义社会的生存和发展起有益作用性的社会主义劳动。社会主义生产劳动与社会主义非生产劳动的划分基础是社会主义劳动，严格说，是社会主义商品经济中实现了自身价值的社会必要劳动，要成为社会主义生产劳动，首先要是社会主义劳动，并且要是社会主义社会必要劳动；要成为社会主义非生产劳动，首先也要是社会主义劳动，并且也要是社会主义社会必要劳动。社会主义劳动就是社会主义公有制经济中的劳动（具体怎样认定社会主义劳动是另外一个问题，我们这里关键强调的是这一劳动范畴），社会主义社会必要劳动就是社会主义劳动中的有用劳动，对社会主义生产劳动的研究必须要明确这一论域，任何负概念的划分都不能超出自己的论域。也就是说，社会主义非生产劳动并不包括社会主义劳动以外的非生产劳动。在社会主义劳动中，不可避免地还存在着一定的实现了自身价值但对社会的生存和发展起不到有益作用性的劳动。成为社会主义劳动，只要成为社会主义公有制经济中的劳动就可以了。成为社会主义社会必要劳动，只要作为社会主义劳动在商品经济中能实现自身价值也就可以了。但要成为社会主义生产劳动，则一定是要能对社会主义社会的生存和发展起有益作用性的社会主义劳动。所以问题就是，不论能否对社会主义社会的生存和发展起有益作用，社会主义生产劳动与社会主义非生产劳动都不能以直接、间接满足社会和人民的日益增长的物质文化生活的需要来划分。如果说对社会和人民的日益增长的物质文化生活的需要存在直接满足和间接满足的区分的话，那么，直接满足的也可能是起无益作用性的，间接满足的也可能是起有益作用性的。因为需要本身并没有确定是有益的还是无益的劳动能满足的。而在社会主义现实劳动中，存在起无益作用性劳动，是必须接受的事实。这不仅是人类社会发展的幼年期不可避免的事情，而且即使到了人类社会发展的高级阶段也无法完全消除，人类永远不可能做到事事都完美，毫无惰性。

进一步说，在整个社会主义社会过渡时期中，还存在一定的变态劳动，不仅在非公有制经济中保留剥削劳动，而且在公有制经济中也保留有军事劳动。因而，在社会主义生产劳动与社会主义非生产劳动中，也要做正态生产劳动与变态生产劳动、正态非生产劳动与变态非生产劳动的区分。但是，无论怎样区分，都不能以直接、间接满足社会和人民的日益增长的物质文化生活的需要来做划分的依据。

再有，扩而言之，直接、间接论认为有些非生产劳动尽管很重要也很必要，但却是不能提供任何使用价值的劳动，因而是不能直接满足社会和人民的日益增长的物质文化生活的需要的劳动，更是难以自圆其说的。试问：如果不能提供任何使用价值，那怎么能算是劳动？因为就连自然物中，有的对人亦有一定的现成的使用价值，怎么可能是很重要也很必要的劳动对人反而没有任何使用价值了呢？如果要是真的没有任何使用价值，那么不用说不能直接满足社会和人民的需要，就是间接满足也绝不可能实现。它以什么来满足呢？难道能是以抽象的很重要也很必要而没有任何使用价值的东西去满足吗？直接、间接论学者无法回答这个问题。他们对基本的范畴的理解是将非生产劳动与非劳动混同了。

二　评物化论

物化论的宗旨是严守社会主义生产劳动必须以物质产品生产范围为界。也就是说，只承认劳动能物化在产品中的劳动是生产劳动。按照这种认识，“生产劳动和非生产劳动，指的就是物质生产劳动和非物质生产劳动。”① 因而，是否生产物质产品，就成为物化论派划分社会主义生产劳动与社会主义非生产劳动的基础标准。

这派的代表认为：“社会主义的生产劳动，就是为充分满足劳动者的物质和文化需要而生产物质资料的劳动。是在社会主义

① 孙冶方：《关于生产劳动和非生产劳动、国民收入和国民生产总值的讨论》，《经济研究》1981 年第 8 期。

生产关系下进行的物质生产劳动，包括体力劳动和脑力劳动，包括从生产单位内部或外部为直接生产过程提供服务的劳动，如设计、科研等劳动。”① 由此可见，这派对于生产劳动的认定并非局限在生产物质有形产品劳动的范围，而是从马克思的总体工人概念出发扩大到了一部分生产物质无形产品的劳动。这种扩大到底扩到什么程度，又有观点分歧。有的认为商业劳动也是为生产物质产品提供服务的，至少批发商是这样，也应算做生产劳动。有的则认为商业劳动不算生产劳动。但共同点是认为教育、文艺、卫生、政府部门以及生活服务等劳动不是生产劳动。

这样的划分仍是按部门归类的，归类的根据仍是非生产劳动不创造价值，我们已经讲过，这两点都是不能成立的。非生产劳动不是不能创造价值的劳动，非生产劳动与生产劳动同样能创造价值，只不过非生产劳动创造的价值是无益价值。非生产劳动者靠自己创造的价值过活，尽管他们创造的价值不能对社会的生存和发展起有益作用性。认为只有物质生产劳动才创造价值的观点不符合商品经济事实。因为凡是在商品交换（包括强制性交换）中得到承认的劳动，都是实现了自身价值的社会必要劳动；这不管是提供物质有形产品，还是提供物质无形产品；也不管是物质劳动领域，还是精神劳动领域。总的说，作为社会必要劳动都是一样的，即在价值形式上都是一样的。价值本身，在经济学意义上，是个中性概念，不含褒贬义，也不分是否社会基础需要的价值。而有益价值与无益价值的区分才使价值带上褒贬色彩。诚然，有益价值是褒义的价值，无益价值是贬义的价值，但这其中仍还是未分社会基础需要的价值和超基础需要的价值，后者显然是又一种角度的划分。作为生产劳动与非生产劳动的划分，只能

① 卫兴华：《马克思的生产劳动理论》，《中国社会科学》1983 年第 6 期。

分辨出劳动创造的是有益价值还是无益价值。

以部门劳动归类是历史遗留下来的传统，这一传统不抛弃，对于生产劳动与非生产劳动的认识，就不可能推进。事实上，在众多的部门劳动中，创造有益价值的劳动与创造无益价值的劳动都是并存的，也就是说都是并存生产劳动与非生产劳动的。在这种状况下，以部门劳动来划分生产劳动与非生产劳动，不可能说清楚问题。今天，我们对此看得很清楚。因此，我们就能逻辑地推断出：以物质劳动来划分社会主义生产劳动与社会主义非生产劳动，也是不可能说清楚问题的。因为，对社会主义社会的生存和发展有益作用性的不一定就是社会主义物质劳动，尽管物质劳动是非物质劳动存在的基础；反过来说，社会主义物质劳动不一定就是社会主义生产劳动，只要这种物质劳动起不到有益作用性，它就不是生产劳动。在这方面，由于理论滞后，长期以来未能给实践以有力的指导。比如说，种烟草和制卷烟，是物质劳动，创造一定的使用价值和价值，有较高的社会经济收益，但是，这些劳动对社会的生存和发展起不到有益作用性，只能是非生产劳动。一人吸烟，百家受害。看得见的是烟卷卖了钱，交了税，满足了烟民们日益增长的生活享乐的需要；看不见的是多少人的健康受到损害，为治病又要花费多少钱财，更不用说为了种烟要占多少良田，为了制烟要投入多少设备和人力。然而，现在许多地区还在大干快上烟草业。这就是客观存在的明显的无益作用性。这些劳动创造的价值就是无益价值。纵然，这些劳动者是靠自身创造的价值过活的，但是，对这种价值，社会必须将它限制得越少越好。

不用说，在我们看来，物化论对生产劳动与非生产劳动的认识也是缺乏正态劳动与变态劳动划分基础的。不过，在这一根本的局限之外，物化论缺陷的症结在于将创造价值的劳动等同生产劳动，并认定创造价值的劳动范围只是物质劳动。这既阻碍了人们对物质劳动中的非生产劳动的辨认，也排斥了对非物质劳动领域的生产劳动的承认。

三 评有用论

有用论是带有突破传统理论范式特征的一种理论见解。这一派别对仅仅承认物质劳动创造价值的观点提出质疑，认为凡是满足社会需要的劳动都是创造价值的劳动。据此，这派提出，凡是符合社会主义生产目的的有用劳动都是社会主义生产劳动。

就此，在这派的代表看来，只要再加上“劳动是在社会主义生产体系中进行的，是不受剥削的，一方面根据按劳分配原则满足劳动者自己的消费需要、一方面是满足为整个社会日益增长的物质和文化需要为目的的这样一些条件作为限制，也许就可以了。如果这个看法是正确的话，那么只要符合这个条件，一切或近或远地对劳动对象处理的劳动，一切能满足社会消费需要的劳动，都是社会主义的生产劳动。”①

由于将一切能满足社会消费需要的劳动都包括在社会主义生产劳动范畴内，自然顺理成章地将科、教、文、卫、生活服务、政府部门等等劳动统统作为社会主义生产劳动看待。这引起了只承认物质劳动创造价值传统观点的人们的强烈反对。与有用论对立的观点认为，劳务劳动在国民经济和社会发展中贡献很大，但绝没有创造价值，这些部门劳动得到的经济收入是国民收入的二次分配，是物质劳动者（他们实指的是生产有形产品即实物性商品的劳动者）创造的价值转化给这些部门劳动者的，因此，

---

① 于光远：《社会主义制度下的生产劳动与非生产劳动》，《中国经济问题》1981年第1期。

这些部门的劳动绝不可能是社会主义的生产劳动。今天来看，反对者的依据是绝不能成立的。因为生产劳动与非生产劳动的划分本身就是对创造价值的劳动的划分，如果是未实现价值的劳动，根本不在考察范围之内。至于劳务劳动价值的问题，这已经是一个事实判断而不光是理论推断的问题。现在无论是从理论上还是从实践上，我们都不能否认劳务劳动是人类无差别的质的劳动概括范围内的劳动。劳务劳动者是创造价值的劳动者，劳务劳动者是靠自己创造的价值生活的劳动者，并不是靠其他物质劳动者养活的，劳务劳动者与其他物质劳动者之间是商品经济等价交换的关系，一方面提供等价的无形产品，另一方面提供等价的有形产品，相互满足消费需求。对此，我们一再反复地讲，其实并不是多么深奥的东西，这只是一个普遍存在的事实，是每天每时发生在我们身边的事，商品经济中不可能有转化价值的事情，不可能存在不给人家价值光要人家价值的事情，那是与商品交换的原则根本违背的，社会主义劳动者之间不存在谁养活谁的问题，只有社会分工不同，每一部门的劳动者都必须自己养活自己，根据社会分工劳动，通过交换实现价值，摆在人们面前的问题只是，承认还是不承认这一事实，而不管承认还是不承认，事实总是存在的。

有用论派对生产劳动与非生产劳动划分的理论上的困难并不在承认劳务劳动创造价值上，而是在搞不清有用劳动与生产劳动的区别上，他们事实上是将社会主义有用劳动与社会主义生产劳动等同了。因而，有用论派分不清社会主义非生产劳动是什么。按照他们对社会主义生产劳动是能满足社会需要的劳动的确定，社会主义非生产劳动就是不能满足社会需要的劳动，而这其实就是无用劳动，因为凡是社会主义有用劳动没有不能满足社会需要的，尽管其满足的需要各有不同。有用论派将社会主义有用劳动与社会主义生产劳动等同，是对社会主义现实劳动的社会作用缺乏明辨的反映。我们也一再讲过，在社会主义有用劳动即社会必要劳动中，存在不能对社会主义社会的生存和发展起有益作用性的劳动，这些劳动就是社会主义非生产劳动。因此，只有从社会主义有用劳动中分辨出什么劳动是能起有益作用性的，什么劳动是不能起有益作用性的，才能正确地区分社会主义生产劳动与社会主义非生产劳动。正由于有用论派未能区分这一点，所以他们的认识还是有局限性的，当然，我们必须承认有用论派在理论探索中的贡献是很多的。

综上所述，在中国学术界关于社会主义生产劳动问题的讨论中，明显地表现出，不论哪一派都力求联系社会经济现实的实践要求来分析理论划分的标准，这是解放思想、尊重科学、勇于探索的精神体现，是十分难能可贵的。但是，我们也看到，由于在价值基础理论认识上，在以部门劳动归类的方法上等一些方面存在着缺陷和障碍，尤其是还存在着过多地拘泥于前人定见的情况，这就使两次讨论都未能达到目的，以至高潮过后问题又被冷落起来。从今天来看，这一问题的根本解决必须建立在正态劳动与变态划分的基础上，所以，认识不到这一点是以往讨论中实质存在的根本困难。

第十一章　认识生产劳动与非生产劳动问题的关节点

早期资产阶级政治经济学对生产劳动的认识是幼稚的，但却抱有浓厚的兴趣，因为他们坚信这种研究将会使整个资产阶级更加富有。以斯密为代表的资产阶级古典政治经济学持续进行生产劳动研究，从幼稚走向混乱，却自以为睿智多思。反对斯密的资产阶级庸俗经济学家个个自命不凡，但都没有把混乱的斯密拖出迷误的泥潭，反而将问题搞得更加芜杂不清了。马克思主义政治经济学创立之后，马克思曾致力于对资产阶级政治经济学生产劳动理论的批判，给予维护资产阶级利益和将资本主义生产方式视为永恒的资产阶级经济学观点沉重的打击。但是，由于历史条件的局限，马克思在批判斯密及批判斯密的反对者们的同时，也在一定程度上受到斯密的生产劳动理论混乱的影响，令人遗憾的是，这种影响一直干扰着马克思生产劳动理论研究的推进。马克思在生前始终未能来得及清算这种影响。社会主义经济实践开始后，经济学家们试图联系新的情况来阐明这一理论，但越讨论越枯燥，结果不了了之。固然，客观的认识对象是十分复杂的，这使人们的认识颇有难度，可是，几个世纪以来未能解决这一认识问题的根本原因，是缺乏马克思主义的辩证唯物史观的理论指导。

我们认为，长期以来理论研究未能搞清社会经济生产中的生产劳动与非生产劳动的划分，其关节点，就是未能区分变态劳动与非生产劳动这两个范畴的不同。

概括说来，变态劳动是与正态劳动相对的范畴，是对劳动态势的区分，是人类劳动发展还不完善的表现。变态劳动是动物的求生方式在人类常态社会的延续和发展，但它不是动物的本能劳动，它依附在了正态劳动的基础上，获得了以人类常态劳动的一部分存在的意义，因而变态劳动与正态劳动同样具有常态下的人类劳动的无差别的质。在现实的商品经济中，我们处处可以看到变态劳动的存在。而非生产劳动则是与生产劳动相对的范畴，是对劳动的社会作用性的区分，是对起不到有益作用性的社会有用劳动的概括。非生产劳动不是无用劳动，它只是不具有有益作用性，但它仍然是能够实现自身价值的劳动，是能够满足社会某些方面需要的劳动，是被社会所承认所接受的劳动。非生产劳动的存在是人类社会经济生产中惰性存在的表现。因此，虽然变态劳动与非生产劳动同属社会发展的抑制对象，但从社会辩证发展的角度来认识，这二者是有区别的，不等同。变态劳动是对人类劳动不完善的根本缺陷的基础性的概括，而非生产劳动却是在正态劳动与变态劳动统一基础上对劳动缺陷存在的概括。所以，变态劳动是与正态劳动同为认识生产劳动与非生产劳动的前提的。变态劳动的存在显示出人类社会辩证发展的表征，正确地认识变态劳动，是正确地认识人类常态社会的历史和现实的基本条件。如果不认识变态劳动，那么作为前提之一的缺少，当然也就不可能认识变态劳动与非生产劳动的区别，因而就既不能辩证地认识人类社会常态的存在，又可能将常态劳动中存在的缺陷统归非生产劳动，从而也就无法解释事实上存在的不同态势劳动对常态社会的历史和现实所起的各种不同的作用性，只能陷入自身难拔的非辩证的二难认识之中。对一部分劳动，若归入非生产劳动，则又认为是社会不可缺少的很重要的劳动，对推进社会发展具有很大的推动性；若归入生产劳动，则又是社会明显的缺陷所在。所以，在变态劳动范畴被揭示出来之前，人们只运用非生产劳动范畴去区分辩证存在的常态劳动是难于适应的，是根本无法讲清问题的。而当确立了变态劳动范畴，这一难题就迎刃而解了。我们对既是缺陷又有社会有益作用性的劳动，辩证地确定为变态的生产劳动，这就将原先二难的认识提到一个新高度取得了认识的统一。这一概括表明，这种劳动既不同于正态劳动，本身是一种社会缺陷，又不同于另一种缺陷非生产劳动，[①] 它是对有缺陷的社会能起有益作用性的劳动。这就从根本上解决了对于常态社会的生产劳动与非生产劳动认识不清的问题。

以正态劳动与变态劳动区分为基础之所以能认清生产劳动问题，还因为这种认识方法不是从社会形式规定性出发而是从基本内容出发考察劳动。因为劳动的社会形式规定性是由劳动的内容决定的，所以，根本的认识取自劳动的内容而不能取自劳动的社会形式。颠倒了内容与形式的关系，就无法说明生产劳动与非生产劳动的问题。

就剥削劳动变态讲，一些资产阶级经济学家从其存在的本能感觉到，许许多多的剥削劳动是对社会的生存和发展具有有益作用性的，是生产劳动。今天来看，对这些资产阶级经济学家的认识是不能否定的，简单地否定不能解释辩证的复杂的常态社会发展的事实。从辩证唯物史观来认识，要否定的不是剥削劳动的生产作用性，而是它的生产作用性不具有正态的态势。而且，还要

① 这是不同层次的两种缺陷。前者是社会不完善的缺陷，后者是社会惰性的缺陷。

指出，剥削劳动作为一种变态劳动，本身也是分为生产劳动与非生产劳动，并非都是生产劳动。这样，就是辩证地而又不笼统地承认了剥削劳动的生产劳动性质的存在，这是认识常态社会发展的关键。对于军事劳动变态的认识也是如此，既承认它可以是生产劳动，又指出它也存在非生产劳动，这种辩证的认识既区分了正态劳动与变态劳动的不同，又区分了生产劳动与非生产劳动的不同，只有这种辩证的区分方法，才能准确地认识常态社会的生产劳动问题。

变态劳动与非生产劳动的区分牵涉变态的生产劳动与正态的非生产劳动的区分问题。变态的生产劳动表现为对变态社会的生存和发展起有益作用性，正态的非生产劳动表现为对正态社会的生存和发展起不到有益作用性。这二者之间的区别，也是辩证存在的区别。如果用非辩证的眼光看，那就辨不出这其中的道理，搞不懂作为社会缺陷存在的变态劳动本身为什么还要有有益作用性，而作为正态劳动存在的劳动为什么还不具有有益作用性。而且，不免要想，维护了变态劳动的有益作用性，不就阻止了社会的发展吗？抑制了正态劳动的无益作用性，不也是抑制正态劳动吗？我们说，对此关键是要认识变态劳动存在的客观历史性质，同时也要认识迄今为止的正态劳动发展的不完善性和惰性。我们要明确，变态的生产劳动与变态的非生产劳动，都是与正态劳动相对抗的，但对抗中有区别，有生产与非生产的区别，区别中又有联系，变态的生产是与正态的生产相联系的。变态的非生产是与正态的非生产相联系的。正因为存在着这种既对抗又联系的性质，变态的生产劳动的有益作用性才不能与正态的非生产劳动的无益作用性等同，而要对前者长远的抑制而现时的依赖和对后者长远的容忍而现时的抑制。这就不是简单地肯定或简单地否定常态劳动中的生产劳动与非生产劳动。而是在否定之中有肯定，即对变态劳动的否定中又对它事实上的对社会的有益作用性的肯定；在肯定之中有否定，即对正态劳动的肯定中又对它事实上的对社会的无益作用性否定。这就是辩证地认识这二者之间的辩证区别。这二者之间不是哪一个能取消哪一个的问题，即不是变态有益可以代替正态的无益或正态的无益可以取代变态的有益的问题；也不是二者能混同的问题，即都是抑制对象可以彼此不分的讲法并不成立；而是要看到它们都是事实存在，各有各的作用，我们只能按照事实的辩证法来辩证地认识它们，别无他路，否则，我们的认识就别想符合辩证存在的客观事实。

更全面地讲，既然辩证地认识生产劳动的常态中存在肯定中的否定和否定中的肯定，那么相应还要认识同样存在的肯定中的肯定，即对正态劳动的肯定中又对它事实上的对社会的有益作用性肯定；以及否定中的否定，即对变态劳动的否定中又对它事实上的对社会的无益作用性否定。这些同样是辩证的客观存在。对肯定的肯定还是肯定，人们好理解。但问题是，对否定的否定会起的否定的相反作用不容易认识，因为否定的否定不能与肯定直接等同要知道它们是各起各的作用。也就是说，不能将变态的非生产劳动的无益作用性与正态的生产劳动的有益作用性直接等同。这是人类常态社会本身存在的辩证法，不是辩证游戏，不是变来变去的事情。变态劳动就是变态劳动，无论是变态的生产劳动，还是变态的非生产劳动，都与正态劳动绝不等同，我们要认识的只是常态社会存在的辩证事实，事实是怎样的，就只能怎样去认识，我们的认识越贴近事实，越精深细致，我们对于社会经济生活把握的自觉性程度才越高。在此基础上，我们才能以理论去更好地指导实践中的生产劳动与非生产劳动问题。

但进一步讲，生产劳动理论研究的对象是社会有用劳动对社会的生存和发展的不同作用性，这种研究仅仅能够考察劳动的外部矛盾表现。从完整的劳动理论研究来看，生产劳动与非生产劳动的划分是必要的，但又只是辩证地认识历史的和现实的常态劳动的开端。我们的研究必须还要进入劳动的内部矛盾之中，由此我们才能深刻地认识人类劳动和人类社会发展的根本性规律。

第三篇

劳动主体与劳动客体

我们已经知道，人类劳动的发展既是一个自然历史过程，又是一个辩证历史过程。从劳动的外部矛盾冲突中，从社会发展的表象上，发现并研究劳动的自然和辩证的发展历程，是人类对自身劳动即社会经济生活的实质内容认识的逻辑起点，并且这种研究足以充分说明劳动在人类社会发展中的作用。但是，劳动的自然历史过程和辩证历史过程到底是怎样发生的，也就是说，人类和人类常态社会发展的根本机理是怎样的，这在对劳动的外部矛盾的分析研究中还不能做出回答。回答这一根本性问题是对劳动内部矛盾分析研究的任务。劳动的内部矛盾就是劳动的主体与客体之间的矛盾。这一矛盾决定着劳动的外部矛盾。因此，在分析了劳动的一定的外部矛盾之后，我们需要着重地分析研究劳动的主体与客体之间的对立统一关系。

第十二章　劳动的主体与客体具有不可分性

一　劳动的主体

劳动的主体是劳动中利用一定的劳动资料对劳动对象起支配作用的人。这种人的支配作用是针对劳动客体发生的，并非指作为劳动主体的人与人之间的支配与被支配的关系。

通常在政治经济学著作中，劳动主体的活动即所谓的活劳动，被称做劳动，这是一种约定俗成。因而，事实上，劳动这一词语表示两个范畴：一是表示完整的劳动，包体主体与客体两个方面。再是只表示劳动主体的活动。严格地讲，只有前一种表示才是真正的劳动范畴。按照约定俗成的讲法，后一种表示可称做劳动，但是绝不与前一种表示相混淆。如果将劳动主体的活动理解为完整的劳动，那么就是对基本范畴的偷换，既不可能揭示完整劳动的本质规定，也不可能说明劳动主体活动本身的任何问题。

我们研究的是完整的劳动。我们对劳动主体活动的研究是包括在完整的劳动研究之中的。完整的劳动表现为劳动过程，所以，讲劳动与讲劳动过程是同等的涵义。作为劳动主体的人，是处于劳动过程中的人，是单纯的劳动者，劳动的目的、劳动的对象、劳动的手段、劳动的方式、劳动的效果，等等，都与他直接有关。而劳动主体的支配作用，也只能发生在完整的劳动过程之中。

超出劳动过程，确切地讲，超出完整的劳动过程，作为劳动主体的人就转化为非劳动时的人。在劳动以外的时间，每个人都有一些其他的生活内容。这些内容都是建立在人类劳动整体的基础上的，但是，我们却不能将其与作为劳动主体的人的活动混同。也就是说，不能将劳动时的人与非劳动时的人混同。

在常态社会，劳动分为正态劳动与变态劳动，因此，劳动主体亦分为正态劳动主体与变态劳动主体。正态劳动的主体是劳动过程中与自然直接进行物质能量交换，并且行为目的和作用不是伤害同类的人。变态劳动的主体分为剥削劳动主体与军事劳动主体。剥削劳动的主体是剥削者。军事劳动的主体包括所有的军事人员和所有的为军事需要提供产品的劳动者。

劳动是劳动主体支配的活动，劳动的目的是为劳动主体服务的，劳动主体是劳动成果的惟一受益者。为了生存，是人作为劳动主体的首要目的，不论是正态劳动主体还是变态劳动主体，俱然。生存的标准是有一定幅度的，下限是作为生物存在的人必须满足的自然生理需要，上限是作为社会存在的人已经历史地形成的一般生活需要。在这下限与上限之间，人作为劳动主体始终迫于生存的压力。

概而言之，劳动主体具有以下特征：

第一，必须是人，必须在劳动过程中起支配作用。

第二，劳动主体的活动只是完整的劳动中的一部分，与完整的劳动并不等同。

第三，历史的和现实的劳动主体是常态劳动主体，表现出劳动主体的不完善。

第四，劳动以劳动主体为核心，劳动的成果是满足劳动主体的需要。

第五，劳动主体始终面临着生存压力，解决生存问题是劳动主体的首要目的。

二　劳动的客体

与劳动主体相对立的是劳动客体。劳动客体是指劳动中的自然方面，包括人化的自然和人的自然化。其中人化的自然既含作为劳动对象的物的自然，也含作为劳动手段的物的自然；人的自然化就是作为劳动对象存在的人与社会。正像作为劳动主体的人并非泛指一切人一样，作为劳动客体的自然也并非泛指一切自然，成为劳动客体的自然必须是在劳动中发挥作用的自然，脱离劳动过程的自然不属于劳动客体范畴。

劳动客体的范围是逐渐扩展的。在远古，人类的数量很少，人类劳动的规模很小，人类劳动的能力很低，因而劳动客体的范围很有限。考古资料表明，在人化自然方面，原始人类的劳动客体仅仅是简单的粗糙的工具和极有限的自然空间。到了奴隶社会时期，人类的吃、穿、住、行仍十分简陋，富丽堂皇之处寥若晨星，也说明当时人类劳动的客体范围十分狭窄。在封建社会时期，大片大片的土地被开垦出来，特别是美洲大陆的开发，为人类劳动整体展扩了更宽广的空间。但是，即使这样，人类当时所得以利用的自然富源仍是有限的，地下资源的启用才只是一点点，劳动的手段尚未脱离简拙的阶段，对人类自身认识的视野也是狭隘而肤浅的。进入资本主义社会发展阶段以后，人类劳动的客体范围急剧扩大，不仅地下资源源源不断地被开采利用，品种逐渐增多，手段愈加先进；而且大机器的出现为大生产的兴起提供了博大的动力。人类社会的生活内容随之日益丰富起来。至今，人类劳动的触角已经探向了地球的外层空间，一个接一个的探测器进入了渺茫浩瀚的宇宙，这表明，人类劳动的客体范围已不再局限于地球。这种劳动客体范围的突破，表示人类生存空间的扩展，表示人类终于有能力打破了地球的有限生存空间的封闭，这对于人类的命运具有极其重大而久远的意义。

现实总是历史的沉积。今天，在航天飞机能够顺利地升入太空并回返地球的今天，人类劳动的手段中，某些原始的痕迹依稀可见。所以，概观今天的事实，即可纵览劳动手段的历史发展成就。

现时代的经济学家们一般将劳动手段即劳动工具分为三大类：

手工工具。包括各种人力、畜力和风力、水力等自然力利用的简单工具。从历史来看，是先有木制、皮制、石制的工具，再有青铜、铜制的工具，再有铁制及其他金属材料制的工具，到现代，出现各种复合材料的工具。有趣的是，在现时，即使是最原始的手工工具也尚未完全从人类劳动中消失。

机器工具。包括各种动力机、传动机和工具机。机器创造使人类劳动能力倍增，开辟了比手工工具劳动范围空前扩大的新天地，奠定了现代劳动的物质技术基础。

自动工具。主要是指电子计算机的发明和利用。这类工具被称为装上了“电脑”，可以完成极为精密和复杂的作业。人类奔向宇宙，必须借助于这一类工具。

如果换一个角度来认识，那么，迄今为止人类劳动使用的工具不过就是两大类：一类是延长人类肢体、拓展人类体力的劳动“工具。再一类是模拟人脑的操作控制方法、为人类智力发展服务的劳动工具。或许可以这样说，后一类劳动工具的出现，对人类的生存和发展是极大的幸运。但无疑，智力工具的产生是人类劳动发展史上的巨大飞跃。这种影响与作用恐怕在今后的人类史上会更突出地表现出来。

需要明确的是，劳动工具并非只指有形物，人类自古至今关于自然科学和社会科学的知识是脑力劳动智慧的结晶，这些知识的历史积累既是社会的宝贵财富，也是建立在智力发展基础上的人类劳动的重要工具。新的物质劳动要依靠其中宝贵的科技知识去创造新的有形工具，新的精神劳动要依靠以往人们对自身认识的积累进一步去探索人的精神。这些知识，作为无形劳动工具的存在，是人类劳动工具的重要组成部分。

事实上，过去仅仅将劳动工具概括为器质制成物，或是说，仅限于无生物也是不准确的。从人类劳动发展的历程看，早在远古，牲畜就成为人类劳动工具的一部分，而且这种情况一直延续至今。值得研究的是，生物工具在当代已经有了极为显著的大发展，微生物以及昆虫的利用使得人类能够完成或是说能省力地完成许许多多过去做不到或是说很难做到的事。这一类劳动工具的拓展，是人类劳动智慧创造的新的骄傲。

就武器来说，它是军事劳动特殊的工具。有了强于对方的武器，就有了强于对方的战斗实力。因而，古往今来，战家无不重视武器的研究和制造。人类在这方面投入的精力也许并不少于吃、穿、住。近千年来，武器的精良程度步步提高；近百年来，武器的杀伤能力一再升腾；近 10 年来，武器高妙得已令人叹为观止了。如前所述，海湾战争为现代人呈现了一幅绝好的现代战争的蓝图，这是真正的高智能武器运用的战争。我们现时代人似乎每一个都应好好地想一想：人类的智力在干什么？

劳动对象是劳动客体的又一方面。一般将这部分劳动客体分为3个层次；第一个层次是进入劳动过程的初始状态的自然物。如土地及其植被，水域及其蕴藏资源，地下的矿藏以及地上的能源等等，都是最初进入人类劳动过程的自然物。第二个层次是进入劳动过程的原料。这是指已经过人类劳动一定程度加工后的自然物，如原煤、石油、粮食以及水产业的初级产品等等。第三个层次是进入劳动过程的材料。这些是指受到相当程度加工后的自然物，如钢材、木材、水泥、砖瓦、半导体材料、化工用材料等等。然而，需要特别加以阐述的问题并不在于劳动对象层次划分上，而是在于它的整体的发展。劳动客体范围的扩大直接表现在这部分劳动对象的扩大上。过去还仅局限在地球的空间，现在已展向广袤的宇宙；过去还仅有一般加工业使用的原材料，现在已有攀达高科技工业使用的原材料。从某种意义上说，进入人类劳动过程的劳动对象涉及的自然界范围越大，人类生存的空间就越大，生存的保障也就越大。所以，生存的需要总是迫使人类不断地开发这种自然空间，使其为人类服务。

在精神劳动和变态劳动中，自然化的人也是劳动对象的一部分。当然，这种并列而谈只是表述的需要，其实精神劳动与变态劳动的概念是交叉的，在精神劳动中有变态劳动，在变态劳动中有精神劳动。从精神劳动角度看，它的劳动对象就是人，包括历史的人和现时的人，包括人的个体和总体，包括人的社会生活的方方面面。然而，事实上作为劳动对象进入精神劳动过程的人的范围和深度也有一个逐渐发育的过程。最初的混沌状态不说，自从精神劳动独立以来，它对人的研究是渐渐地由片面走向全面、由肤浅的表面走向深刻的本质的。这也就是说，在精神劳动尚未发展起来之时，进入精神劳动对象的人，仅仅只是社会的人的一部分（不论是抽象的总体，还是具体的范围，都是这样的，抽象存在抽象不到的方面，具体存在涉及不到的地方），即使在精神劳动已经比较发达了的今天，社会的人也尚未全部进入精神劳动过程。从发展来看，这中间总要存在一定距离，尽管这段距离会相对越来越小。从变态劳动角度看，军事劳动和剥削劳动都存在着将人本身作为劳动对象的情况。在战争中的人具有双重性：一方面是自己的军事劳动的主体，支配劳动对象；一方面又作为劳动对象，受对方军事劳动主体的支配。军事劳动的态势性质特征在于消灭人本身，所以它是非人的生存意义上的变态劳动，成为这种劳动的劳动对象，就意味着可能被对方劳动消灭。然而，社会发展的复杂性就在于这并不尽然是悲剧。历来的人类英雄都来自战场。一将功成，举世崇誉，鲜花美酒，青史留名。这无论在哪一国，概莫能外。在情与仇，血与火的搏斗中，消磨着一代又一代的白骨和膨胀着一代又一代的疯狂。人类自身成为自身劳动的消灭对象，这是人类、人类劳动和人类社会发展相对还很雏形的最明显的表证。这是人还未成为真正的人，还在很大程度上保留着动物性的最好的说明。剥削劳动的劳动客体是剥削者占有的生产资料及其与之结合的人。被剥削者实质上成为了剥削劳动的劳动对象的一部分，正由于靠着有这部分劳动对象，剥削者才可以不与自己占有的生产资料相结合而获取收益。但因此它也就成为变态劳动。由此说来，被剥削者也具有双重性：一方面自己与生产资料直接结合，作为劳动主体，支配劳动对象；一方面又作为变态的剥削劳动的劳动对象，成为剥削劳动存在的依托的一部分。而作为被剥削者，他的劳动也未必是正态劳动，因为在军工生产中，工人劳动并不因其受剥削而改变其变态劳动的性质。

总的说来，正态劳动与变态劳动之分，决定存在正态劳动主体与变态劳动主体之别，也同样决定存在正态劳动客体与变态劳动客体之差。对有些劳动客体的变态，人们也许从形式上看不出与正态的劳动客体有多大迥异，比如，生产枪炮的车床与生产民用品的车床没有什么两样，但是放在对劳动整体内容的考察中来看，由其劳动内容性质的变态决定，生产枪炮的车床就是变态的劳动客体，而绝不能与生产民用品的车床等同。

劳动客体是为劳动主体服务的。相比劳动主体，劳动客体是人类劳动中的受动部分。开拓劳动客体，是劳动主体生存的需要。这也就是说，人化的自然的扩大，是劳动主体施动的要求；人的自然化作为劳动对象客体受动，有无意识的，也有强制性的。辩证地全面地认识劳动客体的两个自然方面，我们就会看到，劳动主体若不能进一步开拓人化的自然，就不能进一步开拓人的自然化范围；若不能进一步开拓人的自然化范围，也就不能更进一步开拓人化的自然；这二者之间是相辅相成的关系。

研究的进程表明，人类劳动能力的提高和规模的扩大，不仅表现在劳动主体方面，而且也表现在劳动客体方面。在某种意义上，甚至可以说劳动客体的存在和发展就是劳动主体的存在和发展的直接对象化的表现。

概而言之，劳动客体具有以下特征：

第一，劳动客体表现为两个自然，即人的自然与物的自然，这二者在与劳动主体的对立上是统一的。

第二，劳动客体的范围是发展变化的，这种发展变化是劳动整体发展的一个表现方面。

第三，劳动客体分为正态劳动客体与变态劳动客体，这是劳动客体的历史的和现实的存在。

第四，劳动客体具有受动性。它是随着劳动主体的施动要求而发挥作用的。

第五，劳动客体是为劳动主体服务的。劳动客体不存在收益要求。

三　劳动的主体与客体的统一

劳动的存在是完整的，既要有劳动的主体，又要有劳动的客体。劳动的过程就是劳动的主体与客体相结合的过程。世上，没有没有劳动主体的劳动，也没有没有劳动客体的劳动。换句话就是，有劳动的主体，就要有劳动的客体；有劳动的客体，也就要有劳动的主体。劳动的主体与客体是对立统一的存在，缺少任何一方，另一方就不能存在，统一体也不能存在。这就像磁石的两极一样，总是统一的，抽象地认识哪一极都可以，但具体的存在绝不会是单一的一极。总之，劳动的主体与劳动的客体具有不可分性。

因而，作为劳动主体活动的活劳动是不能单独存在的。活劳动必须处于劳动过程之中，作为劳动构成要素，与同样作为劳动构成要素的劳动客体相结合，才能存在。劳动过程必然展现这种结合，否则，就不成其为劳动过程。按照传统的约定俗成的讲法，活劳动也是劳动，只是表义不明确的抽象，有碍于人们对劳动主体活动的不可单独存在性的准确认识。

对此，需要分辨清楚的是，作为劳动主体活动的活劳动与作为完整劳动形态出现的劳务劳动是有区别的。在劳务劳动中，也存在作为劳动主体活动的活劳动，这是必然的，不然，劳务劳动就不是完整的劳动了。但若从表面上看，似乎这二者都是以活劳动形式表现出来的。因而，在政治经济学创建的初期，人们往往还注意不到这些，所以对这二者往往不加区分。即便是到了现在，人们也还是没有强调这个问题。而事实上，这种区别是明显存在的。在理论上必须要提出来，才能使我们对劳动主体与劳动客体之间的对立关系认识清楚。我们要看到，这二者之所以不同，就是因为劳务劳动概括的范围比活劳动大，劳务劳动内包含有劳动客体存在。人们不能因这种劳动客体的存在不同于提供实物性产品（有形产品）劳动，就忽略它的存在，而将劳务劳动与活劳动等同起来。劳务劳动是活的产品，而活劳动只是劳动主体的活动，这一点一定要分清楚才行。

劳动是必须有过程的，不管过程多么短暂。没有过程就没有劳动。正是在劳动的过程中，劳动的主体才能与劳动的客体结合，劳动的客体才能为劳动的主体服务，劳动的目的才能实现。因此，只要是熟悉任何一种劳动过程的人，都能从劳动过程中看到劳动主体与劳动客体的对立统一，看到这二者的不可分性。所以，占有生产资料而不使之成为与劳动主体相结合的对象就作为劳动客体看待和作为没有劳动客体的劳动主体，是同样不可思议的。人类社会的生存在于劳动，从根本上说，在于正态劳动。若完全阻止生产资料成为劳动客体，亦使劳动主体完全不存在，那么劳动就不存在了，社会也就不能生存了。所以说生产资料与劳动者是必须结合的，不是人们主观意愿决定想不想让它们结合的问题，而是客观上决定它们必须结合，不论采取什么方式都必须结合，否则人类社会就不存在了。固然，在历史上和在现实中，有意识地或无意识地部分地阻止这种结合是存在的，但其必然要相应造成社会经济损失，阻止多少，损失多少。因而，在理论上，无论怎样抽象，人们不能脱离劳动客体谈劳动主体，也不能脱离劳动主体谈劳动客体；作为经济学研究，必须要从劳动的整体出发，即必须要研究完整的劳动，必须要明确劳动主体与劳动客体的不可分性，而不能将劳动主体的活动即活劳动孤立地看待，更不能将活劳动当做完整的劳动；在实践中，无论怎样骄傲，人们亦不能独立标榜劳动主体或劳动客体的存在，而且应该尽量地减少盲目地人为地阻止某些物成为劳动客体和阻止某些人成为劳动主体的损失。

人们从自己每日的经济生活中不难看到，只有劳动主体与劳动客体相结合才可能带来经济利益。如果仅占有生产资料而不使之成为劳动客体，那就不可能有经济利益。所以，追求经济利益的人，即追求生存条件的人，不论是准备自己与自己占有的生产资料相结合（可成为正态劳动），还是准备雇用他人与自己占有的生产资料相结合（做变态劳动），总之是必须要实现这种结合才能达到获取经济利益而生存的目的。自己没有生产资料，又不能与他人占有的生产资料结合，无法生存。这一实现劳动即实现生存的客观规定在资本主义社会的表现就是，资本家若只拥有资产，而不雇用工人，那么他就不能是资本家，更不会获得资本收益。这就是说，单从资本家存在的角度讲，不是工人需要资本家，而是资本家需要工人。然而，若我们从整个社会的角度来认识这一问题，那么我们就会更深一层地看到，在资本主义社会，资本家占有生产资料是次要的问题，资本家需要工人也是次要的问题，其首要的问题是社会需要劳动主体与劳动客体相结合，而且变态的结合必须以正态结合为基础。作为经济学的研究，必须要先认识这种结合内容的必然性及其差异，再认识这种结合方式的不同，而不能先以结合方式的形式上的不同概观整个社会经济生活。

劳动的主体是人，劳动的客体是自然，具有不可分性的劳动主体与劳动客体的关系是人与自然的关系，是人与自然不可分的关系。劳动主体与劳动客体的交流就是人与自然的交流。人是交流的施动者，自然是交流的受动者。这种交流可能有各种形式的不同，这种交流的内容一直是在发展的。总之交流是一定的，一旦停止交流，就不能有人的存在，而只有自然的永存。所以，人必须主动交流，才能保持自身的存在。这就是说，劳动主体的主动性是劳动主体与劳动客体不可分关系中的主要方面，即人是在自然中为自己争取存在，人的主动是自身存在的前提。而另一方面，劳动主体的主动性又是受劳动客体制约的，主动是制约下的主动，劳动客体对主体具有制约性，即人不可脱离自然为自己争取生存，人必然是在自然的客观许可下才能生存，确切地讲，人是在自己创造的自然（人化的自然和人的自然化）的客观许可下生存的。所以，劳动的主体与客体的不可分又表现为劳动主体的主动性与劳动客体的制约性不可分。尽管劳动主体永远不能摆脱劳动客体的制约，但是劳动主体却可以在劳动客体的制约下，主动地向前推进劳动的整体。[①]

① “不论生产的社会形式如何，劳动者和生产资料始终是生产的因素。但是，二者在彼此分离的情况下只在可能性上是生产因素。凡要进行生产，就必须使它们结合起来。实行这种结合的特殊方式和方法，使社会结构区分为各个不同的经济时期”（参见马克思：《资本论》第 2 卷，人民出版社，1975，第 44 页）。

第十三章　嬗变的作用与发展的整体

劳动主体与劳动客体的不可分表明劳动的整体性。整体性是劳动存在和发展的客观规定性。认识劳动整体性范畴具有重要意义。任何劳动的作用，都是劳动整体的作用，即劳动主体作用与劳动客体作用的统一。劳动的发展是劳动整体的发展，劳动的变化是劳动整体的变化。劳动的内部矛盾是劳动整体内的矛盾，劳动的外部矛盾是劳动整体的外部矛盾，劳动所涉及的所有矛盾都要反映到劳动的整体性上。劳动整体性的存在蕴涵着劳动的顽强的生命力。如果没有对劳动的整体性的认识，那么人们对劳动的各个方面的认识只能是零散的、片面的、随意的和肤浅的。可以这样说，人类劳动的发展，就是人类劳动整体（包括正态的、变态的、生产的、非生产的、精神的、物质的等等各种各样的劳动主体和人化的自然与人的自然化的各个方面的劳动客体）的发展史。

在劳动的整体性下，我们还需要进一步深入分析劳动主体与劳动客体的各自作用，揭示这两个对立的方面的各自的作用的构成。通过抽象的认识区分，我们可以确定，劳动主体作用的一般构成，分为体力因素作用（简称体力作用）和智力因素作用（简称智力作用）两个方面。体力因素作用是作为劳动主体的人的肢体功能作用，智力因素作用是作为劳动主体的人的脑功能作用。

劳动客体作用包括所有的劳动手段的作用和劳动对象的作用，其一般构成，分为自然条件作用和资产条件作用两个方面。自然条件作用指作为劳动客体的土地、矿藏、空间、阳光、气候、社会等条件的作用，资产条件作用指作为劳动客体的工具、设备、知识、材料等条件的作用。这就是说，抽象地看，劳动的主客体各涵盖着两个方面的因素作用。由于劳动的主体与客体是不可分的，所以主客体双方的 4 个方面的因素作用也是不可分的，它们凝聚为合力形成劳动的整体作用。任何劳动的作用都是其内部 4 种因素作用的合力作用。任何劳动的作用中都不可缺少这 4 种因素作用中的任何一种。如果我们将劳动的整体作用设想为一个圆，那么这个圆内就包含有这 4 种因素作用。如图 13－1 所示：

图 13－1 劳动的整体作用及其内部构成示意图

我们对劳动整体性的重视要落实到对这 4 种因素作用的全面承认上。这就是说，对于劳动，不仅要承认主体作用，而且还要承认主体中体力和智力共同起作用；不仅要承认客体作用，而且还要承认客体中自然条件和资产条件共同起作用。特别是，不能抽象地承认，一到具体又否认。比如，一方面抽象地承认机器的作用，一方面又具体地将作用全部看做工人活劳动的作用。所以，这个问题必须在理论上明确肯定，否则是研究人类社会经济生活的严重的认识障碍。

劳动整体内部的 4 种因素作用，从基本性质讲，分为主导因素作用和非主导因素作用。主导因素作用是智力因素作用，它在 4 种因素作用中起主导作用，是其他因素作用的核心，决定劳动整体的质和整体技能发展的水平。非主导因素作用是体力因素作用、自然条件作用和资产条件作用。体力因素作用虽然与智力因素作用同样属于劳动主体作用，但体力因素作用却不能与智力因素作用同样属于主导因素作用。过去讲，人类劳动与动物劳动的区别表现在人手与猿手的不同上，这讲的仅仅是表面的现象，实质上人（常态中的正态）能制造工具，动物不能制造工具，根本的区别在于人脑与猿脑质的不同。智力是决定劳动形成和发展的决定因素，而体力只是必要因素，并不起决定性作用。所以，体力因素作用只能是非主导因素作用。这一点，在现代看得更清楚了。人们不难比较，讲体力，各种牲畜比人的体力强大得多，人用牲畜可以直接代替人的许多体力劳动，比如用马拉车，用牛耕地，这都是直接可省人力的，而且，在这些方面，人远不如马和牛有劲。但是，人的智力是任何牲畜不可比及的，人虽没有马拉车劲大，没有牛耕地劲大，但人可以造汽车、造火车、造拖拉机，大大超过马拉车和牛拉犁的功效。所以，人的劳动的核心是智力，主导因素是智力，没有智力就没有劳动，劳动就是智力劳动。这不管劳动多么原始，实质是一样的。劳动以体力劳动面貌出现，只不过是反映了它在发展中还处于初始的阶段，还没有来得及脱去那粗拙的外衣。

相比智力因素作用，自然条件作用和资产条件作用也不能成为主导因素作用，虽然这两种因素作用作为劳动客体作用对劳动主体作用具有制约性，但是它们的制约是被动的制约，起主动性作用还是劳动主体作用，所以劳动的主导因素作用只能在劳动主体作用内而不能在劳动客体作用内。自然条件和资产条件，无论多么重要，多么不可缺少，不过都是为劳动主体服务的，是满足劳动主体需要的。因而，不同于自然条件作用和资产条件作用的智力因素作用才是凝聚其他 3 种因素作用构成劳动整体作用的黏合剂和发动力。在劳动的发展中，体力灵巧程度的提高，自然条件的拓展，资产条件的改观，从根本上说，都取决于主导的智力因素作用的改善和增强。

另一方面，劳动整体中4种因素作用，从作用的效能性讲，分为主要作用和非主要作用。主要作用指4种因素对劳动成果的合力作用中占据最大等份因而成为支柱力的因素作用，非主要作用则指4种因素作用中不起主要作用的其他因素作用。这种主要作用与非主要作用的区分，与主导作用与非主导作用的区分不同，不仅区分标准不同，而且在常态劳动中的确定对象是发展变化的，并由此变化区分出劳动的发展不同阶段，不像主导作用与非主导作用的确定不变。劳动的内部主要作用的嬗变，显示了人类劳动整体内在的辩证的发展的变化的历史过程。人类常态劳动的起源时，内部因素作用尚处混沌状态。当4种因素作用渐渐明显能够分清的时候，首先起主要作用的是体力因素作用。以后，劳动整体在智力的推动下进一步发展，体力因素作用逐渐相对降低，自然条件作用上升为主要作用。再往后，自然条件作用又退下去，让位给资产条件作用起主要作用。目前的趋势是，主要作用将最终与主导作用合并，落在智力因素作用上，结束这一段常态的发展历程。

为了清楚地全面地揭示这一客观的发展历程，我们有必要详细阐述分析每一种内部因素作用起主要作用的内在机制。

一　体力作用

手的形成是常态人类区别于猿的外部重要标志。但事实上手的作用（主要的体力作用）在劳动起源的初期还不能起主要作用。当时的劳动，整体上是很弱的，4种因素作用都很弱。原始人的脑容量，据考古学家分析，爪哇直立人为800 900立方厘米，北京人为915 1225立方厘米，均在现代人平均值以下。在有限脑容量基础上，智力的开发是十分有限的。而原始人生活的自然环境空间也很狭窄，基本上就像我们现在看到的大熊猫的活动范围似的，并非那时没有自然空间让原始人生活，而是原始人那时没有能力涉足更大的自然空间。众所周知，最初的劳动工具是石斧之类的石器，亦经打制石器、磨制石器的发展阶段，如此这般的资产条件不用说是相当贫乏的。总之，在劳动成果的获取上，4种因素作用的效能性不分仲伯。不过，尽管整体发展的水平低，尽管4种因素作用难比高低，混沌不分，在这最初始的时期，体力作用的外在表现还是明显的。

采集劳动是原始劳动的主要内容。采集要靠体力来完成，它用不着多么大的力量，也用不着多么复杂的技术，几乎同猿类一样，原始人用手或借助简单工具就能采集到野果野菜。这些吃食直接取自大自然的恩赐，人们无需费多大的脑筋。然而这也就决定了人所能得到的并非源源不绝，大自然是慷慨的，也是有限的，原始人采集到的吃食总是难以满足自己需要。

为了能够生存，原始人还必须集体狩猎。这在现代人看来是颇有趣甚至是很昂贵的一种业余爱好，在原始人当时却是生死搏斗。他们要靠此生存，并可能为此丧生。原始狩猎，是由众多的人一齐出动，因为单个人或是说人少了是很难斗过凶猛野兽的。原始人用石斧、石标、木棍等做武器攻打猛兽，靠人多取胜。起先，体力起重要作用，但同时其他因素作用也并非不重要，合力中的因素作用似乎很匀称。但逐渐，这种情况有所改变了。在智力作用提高的前提下，原始人的狩猎工具慢慢地改进了，狩猎技术逐渐套路多了，体力作用在合力中变得更重要了。据考古资料分析，原始社会后期就产生了各种各样的投掷器，如投矛器、标枪头等，可使射程加大，这种变化表明，劳动者需有更强壮的体力。以后又发明了弓箭，杀伤力更大了。对体力要求也更强了。据19世纪欧洲探险家在美洲看到的大约相当新石器时期发展水平的印第安人用弓箭狩猎的情况报告，一般射出去的箭在100米射程上可以造成重大伤害，强弓射出的箭甚至可以在400米的距离上杀伤猎物，可想而知，射手们的体力是多么强壮。

脱离原始社会的混沌之后，劳动整体中的体力作用愈发增强。种植业的普遍化，是体力作用明显地转向主要作用的标志。这时人类劳动接触的自然空间还不是很大，智力和资产条件的效能也没有较大增强，整体作用中体力的作用突出了出来。古时的种植劳动，我们现在当然无法看到，但从至今仍存在的落后的极简陋的生产方式中，却仍能窥视远古时这种劳动中体力的作用。在以人力耕作为主的农业劳动中，劳动者的体力付出是相当大的，可以说，没有体力，就没有收获。因此，这时代不像原始初期时，有人手也采集不到足够的食物；而是有人手就可以获得更多的食物，因为通过苦力劳动，人们可以从土地的种植利用上实现劳动的目的。

正是在这一阶段，体力劳动与脑力劳动的分工显性化。脑力劳动成了少数奴隶主的专有权，而体力劳动则担负着社会劳动的最主要的部分。除了落后的粗笨的种植业耗费大量体力劳动外，在手工业、矿山冶炼、军事以及建筑等方面，无不动用大量苦力。奴隶们的肉的身躯化作为辉煌的劳动成果。埃及的金字塔，就是在现代，也堪称宏伟建筑的杰作，而在当时，则完全是奴隶们人拉肩扛地一点点建成的。在这举世闻名、流传至今的建筑成就中，可以说，体力起主要作用。当然，当时体力作用为主并不止体现在金字塔上，它事实上是当时整个时代劳动的总体特征。独立的手工业也是产生于那个时代的，制陶的精美，制革的巧妙，制武器的频繁，都是劳动必须以大量的体力付出为前提的。而同一时代开始的最初的冶炼业，更是繁重的体力劳动行业，从开采矿石，到冶炼出金属成品，劳作者有多大的体力就要付出多大的体力。这些劳动流传至今，也是这样。我们现在在一些经济发展落后的国家还能看到，粗糙的手工业还在一定程度一定范围活跃着，与古时相比，工艺上并无多大的改进。同样，在现代化的矿山林立时代，我们也还可以直接接触与古代一样的土法采矿和土法炼矿的劳动的存在。这或许不用我们惊异，事情本来就是如此，一种劳动产生，只要它还有社会需要，能够保障一部分人生存，那它就会保存着。不过，我们应充分注意，那个时代产生的劳动，几乎都是以体力作用为主的劳动。

中国的万里长城也主要是体力作用的结晶。巍峨蜿蜒盘旋在高山峻岭之中的长城，耗工巨大，虽已经2000多年岁月的消磨，但今天看上去依然雄风犹存，令人赞叹不已。想当年，成千上万的民工被征集，辛苦劳作，才留下这一人间奇迹。长城的每一砖、每一石、每一土，都浸透着建筑者的血汗。同埃及的金字塔一样，那是在没有任何起重设备的条件下，全靠人拉肩扛，搬石运料建成的。整个工程中，体力的付出是最主要的。为此，累死的人无以计数。从至今仍流传着的孟姜女哭夫的故事中，人们可以体味当年建长城的艰辛苦难。但是，我们要看到，万里长城的修造，只是那时的一项特殊的工程，一项变态劳动工程，就劳动发展的整体讲，那时社会生存依赖的劳动主要是农业劳动。社会已进入了封建时代，农业劳动技术已经比奴隶时代大为改观了。耕地使上了铁犁，畜力的运用也较为普遍了。土地已大片大片地被开垦出来，并随之发挥巨大的作用。因而，封建时代有田地还是无田地，是人们生存思虑的焦点。田地，或是说，自然条件作用成了劳动整体中的主要作用。田地是封建时代社会财富的最主要素取源，因为当时除了农产品外，在社会总产品中就还只有少量的矿产品和手工业产品。对田地的劳作者来说，只要在田地上挥洒了汗水，平常年景总能收获到一定的劳动成果，比起他所付出的体力，他更要感谢田地的酬报。在那个时代的人的感觉里，普天之下，再也没有比田地更好的东西了。这种感觉，实质就是自然条件起主要作用的一种直接反应。体力作用为主的时代，在自然条件作用崛起的照映下，悄悄地逝去了。劳动整体发展了，智力作用的提高决定了自然条件作用的增强。当然，这并不是说，从此体力作用不重要了，体力作用不必要了。在劳动的整体作用中，体力作用永远都是必不可少的。而且，在人们的直观视觉里，在封建时代，体力劳动仍然是社会的主要劳动，或是说，占有劳动的主体，脑力劳动在那个时代仍还是少数人占有的权力。需要明确的是，体力作用与体力劳动是不同范畴，不可混淆，体力作用为主的时代逝去了并不是指体力劳动为主的时代过去了，可以说，迄今为止，就整个人类劳动讲，仍还处于体力劳动为主的时代。

体力作用的减退是相对的。绝对地看，随着体力劳动的发展，体力作用在劳动整体中的作用量，在封建时代一直是增长的。人们不是不再做苦力。苦力还是很多很普遍的，只是人们劳动的体力作用相比自然条件作用，显然退居为次了。同时，智力作用与资产条件作用也没有达到与自然条件作用竞比的水平。

当社会的劳动大量地从农业劳动向工业劳动转移时，封建时代结束了，体力作用进一步发展，体力作用在工业劳动中的重要性并不比在农业劳动中逊色，但资本主义时代开始，主要作用已经转向了资产条件作用。

现时代，主要作用正进一步向智力作用转移。体力作用的必要性没有变化，重要性已相对降低了。体力作用虽然还是普遍的，但它发挥的程度逐渐在下落，越来越多的原体力作用被资产条件作用所取代，物化的劳动已经能较大量地直接替换活劳动的体力付出。相比智力作用，体力作用只能甘当配角了。这是体力作用的衰退，但却是劳动整体进步的凯歌。

二　自然条件作用

人类生存在自然之中，自然条件（包括作为劳动客体的社会存在）作用是劳动整体作用中须臾不可少的。这不像体力作用那样在劳动过程中的发挥可以有间隙，自然条件作用总是始终伴随着劳动过程。

在原始社会，人们对自然条件的占有十分有限。自然条件作用本身很弱，只是当时其他因素的作用也都很弱。劳动的主要作用并未以哪一因素的作用突显出来。

当奴隶社会到来时，体力作用增强，成为了主要作用，自然条件作用只起必要的和重要的作用。但随之往后，情况慢慢变化，智力作用的提高决定自然条件作用逐渐加大。这主要表现在农业劳动上，由于耕作技术的改进，土地本身已经能给人们带来越来越多的恩赐。同样的体力付出，在这时比在奴隶时代要获得更多的收益，这时是封建时代。于是，自然条件作用取代体力作用成为了主要作用。这是自然条件作用客观发展演进的结果。它的直接表现就是田地越多，田地越好，收获越大。体力不是主要的了，人们对此的直接反应是，拼命地扩展田地。田地成了人们的命根子，这是一点儿也不夸张的。这甚至引起了人们对田地的神化崇拜，至今有的地方还遗留着供奉土地爷神的习俗。

只要农业劳动停留在传统的劳作方式水平，那么自然条件起主要作用的状况就不会改变。从目前来看，世界各地的传统农业劳动的保持还有相当一部分，可现实劳动发展的主流早已跃过了传统农业发展阶段。近代大工业的出现，从根本上改变了人类的生活面貌，全世界都在蒸汽机的作用下走向了新的社会发展阶段。在近代乃至现代工业中，自然条件作用绝对地加大了，不仅传统的田地、水源、矿藏等自然条件加大发挥作用，而且整个劳动空间被绝对地加大了，新大陆和新的工业区开发使整个自然条件的规模急剧膨大起来，但是，也就在这时，自然条件作用相对减退了。主要作用成为了资产条件作用。因为这时自然条件作用比不过资产条件作用。如果我们只看到自然条件作用的绝对提高，看不到资产条件作用的同时更大提高，那么就认识不到自然条件作用的相对减退。简单说，农业劳动已经让位于工业劳动为主，田地的命根子作用已经让位给机器了。

在现代，自然条件仍有巨大作用。人们对自然资源的广泛利用和深度加工进入了新的开发阶段。今天，一个现代化的大矿井的采煤量可以是古代几十年乃至上百年的采煤量之和，全世界的石油开采量在本世纪中成倍地增长，更多的田地被耕种，更多的水源水能被利用，等等，所有这些，都表现了自然条件作用的进一步扩展。而且，智力作用的提高，还将继续推动这种趋势的发展。人类不仅要充分地利用地球上的自然条件，而且还要去太空占用宇宙空间，这是人类对自然条件需求发展的必然要求。

人类劳动整体中的自然条件能够由封闭的地球空间走向开放的无限的宇宙空间，根本上是由智力作用的提高决定的。而这一决定性的改变对于人类的命运是有极其重要的意义的。在原始人那时是想不到地球的自然条件会用完，在古代和近代人眼里误以为地球的自然条件是取之不尽的，而在现代人这里已经明明白白地认识到地球上的自然资源的有限性，地球生存空间的封闭性，地球存在时间的有期性。因此，生存在封闭的地球上，就这样下去，人类是没有出路的。到时，人类就会和其他动物一样死去，如果走到那一步的话，实事求是地讲，人还真的不能算做人。一种连自身生存都不能保障下去的生物，怎么能会是人呢？极而言之，人与自然的交流，用哲学家的话来说，人与自然的对话，如固锁在资源有限的地球不得突破，那么这种交流，这种对话，会总有一天中断。① 人类要无限地生存下去，就必须进入浩瀚的太空，在无限宇宙中找到永不遏止的自身赖以生存的资源。所以，现在地球资源利用全球化仅仅是开辟人类劳动自然条件通向宇宙的序幕，那无尽无休蔚为壮观的活剧远还在后面尚未上演。这种由地球的自然封闭走向外层空间开放的资源利用演进趋势，当然必要以地球资源的充分有效利用为基础条件，没有这一基础的实现，人类未来美好的愿望就不可能实现。因此，现时我们必须理性地杜绝一切人为的浪费，尽最大努力限制非生产劳动。这种理性的作用同样是劳动的智力作用。当我们本能地自发地爱惜和节省地球的自然资源的时候，或许还找不到一些好的方式和途径，甚至还可能心愿与效果并不一致，然而，一旦我们有意识地来做这件事，那智慧的潜力同样也会在此大放光芒，这其间的奥秘就将渐渐地为人们揭示，一条自觉之路将在我们脚下走通。总之，智力作用是自然条件作用扩展的决定因素，而自然条件作用的扩展直接关系到人类的生存，这是劳动客体作用制约性的根本体现。人类劳动整体发展的客观要求就是，向宇宙要自然。

三　资产条件作用

我们将资产条件作用的概括同其他因素作用一样推至常态劳

① 英国剑桥大学教授史蒂芬·霍金认为，太阳将在50亿年后冷却，人类若在此之前未找到出路，将会被冻死。

动的起源之际。这就是说，自有劳动存在，就有资产条件作为劳动内部因素起作用。最初的劳动工具就是最初的资产条件，最初的劳动工具作用就是最初的资产条件作用。资产条件作用的必要性和重要性，在劳动起源之际就已充分显示，但它同样也有自身的发展至今的复杂的演化过程。

在初始的混沌过后，体力作用为主之时，资产条件作用有限。这当然是受智力作用水平制约的。出土文物表明，这时的劳动工具都还是极简陋的。史称这一时期为青铜器时期，基本劳动工具都是青铜制作的。那时畜力使用也不多，因为奴隶就是会说话的牲畜，尽干家畜的活路。在这种状况下，资产条件作用无法与其他因素作用争高低。社会经济总体中，并不是投入资产条件多，得不到多的劳动成果，而是根本没有更多的资产条件投入。社会有限的剩余产品，很大一部分被奴隶主挥霍掉了。奴隶主们不仅生前挥霍，肉林酒海，荒淫无度，耗费大量非生产劳动，而且死后还占据大量财物，耗费巨大工程修建坟墓。从埃及的金字塔到中国的前秦古墓，不论哪一处都是大工程，不论哪一处都有大量的随葬品，其讲究和耗费，无不令今人为之咋舌。无疑，这种耗费阻止了资产条件的积累。

到了封建社会，在智力作用提高的推动下，资产条件状况有了改善，技术发展了，规模扩大了。这使农民劳动的自然条件作用更多地发挥出来，相比之下，资产条件的作用还不能与自然条件作用处于一个档次。土地是最重要的。但资产条件为实现自然条件的主要作用同样起到重要作用。在这方面，中国四川的都江堰水利枢纽工程是一个光辉的范例，它对成都平原的农业生产至今都在发挥着重要作用，千年岁月的磨炼只能使它更加光彩卓然。但总的说来，那时的水利设施还是极少的。

随着大机器的出现，随着农业劳动向工业劳动的转移，资产条件作用疾速上升。在资本主义时代，资产条件作用是主要作用。自然条件作用在工业劳动中比不过资产条件作用，而工业劳动已成为劳动的主体。工业劳动之所以能取代农业劳动成为劳动的主体，从根本上说，是因为智力作用进步创造了机器工业由此带动了农业发展，这使农业劳动从传统的作业方式下解放出来，走向了机械化，从而大大地提高了农业劳动生产率，最终为工业的进一步发展奠定了基础。我们看到，现在凡是工业经济与农业经济两层皮的国家，工业经济不发达，农业经济也不发达，这两个部门经济不能互补，整个经济是难以起步的。英国工业革命以前，圈地运动对农民实行了野蛮的掠夺，但是后来英国工业的诞生又反过来促进了英国农业的发展。由于工业劳动的扩大和农业劳动的进步都具体地显著地体现在资产条件作用上，所以，在资产条件作用为主要作用时，集中发展资产条件就成为积极地推动劳动整体发展的主要力量。这种情况在经济发达国家已成为历史，在经济不发达国家尚未成为现实。从人类劳动整体发展的演进过程来看，这是一个一般性的发展阶段，也就是说，资产条件作用为主是劳动内部因素主要作用演化的一个必经阶段。在这个必经阶段内，一个企业要获得比其他企业更强的经济竞争力，首先需要有比其他企业更雄厚的资产条件，企业经营者的经营艺术必须要以一定的资产条件做基础。一个国家也是同样，在实现工业化的过程中，必须要有相当的资产条件的积累，这一点已为许许多多国家的经济发展实践所证明，所以，如果发展不起来资产条件，那么就没有一个国家实现工业化的可能性。

在现代，资产条件作用在形式上已经高度信用化。从 1602 年荷兰建立最早的股份公司开始，发展到现在，各种股份公司已遍及世界各地。证券交易已成为资产产权流动的重要方式。繁荣而活跃的证券市场给纽约、伦敦、巴黎、东京等特大金融中心城市抹上了一层瑰玮的色彩，那多如牛毛而又时日更新的交易指数使人无时不感受到灵敏的国际信用中枢神经的跳动。这是资产条件作用形式现代化的一个显著特征。但实质上，信用流通中的资产条件只是可能的资产条件，它与现实的在物质能量交换过程中发挥作用的资产条件不同，它只是资产条件作用价值形态表现，既反映一定的内容又具有一定的相对独立性。信用的重要根子在于现实的资产条件的重要。正是现实的资产条件作用的存在才决定可能的资产条件的流通能得到社会的承认。这既不是神秘的，也不是抽象的。这是社会经济生活实质内容即劳动发展的特定阶段上的一种具体的反映。将证券作用神秘化是人为的，是人们尚不能洞察劳动内部因素作用演化过程的盲然表现。这种人造的虚幻曾一再使人狂妄，使人困惑，但事实上人们只要是从劳动入手分析经济，以完整的劳动为考察对象，以劳动的整体作用为考察基础，那么对资产条件形式上的作用是不难理解的，而且把握住它的发展变化的深层联系和内动趋势也是能够做到的。从现在来看，尽管资产条件作用已经高度信用化，但我们对这种作用的认识不能扩大化，必须历史地发展地客观地看待它，要看到其他因素作用的同时变化，要看到资产条件作用已开始相对地趋向减退了，智力作用正在迅速提升起来。

四 智力作用

智力，作为劳动主体构成因素，作为劳动整体的主导因素，它的作用是常态劳动起源的最重要条件。没有智力的自觉，就没有工具的产生，就没有常态劳动最初萌芽的形成。这就是说，正是智力作用的带动，其他因素作用才形成，劳动整体作用才形成。用最简单的话来说就是，脑支使手，人支使物。智力是劳动的核心。劳动内部因素主要作用的演化是由智力作用发展决定的。

原始混沌时期，智力作用很弱。那时从表面上很难区分人类常态劳动与猿类本能劳动。人是极野蛮的，以血缘关系结成群体活动求食，或攻击兽类，或采集野果。但重要的是原始人制出了石器工具，表明智力已经能够对各种石头形状的作用做出认识上的概括，懂得了石锋的力的功能与作用，并能有意识地去利用和创造这种功能和发挥这种作用。这一点，是原始人区别于猿的内在标志。

进入奴隶社会，智力进一步发展。金字塔虽主要是靠体力建起来的，但它也闪烁着熠熠的智慧之光。从那时留下的神庙，宫殿的断垣残壁来看，智力作用内含其中。波斯王宫的遗址至今还留有宏伟的气魄，古巴比伦城门建筑的精美早已为人共知，古罗马广场、古罗马圆形剧场、古罗马万神殿的建造都是盖世瑰宝。各种精美器皿，镂有各种样式、风格迥异的纹，流传至今仍是艺术珍品。这其中都体现出智力的提高，相应地使人手完成较为复杂的劳动。在这种智力的发展水平上，石器由青铜器取代了。虽然弓箭还是弓箭，但水轮机已出现，尽管效率很低。而种植业已渐渐成为人们的谋生之路。

到了封建社会，智力作用又提高了一步。更多的自然条件进入了劳动圈，从根本上说，这是智力作用提高的结果。农业劳动是封建时代的主要劳动，历史上留下了丰富的农业生产知识和技术，这是智力作用留下的可贵财富。在封建社会末期，智力作用的提高突出地表现在机器的发明上，虽然，这些发明都是一些很有才华的人辛苦努力的个人创造，但是，从整体来看，这代表了劳动整体中的智力作用进步。正是由于一连串的机器的发明和应用，才引发了二场导致社会重大变革的工业革命。工业革命从根本上改变了一些国家的社会经济面貌，实现了农业劳动力大批向工业转移。在机器的作用下，农业劳动和工业劳动的效率都大大地增长了。人类劳动整体的发展由此进入了一个新时期。

智力作用的增长，在资本主义时代突飞猛进。初期使用的动力机、工作机很快就一茬接一茬地改进，每一茬改进都标志着智力作用的又一层提高。这种提高待到电动机发明以后，更向前跃进了一大步，电网将各地生产相互连接起来，置于同一生命线。举世瞩目的新技术革命的到来，是一场真正的智力革命。在这之前，人们制造的一切机器都是扩展人的体力的力量和灵巧的机器，汽车、火车代替了人拉肩扛，车床、磨床代替人工切削和研磨，起重机代替人工装卸，凿岩机代替人工打眼，拖拉机代替人力耕地，等等；而新的自动化时代的到来，代替的则是人的智力的延展和运行，这使人真正看到了自身的潜力所在。目前，电子计算机一代接一代地更新，一代比一代效率高。这些计算机做的工作，如果用人脑去做，其速度相差万里。当然，创造计算机的是人的智力，计算机的功能不会超过人的智能。但是，计算机所部分代替的人脑的工作，不仅可以省去繁琐的脑力劳动，而且可以比受生理限制的人脑工作更长时间和更加精细。所以，自动化时代的到来，为人类通向无限的宇宙展现了真实的而不是空想的前景。

看上去，是太空探测器上了天；可实质是，人类劳动的智力作用进入了太空。今天，物质劳动的高技术已经打开了封闭的地球通向宇宙的大门，这表明人类是有可能凭借智力的发展在无限的宇宙寻得更广阔的生存空间的。

智力作用的提高还表现在精神劳动的发展上面。劳动的人与自然的关系和人与人的关系，是统一的，人与自然的关系决定人与人的关系，智力作用的进步不断使人能够根据人与自然关系的调整改善人与人的关系。精神劳动是在人与人化自然认识基础上认识人与人的自然化关系，智力作用始终是精神劳动发展的核心力量，整个社会的进展则又是与人类精神劳动的发展相一致的。尽管精神劳动的发展从古到今历尽曲折，但终归还是取得了一个时代又一个时代的丰硕成果，一直在前进。这种前进实质是智力作用发展的一个重要方面。

现时代，劳动内部因素的主要作用已呈现向智力作用转移的趋势。这种趋势的外在表现就是高智能劳动已经成为社会经济发展的主力。发展现代化经济，最重要的已不是资产条件的投入，而是高技术高智能的投入。有了高智力，就有了压倒一切的竞争力。这种主要作用与主导作用走向合并的趋势，昭示着人类劳动整体发展进入了一个新的与以往根本不同的发展阶段。

五　结　语

纵观人类劳动内部因素主要作用演化的历史，我们初步揭示了劳动整体发展与内部因素作用变化之间的关系。

这种关系表现出，劳动的整体作用与内部各因素作用之间的统一。劳动整体作用的每一点进步，都必然表现为内部因素作用的进步；反过来，劳动内部因素作用的每一点进步，不论是哪一因素作用的进步，也必然表现为整体作用的进步。智力的主导作用是整体作用中的主导，离开整体作用，主导作用不可能发挥任何作用。决定整体作用发展的是智力作用。智力作用的发展推进了整体作用的提高。智力作用无时不在，始终贯穿于劳动过程，人们不能因为外观看不见智力动作而否认它的存在作用。在智力作用之外，其他因素作用也都是整体作用之中的作用，离开了整体作用，没有一种因素作用可能单独存在。同样，离开了哪一种因素作用，劳动的整体作用也不能形成。因而，经济学研究不能脱离劳动整体认识劳动内部因素的作用，也不能脱离劳动内部因素的作用认识劳动的整体作用。

劳动内部因素作用与劳动整体作用之间的关系变化，体现为变与不变的内在的双重演化过程。变的是劳动因素的主要作用，逐渐在变，由体力作用到自然条件作用，再到资产条件作用。并将最终落在智力作用上；不变的是劳动整体作用中的主导作用。只有智力作用是主导作用，这从常态劳动起源到劳动走向正态的真正人的劳动，都是不变的。进一步看，劳动因素的主要作用的变是不变之中的变，不论哪一种因素起主要作用，都是劳动整体作用构成中的作用，这是不变的。另一方面，智力作用作为主导作用是不变的，但其自身又是不断地演变提高的，正是由于这种演变提高，才最终实现了主要作用与主导作用的合并。换句话说就是，劳动因素的主要作用由变反映它的不变，最终才会落在智力作用上；而劳动整体的主导作用由不变反映出变，才会实现与主要作用的合并。只有这样，人类劳动整体的发展才会进入一个全新意义的阶段。

从混沌不分主要作用到主导作用与主要作用合并，也是一个从无序走向有序的发展过程。当主要作用不分时，因素作用的演变还处于无序状态。体力作用突出以后，主要作用的演化才呈现有序的进展，直至主要作用与主导作用合并，落在智力作用上，这是一个循序渐进的过程。但如果更进一步地看向未来，那么这种主要作用演变的循序渐进恰恰又表现出主导作用与主要作用尚未合并的无序，那么就是说人类劳动整体发展的真正有序是从劳动内部因素的主导作用与主要作用合并时开始的。相比无序的发展，有序的发展是人类劳动更高级的发展阶段。

我们对劳动整体作用与劳动内部因素作用的研究，使用的是直觉的方法。这种方法对认识的论证只讲大体上的社会看法，只是从社会历史发展的事实的大致轮廓上来分析研究对象，这不同于实证的对认识对象精确统计的方法。采用这种方法是研究的需要。以往的研究表明，对社会事物的总体上的分析，一方面缺乏详细的统计资料，一方面已有的统计资料也未必准确。而且，对于总体上的一些事物的演变情况已为人所共知，再做太具体的数据考证徒劳无益，平添繁琐。这也就是说，用实证的方法来研究劳动整体作用的发展是显然不适宜的，如果那样做，看上去好似有数量根据，但其实这种数量例证本身都值得怀疑。以往人们并没有做过这样的概念界定，因而是很难有相应的精确的统计资料积存。这种情况是发生过的：用太细琐的数量分析论证总体上的问题，并不给人以真实的感觉，反而让人觉得很不可信，事实上这达不到论证的目的。如果说，人们掌握的是个量分析的材料，而硬要用此去做总量分折，那么结果也不会达到目的。所以说在认识的实在与虚假的区分上，有认识方法的选择，方法不适宜，根本无法使研究走上正确认识的轨道。以大体的归纳，直觉的方法，来研究劳动发展的整体性问题，看上去好像不精确，但实质上可以达到大体上与客观事实相一致，即基本正确。我们所采用的说法是对历史反思取得共识的直觉，不是错觉，历史可能蒙蔽一个人，一群人，但不可能蒙蔽大多数人，大多数人对某些历史细节可能不太清楚，但对历史上大的变故是能够做出真实反应的，以这种直觉的反应做依据分析劳动发展的整体作用及其内部因素作用，作为方法是相适宜的，是靠得住的。问题只是，研究者要根据研究的需要，对直觉做开掘、组合，才能探听所要研究的事理，不然，直觉还是直觉，它本身形不成完整的理论认识；也就是说，要对直觉做合乎逻辑的推理，才能得出合乎逻辑的结论，才能在直觉之上让人发现过去人们未能认识的客观真理。

直觉是属于理性的，而不是感性的。这是一种朴素的理性。[1] 中国古代哲学就是建立在直觉的基础上的，古哲人以为直觉是心灵的体味。现代科学的研究表明，中国古代哲学思想与现代科学对世界总体的认识，在深层上是基本一致的。现代科学研究还表明，直觉是基本的理性思维方式之一，虽然现在还搞不清楚直觉思维形成的内在机理，但是显然它是人的各种知识在头脑中综合形成的对事物的反应，这种反应尤其是在涉及事物的总体问题上不仅简捷而且可靠。这就是说，在感性认识——理性认识的认识过程中，直觉思维是处在理性认识阶段的，只不过它是理性认识初级阶段的思维活动，进一步深化的理性思维活动还在后面，而且没有后面的深化思维，人类就不可能精深认识客观世界，无论是认识人化的自然还是认识人的自然化，都是一样的。但是，直觉思维作为一种理性初始的思维活动，却往往是打开人类理性认识深化之门的有力手段。因为直觉是直接以感性做认识基础的，它的活动是在感性认识活动形成一定结果之后发生的，是对感性认识做出的直接判断、分析、综合、归纳或演绎的过

① “陈思远、加天山在（晋阳学刊）1992 年第 3 期撰文认为，直觉思维从本质上讲是一种辩证的思维方式。它之所以能够在瞬间内创造性地把握事物的本质或问题的关键，之所以比形象思维和抽象思维高出一筹，是与其思维模式分不开的。首先，直觉思维是一种全方位的非线性思维。其次，它是一种复合多样性思维。第三，直觉思维是一种富有创造性的思维。第四，直觉思维是一种开放性的思维方式。这些又都是由直觉思维的立体结构决定的，直觉思维是三维甚至是多维的，其结构表现为多层次、多序列、纵横交错的立体网络结构形式。直觉思维是以辩证逻辑为基础的辩证的思维方式。第一，直觉思维的思维程序和步骤打破了形式逻辑所确定的循序渐进的思维程序，体现了辩证思维的本质性。第二，直觉思雄的思维模式突破了形式逻辑的狭隘界限，拓宽了思维的领域，展示了辩证思维的广阔前景。第三，它的结构和机制比形式逻辑具有更大的优越性，是现代科学认识和科学发现的更有力的工具”（参见《新华文摘》1992 年第 8 期，第 191 页）。

程，其特征就是直接性，即直接来自感性材料而又未做再深的加工，所以运用这种思维方式在知识积累较深的人的认识中往往可以预觉事物的发展趋势并找到进一步探索的正确门路。我们需要分辨清楚的是，直觉不是直接的感觉，直接的感觉就是感觉，或称直感，是属于感性认识阶段上的。直觉是理性的知觉，是已经对感性材料进行过初步的理性加工后的东西。我们对劳动整体作用与劳动内部因素作用的研究，采用直觉的方法论证，既有利于真实地把握历史的总体，贴近感性事实基础，又为更进一步地辩证分析劳动内部矛盾的发展奠定理性认识基础。

总的说，研究的进程表明，从体力作用为主，经自然条件作用和资产条件作用为主的两个阶段，再趋向实现智力作用为主，这是一种先劳动主体因素起主要作用，经过劳动客体因素起主要作用的演变阶段，又归复劳动主体因素起主要作用的过程，客观地认识这一过程，对于认识人类常态劳动的辩证发展历程具有重要意义。如果我们不能揭示这样一个内在的发展过程，那么我们就无法清楚地解释历史上和现实中人类对劳动客体真诚崇拜的客观原因，更无法认识人类将怎样才能摆脱这种真诚。我们的研究告诉我们，历史上和现实中，社会的人表现出的对土地、对机器（在价值形式上表现为对金钱）的贪婪和崇拜，并不完全是虚幻的并不完全是教义性的，而是蕴含着劳动客体因素在劳动整体中起主要作用的真实的反映。而人类对这一阶段的超越，是一种历史的真实的超越，它所依靠的就是劳动内部因素的主要作用与智力主导作用的合并形成的劳动整体的发展。

第十四章　自然的基础与辩证的演变

劳动是一个整体。劳动的过程是完整的过程。劳动的发展是辩证地演进的。劳动内部各因素作用的存在及其嬗变是劳动辩证发展的自然。劳动作为变化的整体，变化的根源来自本身内部因素作用的变化，完整的劳动发展过程是体现各种内部因素不同作用变化的发展过程。将劳动只看做劳动主体的活动，是不符合劳动整体的客观性的，是人为地割断劳动主体与劳动客体之间的客观联系的。将劳动看做只有外部的变化，没有内部的变化，看不到劳动的外部变化正是由其内部的变化决定的，是不符合劳动辩证发展的历史客观的，是揭示不出劳动辩证发展的内在动因的。任何事物都有内部矛盾与外部矛盾，任何事物的外部矛盾都是由其内部矛盾决定的。劳动的矛盾关系亦是同样。我们分析劳动辩证发展的自然基础是一个完整的存在矛盾的自然基础，在这一基础上，我们将进一步阐述人类劳动在常态下的辩证发展历程，初步揭示作为整体存在的人类劳动的内部矛盾的发展规律。

一　原始社会劳动的辩证演变

自常态劳动起源，原始社会就形成了。这一社会发展阶段，历经几百万年，占迄今为止的人类社会历史的绝大部分。[①] 从制作简单的石器，到产生商品经济，原始社会劳动创造了辉煌的原始人类文化。据现在考古掌握的情况看，在原始社会，人类已经积累了相当的劳动知识。原始人已能辨认各种植物的不同习性和生长规律，已经开始对食用植物进行人工栽培，如大麦、小麦、稻子、甘蔗、玉米、马铃薯、甘蓝、番茄、向日葵等农作物，那时已有种植了。原始人的狩猎技术也已达到了比较复杂的程度，猎手能够分辨各种野兽的足迹，熟悉野兽的生活习性，并能根据野兽的不同习性采用不同的方式进行狩猎。制造业在原始社会也已具雏形，制陶和编织手工业是最初的基础。原始人还掌握了初步的天文、地理知识，能够熟悉自己生活区域的地形地貌，还能绘制简单的行动路线图，他们对天气变化的预兆也有了十分细致的观察认识，并能根据星辰的位置来辨别方向，人类最初的历法也是在原始社会产生的。原始社会时期，人类还创造了最初的医学，利用一些植物、矿物和动物的特性来为自己治病。对文字知识和数学知识也有了初步的认识，从图画文字进一步发展出了最朴素的象形文字，并且有了最简单的一、二、三、四、五等数的概念。原始的艺术是最令人激动也是最令人不解的创造。在旧石器时代的遗址中，原始人留下了丰富的壁画和雕刻作品，这些作品描绘的动物形象栩栩如生，技艺高超，堪称杰作。此外，原始人还创作了许多艺术饰物，用以美化自己的生活。原始的音乐、舞蹈也随原始的劳动产生，从原始壁画中，可以看到有打鼓的人和跳舞等艺术的流行。

但是，我们却需明确，原始劳动创造的原始文化成就主要是在原始社会后期才出现的，而且这些文化创造也只是原始劳动创

① “人类能够制造工具的历史至少已有400万年”（参见贾兰坡：《人类起源和演化研究中的三大问题》，《科学画报》1992年第5期）。

造的一个方面。在原始社会漫长的前期里，原始劳动十分简陋，发展缓慢。打制石器为主要工具，集体狩猎和采集现成野果为主要谋生之道。从理论上讲，人猿揖手已经完成，然而在当时的实际生活中，是很难分清哪是人哪是猿的。例如，一些人类学家至今不认为生活在大约五六万年前欧洲地区的所谓尼安德特尔人是人类的成员，但是又承认这些动物确实酷似人类，因为考古发现尼安德特尔人有许多使用器具，并会用火了。而当时的人所能做到的，也不过是极简单的劳动。另一方面，原始社会灿烂的文化主要是正态劳动创造的，还有大量的原始变态劳动的存在也对原始社会的发展留下痕迹。所以，考察原始社会劳动，首先要贯穿整个原始社会过程，不能只截取中间或后期一小段，这样才能明辨原始社会劳动辩证演变的全过程，说明人类劳动的起点状况，深刻阐明原始变态劳动的存在及其影响。

按照以往的一般理论认识，原始社会是没有剥削的，私有财产的出现是在原始社会的末期，正是私有财产的出现才促使了原始社会的瓦解和奴隶社会的产生。也就是说，一般理论认识并没有认识到原始劳动的变态，没有认识到原始社会没有剥削变态可有军事变态，军事劳动变态是原始劳动变态的主要特征，也是人类常态劳动中最早存在的劳动变态。事实上，原始社会的战争是从猿类之间的争斗直接继承下来的。战争，一直伴随着原始劳动和原始社会的发展而发展。我们知道，所谓原始社会的公有制只是部落公有制，是很小的社会群体内的公的制，保持公有制，即将简单的生产资料共同占有，是保持群体生存的需要，说到底是保持群体内的个体生存的需要。因为当时人类劳动能力低下，个体离开群体，几乎无法生存。在部落之内，人们之间保持着一定的和谐关系，只是为了生存需要。但同时，这种部落的公有制造成了群体之间的对立。对立来自各个群体对生存条件的争夺。生存的本能，在生存能力极低的条件下，自然促使部落群体像猿类群体一样，向其他部落群体发起猛攻。这明显地表现出军事劳动变态是动物的求生方式在人类常态社会的延续和发展。也可能攻击是为了直接夺取对方的劳动果实，但许多攻击直接对准的是人身，其他部落的人身成了本群体人的食品。概括地来看，当时劳动整体力量很弱，内部各因素作用混沌不分主次，因而，一方面群体的生存很困难，只要为了生存，不惜采取一切手段，包括原先动物式的手段，根本不顾及其他部落人的生存利益；另一方面，这种攻击的目的性只在于劳动成果，而不在于劳动要素，即使是抢地盘，即抢生存地，也是为了生存地上现成的果实，这些果实无所谓摘采存积，总是现吃现摘，根本不是将生存地作为生产条件来抢夺，只是为了生存地上的生活条件。至于对人身的攻击，除了血亲复仇的意识驱使，更多地也是为了当做劳动成果用以充饥。人吃人，是普遍现象。虽然有关研究表明，鬣狗、狮子、亚洲长尾猴等动物是同类相残的，它们嗜食同类的比率很高，但这不能例比原始人的凶残，也可能原始人比这些动物有过之而无不及，也可能会低些，精确的确定现在对我们来说显然是有困难的。但是，无疑，这种食人的习俗是流传久远的。尽管远古留给人们的只是出土的文物化石和些许的传说，但自有文字记载以来，无论哪朝哪代，都有过人吃人的记载，直至现代。而且，据一些专家考证，某些原始部落，在近代还盛行吃人，有的易子而食，也有的杀食俘虏。杀俘虏，甚至成年人不动手，交给孩子们去完成，以培养他们的杀性。过多和过细地描绘这种杀人场面是没有必要的，重要的只是必须承认这种事实的存在。

显而易见，使用不做态势区分的劳动范畴是无法解释这种事实的。劳动的起源是人类的起源，如果劳动的起源完全是正态劳动的起源，那么起源的人类应该是完全具有人的本质规定性的人，这种人不能去吃人，吃人是与人的本质规定根本背离的。这也就是说，战争，军事劳动是不属于人的本质规定性的。人猿揖手，人类脱离动物界，这时形成的人还不是正态的人，真正的人，完全脱离动物界的人，还不完全符合人的本质规定性。所以，建立在常态劳动起源基础上的人类起源只能也是常态人的起源。常态劳动既包括正态劳动，以正态劳动为常态存在的根本基础；又包括变态劳动，原始人的战争及其杀人、吃人行为就是劳动变态的行为及其后果表现。因而，我们可以肯定地说，原始变态劳动是与原始正态劳动一同起源的，它们是合体存在，是人的意义与非人意义上的劳动的统一。原始的正态劳动仅仅是人类正态劳动的发展起点，仅仅是雏形，这使原始人具有了部分的人的本质规定性；而原始的变态劳动，决定人的本质变态，但它们的合体，由于存在有正态劳动的决定性，从而获得了常态人的质的规定，这既区别于动物，又不同于正态的真正的人。比起变态劳动，正态劳动无疑是脱离了动物本能活动而实现的生物的生性本能的升华，是生物自我认识后对自身自然能动的改造；而比起正态劳动，变态劳动无疑是动物本能活动的继续，是动物求生方式的继续，是动物活动中的野性行为的继承，是动物本能中最残忍的部分在常态人的劳动中的保留。生物的生性本能的升华在人的正态劳动中形成了人的生性和理性，而动物的野性继承则使常态的人形成比动物的野性更加疯狂更加残酷的变态的理性。没有生性，人与自然无法交流，无法沟通；没有升华，就没有任何人的意义上的存在；而没有野性的继承，就没有变态劳动的出现。问题就是，在人类常态劳动出现之前，世界完全是动物世界，开始不可能不对旧的既定的动物世界有一定的继承和保留，新生的事物总是弱小的并带有明显的旧事物的痕迹的，这个道理在人类劳动的起源问题上也是同样的。如果要求一起源就完完全全是正态的，不能有一点点变态存在，不允许对动物本能有保留有继承，不允许有过渡，那么恐怕到今天世界还是动物世界，不会有人的世界的产生。历史事实上也已经证明了劳动的起源只能是常态的，不会是完全正态的。就现时代的人来看，不能将人类劳动的起源理想化，不能用理想的标准去复述历史，应当承认历史的本然，人类劳动起源中的正态劳动与变态劳动的对立的事实是我们认识原始常态劳动的客观基础，是我们分析原始常态劳动的客观基础，是我们分析原始社会劳动辩证演变的既定前提，也就是说，我们的辩证的认识只是反映了辩证的事实。

总之，通过辩证地分析不难看出，原始社会根本不是人间天堂。没有剥削，不等于没有变态；公有制，不等于天下太平。原始人就是野蛮的凶恶的，并非有了私有制人才变坏的。原始战争的存在，明显地表现出原始人所面临的（承受着）巨大的生存压力，弱肉强食不是一个人间道德的准则，而是一个动物生存的准则，不是正态劳动的规范，而是变态劳动的宗旨。在原始社会，个体生存的压力迫使个体与个体必须聚结成一定的群体，群体生存的压力迫使群体与群体争夺生存空间乃至相互抢夺为食，整个人类面临的生存压力以群体间的消耗为代价形成反冲力，迫使整体进一步提高劳动能力（这种提高又是以个体智力的提高为契机的），使自身逐渐向前慢慢发展，逐步逐步取得整体的更大的生存自由。在这种发展过程中，正态劳动与变态劳动是一起进行的。相互对立，又相互渗透，正态劳动向前发展，变态劳动也进一步发展，虽然二者之中是不同步的，甚至也可能变态劳动的发展在某个时期更显著一些，但从根本上说，二者发展的共同基础是正态劳动，没有正态劳动的发展，变态劳动不可能有发展，因为变态劳动终归是不能单独存在的。在原始的变态劳动中，没有剥削，只有疯狂地掠夺其他群体劳动果实和人身的战争，也许在原始人看来他们这种掠夺与掠食其他动物没有什么两样，因为原始的智力对社会的认识还是蒙昧的，人类精神劳动还处于混沌状态，不过，比起疯狂的掠夺，再残酷的剥削也是一种文明和进步的变态劳动了，剥削产生于战争之后，这本身就说明它是军事劳动变态的演变，它是人类常态社会的一种文明的创造，是动物世界的寄生性的继承和模仿，是变态劳动相对正态劳动的相互作用的增强，是原始社会劳动临近消失的辩证发展。而原始战争的演变，则是野蛮的演变，疯狂的演变。战争依附于正态劳动而发展，它在变态的人和变态的社会意义上愈演愈烈。通过战争掠夺的劳动果实是正态劳动创造的，被杀吃掉的人也是靠正态劳动的成果养大的。一方面是正态劳动为基础滚滚向前发展，一方面是变态劳动亦随之蓬勃演变，两个方面交织在一起，综合为各个原始群体的劳动常态发展。原始的公有制亦即是这种常态劳动下的公有制，即它是这种原始常态劳动中人与人之间的关系的外在表现。这是正态与变态、文明与野蛮相交织的公有制，是与狭小的生存空间、巨大的生存压力、低下的劳动能力、野蛮的抢掠行为相适应的社会经济组织形式，是人类珍贵而愚昧的历史开端。原始的公有制虽极珍贵但不可与人类社会未来的美好发展相比，如果有人向往原始的公有制那无疑是一种历史的倒退观，是对野蛮和愚昧的羡企与赞美。原始社会的变态劳动依正态劳动而发展，而它发展的根本原因又是正态劳动的发展水平低，人类的生存压力要依托正态劳动解决，而变态的存在又以动物的方式参与这种解决中来，正态劳动因而不能制止变态劳动发展，只能在一定的制约下任其发展。原始社会的灿烂文化与野蛮状态，正是在原始正态劳动与变态劳动对立的辩证演变的基础上，向着奴隶社会进步转化的。

二　奴隶社会劳动的辩证演变

首先应当指出，在原始社会末期，私有制已经出现，奴隶制已见端倪，这属于两种社会制度的交错更迭，正如原始的社会劳动关系还在奴隶社会部分地留存一样，我们对于人类劳动发展的大的阶段转折的分析，需要确定时代的主流，也需要明确非主流端倪与留存。

奴隶社会的形成最早大约是在公元前4000年末和3000年初之间。在尼罗河流域，两河流域、印度河流域、黄河流域等地，先后出现了奴隶制国家。各地奴隶社会的发展是不平衡的，解体的时间也先后不一。大体上说，在公元纪年前后的几个世纪里，世界上大多数地区的奴隶制社会逐渐解体。

奴隶社会劳动相比原始社会劳动在整体上有很大的进步。这种进步是建立在原始社会劳动几百万年发展的基础上的。奴隶社会劳动在自身经历的3000多年时间里，迈出了比原始社会劳动更快的发展步伐。首先是正态劳动的发展创造了辉煌壮阔的奴隶社会文化。农业劳动成为主要经济来源。在人口密集、经济繁荣的地区，生产能力提高显著，金属制农具开始普遍使用，畜力也开始应用在农业生产中，劳作者还发明了轮作制，园艺、果树、蔬菜种植方面的技艺有了新的改进，尤其是桑麻的种植对丝麻纺织手工业的发展促进很大。畜牧业也有了较快的发展，除了专门的游牧民族，亦有较多的家畜被饲养。手工业不仅纺织业发展起来，冶金业也十分兴旺，尤其是青铜器的制作非常普遍。玻璃的制造技术已经发明出来，精巧的玻璃器皿是受人欢迎的商品，给生产国带来可观的经济利益。建筑劳动创造了庄严浑厚的古代楼阁庙宇，埃及的金字塔可谓古代之奇观，其他神庙、宫殿的建筑也都蔚为壮观。文字、语言、数学、天文学、哲学等各方面的知识比原始社会时期丰富多了。

我们已经知道，经过原始社会劳动发展之后，奴隶社会劳动的进步，在劳动的整体作用中突出地落在了体力作用的提高上，因而体力作用在劳动内部4种因素的作用中成为了主要作用，这种提高虽然从根本上说是由智力主导作用的提高决定的，但是在当时劳动整体发展的水平上却构成了体力对劳动成果的获取起的作用为主。劳动内部因素作用的这种变化，实质是劳动中人与自然关系的演变，是人对人化的自然和人的自然化认识提高的结果。这种提高就是劳动主体与劳动客体矛盾的发展。这一方面促使奴隶社会正态劳动的进步，在社会文化各个方面都比原始社会文化创造出更大的成就；另一方面也促使奴隶社会变态劳动发展，使剥削劳动开始产生，使军事劳动演变得更加疯狂起来。

奴隶社会的剥削劳动的特征是奴隶主占有奴隶人身并占有生产资料进行剥削。奴隶所从事的劳动绝大部分是繁重的简单的体力劳动。这种变态劳动的产生是以奴隶社会劳动整体的发展水平为背景的。由于劳动整体发展处于体力作用为主的阶段，所以奴隶主占有了奴隶实质就是占有了当时社会劳动中的主要因素，并根据这种占有获得当时社会劳动的主要收益。这是原始社会劳动向奴隶社会劳动整体进步的结果，这是人类变态劳动由野蛮战争的直接掠夺向较文明的掠夺方式分化的结果，这是动物的寄生生存方式向变态的人的寄生生存方式发展的结果。迄今为许多世人视为天经地义的剥削，事实上就是这个时期在来源于动物野性发展的原始战争基础上演变分化、发展进步、创造出来的。这仍是动物的求生方式的继续，是动物寄生生活的本能的继承。不杀战俘，转而剥削奴隶。如果说战争既是人类残杀自身又是人类整体自身保护的方式的话，这在人类正态劳动能力还不能达到缓释自身的生存压力的时期基本上只能是这样；那么剥削其实也是一种人类以变态的行为来求得自身整体保护的方式，这是动物野性的转化和寄生性的发展，也是人类文明的创造发展，由此表现出人类劳动常态起源后的发展也是常态的。然则，奴隶作为人类变态的自身保护方式，是紧紧依附于正态劳动的，没有正态的生产有用性就没有剥削变态的生产有用性，剥削的存在方式是以正态劳动因素的主要作用与主导作用相分离的方式为依据的。在奴隶社会，劳动因素中是体力作用为主要作用与智力主导作用相分离的，因而，剥削劳动主要占有的是体力作用，即事实上奴隶主必须是占有奴隶的人身才能占到这种劳动的主要作用。相比原始社会的杀人吃人，奴隶主的这种占有是一种进步，也是一种保护。不过，如同任何社会的进步都要付出代价一样，这种进步是以万万千千奴隶的锁链为沉痛代价的。常态的奴隶社会的发展是以迫使奴隶像牲畜一样生活的方式进行的。在社会经济繁荣的盛景下，奴隶们满怀着深重的苦难。奴隶主将奴隶看成是自己的私有财产，是一切财产中最好的财产，是会说话的工具，是人形的牲畜。奴隶主可以任意处置奴隶，虐待奴隶，手段极端残忍，动辄鞭打、绞死、烧死、剥皮、砍脚等等。奴隶主不仅剥夺了奴隶的一切自由，而且为了防止奴隶逃跑还要在他们身上用烧红的金属模子打上印记，在劳动时也强迫奴隶戴着锁链。奴隶主残酷地压榨奴隶劳动，每天迫使奴隶干十几个小时的活，即使刮风下雨，也照样出工，从不让休息。在磨房干活的奴隶甚至连牲畜都不如，在头颈上要套一个大木枷，以防止奴隶在磨粮食时偷吃。穷凶极奢的奴隶主还让奴隶们在竞技场上相互格斗残杀或与猛兽角斗，借以取乐。奴隶没有任何人身自由，随时可被奴隶主买卖。当时大的奴隶市场每天可卖出奴隶达 1 万多名，被贩卖的奴隶，不论男女老幼，一律裸体陈列，供买主挑选．法律保护奴隶贸易。丧心病狂的奴隶主为了能出卖更多的奴隶，还迫使男女奴隶繁殖，完全像饲养牲畜一样对待奴隶。尽管代价是这样的残酷，然而比起原始社会的劳动，奴隶主的剥削从总体上看还是对人类劳动能力的一种保护。人类劳动整体能力的提高，此时已使绝大部分地区无杀俘虏吃的必要，而留下来的俘虏成为奴隶便可成为人类劳动进一步发展的一支重要的主体力量。因为体力作用是主要作用，因此增加劳动主体的量，就是增加体力作用的量，这对当时经济的发展是相当重要的。所以，相对来讲，对于奴隶社会经济发展，奴隶主占有奴隶并强迫奴隶劳动，是对劳动整体作用的变态方式的保护。当时的奴隶主们当然是意识不到这是一种社会劳动整体的保护行为，他们只追求的是个人及其家庭的生存、发展和享乐，他们是在当时劳动条件下实现自身追求的，就像我们在现时劳动条件下追求自身的生存、发展和享乐一样，但是，这却在客观上推进了劳动的发展，推进了社会的发展。奴隶主对奴隶的占有强化了当时劳动内部因素主要作用，起到以变态行为保护人类整体生存和发展的作用。

这里，需要阐明一点，虽然奴隶主对待奴隶像牲畜一样，奴隶们的生活极端地悲惨，受到奴隶主残酷虐待，但只要奴隶本身从事的是正态劳动，包括正态的生产劳动与正态的非生产劳动，那么奴隶就具有人的本质规定性。奴隶身上的锁链，奴隶头上的皮鞭，是外在的东西，是不决定本质的东西。我们看事物要看它的本质，只有抓住了本质才能真正认识事物本身。劳动是人的本质，只有正态劳动才能使人获得自身的本质规定性，不论正态劳动多么简单或多么复杂，在这一点上是一样的。所以，奴隶通过实现正态劳动，必然能获得人的本质规定性。相反，奴隶主的变态劳动只能决定他们获得人的本质的变态。但同时，我们也看到，奴隶主身上还有正态劳动的一面，就像资本家的劳动具有二重性一样，奴隶主劳动也具有二重性；而奴隶劳动也有变态的一面，除了社会整个变态的影响外，奴隶还被迫参加军事劳动。所以，不论对奴隶还是对奴隶主，凡是对常态下的人，都应辩证地认识他的人的本质存在问题，坚持两点论，既承认他的正态本质又承认他的本质变态。不可是一点论，只认其一点。但是，在必须坚持两点论的前提下，我们对具体的常态人的认识，还必须坚持重点论，也就是说必须分清他的本质的主流。一般说来，奴隶的主流是正态的，奴隶主的主流是变态的。总之，我们既要坚持两点论认识，又要坚持重点论认识，必须做到两点论与重点论的统一。

再就军事劳动变态讲，奴隶社会战争比原始社会战争是以更大的规模向前发展的。奴隶主们发展战争的目的是为了掠夺战俘做奴隶和直接抢劫财物。作为侵略者的奴隶主和作为被侵略者的奴隶主不是一成不变的，只有在具体的战争中才能确定谁是侵略者谁是被侵略者，一般地讲奴隶主战争目的都是一样的。一旦某个国家的奴隶主强大起来，他们总是要想方设法找借口发动战争，而这时被侵略的往往是较弱的奴隶主国家。仗总是要打的，所以，不论在哪一个奴隶制国家，奴隶主们为了战争的需要，全都建立了庞大的军队。有的国家的军队，骨干由贵族组成，征集广大平民入伍为卒，或强迫奴隶服兵役。有的国家是招募雇佣军。还有的国家的兵士来源是在征伐过程中被征服国的军事移民。奴隶主们统领军队用来镇压国内奴隶的反抗和从事对外战争。当时的兵种，除了没有空军以外，已经比较齐备，有步兵、骑兵、战车兵、工兵、炮兵、水兵、通信兵、侦察兵等。战车和战马的使用，大大地提高了陆军作战的运动性，提高了军队行进的速度。战舰的使用，大大扩展了作战范围，交战从陆上打到了海上，同时也为陆地战开辟了一条经海路补充给养的新途径。工兵的出现，表明战争已经发展到了相当的规模，否则没有必要配备专门的工兵。所谓炮兵是用极简单的撞击手段攻城的兵种。各种兵器的运用，也比原始社会时期显著不同了。作战方法亦复杂起来。奴隶社会的战争极为凶残，战火所及，遍地荒墟，血流成河。胜者对于被征服的国家的财物掠夺一空，对不屈服的人一律屠杀，对老弱病残者也一律置于死地，对剩下的人绝大部分强迫为奴。而每一次战争的后果都是激起另一场更大的战争。

鉴于战争至今仍在人类社会中存在，奴隶社会的战争频仍似乎不足为奇。作为从动物的求生方式中继承下来的东西，战争在人类常态社会历史中将一直保持，它不会很快消失，它的消失必须要有一定的物质条件。获得这种条件，在奴隶社会是做不到的。也可以说，发动战争的奴隶主并不是直接从动物的求生方式中学到的这种生存方式，他们是从原始战争中领悟其作用的，他们直接仿效的是原始战争。奴隶主选择的这种生存方式代表了人类常态下的一种生存方式。虽然他们也知道这种生存方式必须以正态劳动为基础，但是他们更知道这种生存方式可以使他们自己保持生存。比起原始社会的战争，奴隶主们发动的战争具有了一定意识性，体现出由生存习惯向生存主动的转化。如果仅仅从外在的东西看，我们可以反映出奴隶社会的战争规模扩大了，兵器精良了，频率提高了，战法复杂了等等，我们还可以说战争更加疯狂了，更加凶残了；但是，更重要的是我们要看到，这些外在的变化是由军事劳动变态内在的变化决定的，战争规模的扩大是人们有意识扩大的，兵器的改进是人们有意识改进的，战法的复杂也是人们刻意研究的结果，频频的战争出现正是人们有意识地去扩大使用这种手段谋生的结果。固然，在常态社会，战争的存在不可避免，但把它具体地运用起来，却是人们有意识地主动追求的创造。虽然人们都明白战争的残酷性与破坏性，但却在几百万年变态劳动历史惯力的推动下有意识地继续向前跑。对于战争的认识只是出于无奈的盲目性，人们还没有意识到的真正根子在于巨大的生存压力与弱小的求生存能力之间存在着颇大的距离。大家都是有意识地继承历史与无意识地解悟现实的统一，在这种状态中，你不打他，他也要打你，于是，你打，我打，人人都打。从另一方面说，战争的发展是变态劳动本身有活力的表现，是动物野性行为对人类正态劳动行为的顽强抵抗，是变态理性的能动作用的发挥。所以，战争发展的实质是变态劳动的发展，是人们有意识地利用这种劳动增强的结果，奴隶社会的战争发展，其实质也在这里。

奴隶社会剥削的特点是与奴隶社会战争的特点紧密相关的。原始社会战争和奴隶社会战争都抢掠财物和人，不同的是原始人抢人是直接当食物，而奴隶主抢人是为了用做劳力。让奴隶做苦工获取收益与抢掠财物的最终目的是一样的，这就是最初的剥削与最初的战争的变态的一致性。这也表现了剥削的出现与战争的直接的连接。而抢人当劳力是以劳动内部体力作用为主为基础的。奴隶主剥削主要占有的是体力作用。这就是奴隶社会战争与剥削的特点的相关联性，所以，由此也不难看出，剥削是战争的一种演变，战争是剥削的产生前提。剥削对于战争来讲，既是减少战争的方式又是刺激战争的手段。战争对于剥削来讲，总是直接或间接为剥削服务的，始终是与剥削的根本目的相一致。

奴隶主剥削劳动的产生同时是人类私有制的起源。奴隶主能够剥削奴隶，是因为奴隶劳动体力作用强，这是劳动能力提高的结果，是体力作用为主的外在标志。相应私有制的确立，标志着社会承认个人可以对生产资料拥有所有权。这种承认也是劳动能力提高的结果。这说明个人可以相对独立谋生了，不必再聚为群体共同从事极简单劳动求生存了。所以，剥削的产生与私有制的起源的基础是一致的。剥削正是在这一致的基础上，以动物的寄生的求生方式变态地发展起来的。

从根本上说，奴隶社会劳动的整体能力提高是由智力作用提高决定的，这种主导因素的作用始终是劳动整体作用的核心。智力作用的提高主要推动了奴隶社会正态劳动的发展，由此才提供了奴隶社会变态劳动即奴隶主剥削和奴隶社会战争发展的条件，而且奴隶社会变态劳动的发展反过来又促使奴隶社会正态劳动更快地发展，这构成了奴隶社会正态劳动与变态劳动对立统一的辩证演变的历史过程。

三 封建社会劳动的辩证演变

劳动者在劳动中发挥的劳动主体作用是属于劳动者的，这如同劳动者的身体是属于自己的一样，至于这种属于劳动者自己的作用被别人强占去，那是另外一回事。这种被强占的情况，不仅奴隶社会存在，封建社会也存在，而且在封建社会以后的社会中从未完全地消失。封建社会劳动就是这样沿着奴隶社会劳动开辟的私有制劳动道路继续走下去的。

中国的封建社会历史延续了 2000 多年，欧洲大多数国家的封建社会历史也都有 1000 多年。在这一历史时期内，人类常态劳动的发展比奴隶社会更加显著也更加复杂。正态劳动的演进取得了丰硕的成就。对此，我们不一一陈述，只略举几个例子。众所周知，至今巍峨壮丽的北京故宫是中国封建社会劳动建筑的最突出的代表作，共占地 72 万多平方米，有几千间房屋，并环有城墙和护城河，整个建筑群体金碧辉煌，布局严谨，构建精巧，气宇轩昂，充分显示了封建社会劳动创造的高度智慧和高度才能。同样，欧洲中世纪建筑的大教堂，高高的尖顶刺向云端，结构工整、气势宏大、建造精细、威严壮观，也是封建社会劳动创造的杰出代表作。更主要的是封建社会的农业生产规模庞大、门类齐全，在稳定社会和发展经济中发挥了支柱作用。封建社会是一个农业社会，人们的衣、食、住、行绝大部分与农业有直接联系。而农业生产比奴隶社会有了长足的发展，人们懂得了更多的生产知识，工具也进步了，铁制农具代替了青铜制农具，且农田管理也较周密了。因此，在这种条件下，大地等自然条件发挥了更大的作用。中国明代学者徐光启著有《农政全书》，共60卷，约60万字，对当时有关农业劳动的问题，从国家政策、社会制度、到生产技术水利、肥料、土壤、选种、田间管理、园林管理等方面，做了周详的论述，记录了中国农民的生产发明以及长期积累下来的丰富的农业知识，对中国封建社会农业的发展情况做出了系统的总结。此外，还有众多的著作研究比较封建社会经济与奴隶社会经济的不同。但概而言之，从内在的劳动因素作用的变化讲，由智力作用的进一步提高所决定，封建社会正态劳动与奴隶社会正态劳动的不同点在于，劳动内部的主要作用已经从体力作用转移到自然条件作用上。

因此，附依在正态劳动上的剥削变态劳动随之变化。封建剥削的主要特点是剥削者占有土地等自然条件，而不像奴隶社会剥削制那样剥削者直接占有劳动力本身。这就表现了从奴隶社会剥削向封建社会剥削的发展。我们知道，剥削的实质是剥削者只靠占有劳动因素来占有劳动因素作用而获取收益。剥削者的根本目的是在收益上，他们要靠这种取得的收益生存，所以，剥削者不论采取什么方式进行剥削，关键是要达到目的。对于目的来说，方式只是必要的，方式是可以选择的，方式的选择是为目的服务的。因此，当劳动内部因素的主要作用是体力作用时，剥削的变态主要体现在对劳动主体的人身占有上，通过这种占有达到占有体力作用而获取收益的目的。这种占有方式可以使剥削者最好地达到剥削的目的。同样的道理，当劳动因素的主要作用转移到了自然条件作用上，剥削的变态自然就要随之转移到主要占有自然条件上，只有这样才能最好的达到剥削的目的，相对而言剥削者对劳动主体的直接占有就不必要了。所以封建社会的剥削主要体现在地主对土地等自然条件的占有上，通过这种占有达到占有自然条件作用而获取收益的目的。同时我们还应看到，剥削者通过对主要作用的劳动因素的占有，相应也就获得了对劳动整体作用进行支配的权力，这种权力的获得对于剥削者最好的实现剥削目的是有利的，是必要的。总之，正是由于出现了劳动内部因素的主要作用从体力作用向自然条件作用的转化，才产生了奴隶社会剥削向封建社会剥削的剥削方式的转化。而封建社会剥削与奴隶社会剥削的实质是一样的，没有变化，都是劳动的变态，都是动物的寄生求生方式的继承与发展。这是变态劳动发展的变与不变的统一，即实质不变与方式变化的统一。

因而，土地，作为最主要的自然条件，在封建社会时期，是人们为了生存而争夺的主要目标。以变态劳动为生的人希望得到自己的能养家糊口的土地。为了得到土地，人们不惜采用一切手段。于是，最凶残、最疯狂的人成为大地主，他们拥有大量的土地，将广大的农民的生存置于他们的控制之下。而劳苦的农民为了保住或者得到一点点自己的土地，甚至被迫卖儿卖女。没有土地的农民只好去受地主剥削，不然在他们获得土地之前，就没有生存的希望。

所以，在劳动变态的一致性下，封建社会战争的特征与封建社会剥削的特征是基本一致的。封建社会剥削的特征是地主主要依靠占有土地来剥削农民，封建社会战争的特征是地主为扩大或保护自己占有的土地而进行的战争。土地的占有是封建权力的基础和象征。在封建社会，小的土地所有者靠残酷剥削农民来扩大或保持自己的权力，大的土地所有者则靠战争来获取这种权力。历朝的更迭换代，在世界各个封建国家形式不一，具体诱发原因和冲突过程也不一样，但都不过是决定国家的土地在谁手里。我们知道，在原始社会和奴隶社会，人们对土地的要求都没有如此这般强烈。原始社会人们抢夺的主要是劳动成果，是财物，是可供直接满足生活需要的东西，人们对土地的兴趣并不是很浓厚的，即使抢占他方部落的生存地，也主要为了生存地上现成的可以享用的食物，而轻易地放弃已抢占的地块，又往往是极其平常的事情。这一方面是相对当时的人口数量而言，可开垦的土地潜力很大，水草丰美，自然物产丰富的生存地随处可择，并不缺少。如黄河中下游流域是中华民族早期主要的聚集生存地区，当时有着优越的自然条件，足以满足原始人生息繁养的需要，而在这一流域之旁，还有长江中下游流域具有良好的自然条件，可当生存地，但当时人烟稀少。再一方面是当时种植业还在发展的起步之中，对耕地的社会需求量不是很大，土地等自然条件作用还没有在劳动整体作用中突显出来。奴隶社会的战争主要是大量抢掠劳动人口和财物。奴隶主抢劳动人口强迫为奴，抢财物供自己享受，对土地的要求是次要的。据史料记载，一般侵入国军队是大肆破坏被侵入国的土地和地面建筑的，然后带着掠走的大批人口和财物扬长而去。封建社会的战争则不是这样，战争的直接目的是对土地的要求，争夺土地实质是社会权力之争的基础和焦点。正是人们对土地的狂热要求，才产生了长年累月的此起彼伏的一次又一次的封建战争。所以，封建社会战争同封建社会剥削一样，反映出劳动内部因素的主要作用的变化和劳动整体作用发展的水平，它们的特征都植根于劳动内部的自然条件起主要作用这一点上，没有劳动内部因素的主要作用从体力作用向自然条件作用的转化，就没有奴隶社会变态劳动向封建社会变态劳动的转化。战争不光是打仗，在它的起始动因上，存在着根本的劳动内部矛盾的制约，为什么打仗的具体实现总是随着劳动整体作用的发展而变化的。这也就是说，战争作为一种变态的求生方式，在常态劳动整体作用的不同发展阶段上，根本的目的是不变的，而直接的目的是渐次变化的，这种变化与劳动内部因素的主要作用的变化大体一致并由其决定。

从封建社会劳动的发展史中，我们可以看到，军事劳动总的规模是随着战争的需要逐渐扩大的。这里除了侵略战争的需要，还有反侵略战争的需要。一个国家，没有强大的军事劳动实力，只能被他国欺辱，这是变态劳动存在所决定的常态社会通行的准则，历史的和今天的事实充分证明这一点。所以在封建社会，平时的常备军的力量，就要占去当时总的生产能力很有限的社会劳动的相当一部分。制造兵器、生产军粮、重兵屯守，对内防乱，对外防侵，谙晓常态社会只能循此渐进的国家，总是积极地这样做的，而这样积极努力的结果总是会使国家保持强盛的。相反，虽然也这样做，但态度是消极的，被迫地去加强自己国家的军事劳动力量，结果就是付出了劳动而得不到保持自己强盛的结果。这种情况通常是两种原因造成的；一是统治者醉生梦死，腐朽不堪，全无长久打算。再是在这种国家里社会的伦理观念是理想化与庸俗化的糅合。理想化是用人的正态劳动观要求现实常态，庸俗化是同时又承认变态劳动的永恒性，两相糅合，迸发出一系列糊涂混乱的观念，以其昏昏，使整个社会惰化而疲软。结果，只会用所谓的正义去谴责侵略，而不能积极地保卫自己，总是打败仗。在战争存在的条件下，不积极备战的封建国家是不能保持自身存在的，这是常态社会的客观规定，理想化和庸俗化的社会伦理观是无济于事的，光有美好的善良的和平的愿望并不能保护自己，平日里讲吃讲喝讲安逸讲文采讲内耗，无防人之力，到了他国入侵的时候，指责入侵者不道德、杀人如麻、残虐疯狂，于事无补，到头来只能失去自身的存在。宋朝时，汉族人口世界为最，且文化发达，如果没有战争，那么经济的繁荣会是举世可数的。但是，历史不能假设，事实上战争不可避免地要到来，因为这是常态社会，并非人们想像中的真正的人的社会。而宋朝当时没有足够强大的军事力量，对此，不是几个主战派所能起决定作用的。战争是实力的较量，战场上的胜负得失是对战争实力的最终检验。光有推崇正态劳动的正义并不解决变态疯狂的问题。最后，蒙古大军挥麾南下，一举灭掉宋朝，使这个曾经创造出无数光辉文化的汉族国家不复存在，使所有的汉族人口沦为受蒙古族奴役的人口。可以说，在封建社会时期，整个汉族就此败落下来了，以后明朝的复兴，也未能挽回它最终败落的命运。现在世界上有许多人非常奇怪：为什么创造了古代灿烂文明的中国在中世纪以后落后了？对这个问题的解释是多种多样的，而且肯定原因是多方面的。但我们说，谁也不能否认，蒙古族大军对宋代汉族人民的毁灭性的摧残和奴役，是造成封建社会中国自此以后落伍于世界强国之林的最重要原因之一。

从早期的殖民主义发家史中，我们也可以看到同样的事情。野蛮的殖民者征服了无力抵抗的民族，占领了他们的土地，奴役他们，带有奴隶社会和封建社会的双重特征。结果是殖民者的国家获得了发展的物质基础，而被殖民的国家陷入苦难之中，财富的流失和精神上的打击造成这种国家的长期落后。这也是历史的事实。

总的说来，在封建社会时期，变态劳动是与正态劳动激烈地对抗着发展的。正态劳动的发展主要在农业上，变态的剥削发展主要是对正态的农业劳动进行剥削，而军事的变态发展也体现出农业社会的特征。由于正态劳动的发展对于变态劳动的发展具有一定的制约力量，因而封建社会的剥削和战争的变态才不至于疯狂到完全摧毁人类社会的本身存在。但是，在这一社会发展阶段，正态劳动的发展也还不能完全遏制变态劳动的狂虐，人类劳动是继续按常态发展下去。变态劳动的发展使社会的冲突更加强烈，这一历史必然不能从对生产资料私有制的经济形式分析中寻求解答，而只能从劳动的内部因素作用变化体现的劳动内部矛盾的发展中去做根本的认识。

四　资本主义劳动的辩证演变

资本主义劳动的形成是封建社会劳动历史地长期地发展的结果。在正态劳动发展的基础上，资本主义劳动整体创造出由近代开始至现代的全部资本主义社会文明。从外部特征来看，封建社会劳动是以农业劳动为主，资本主义劳动是以工业劳动为主，或是说，是以非农业劳动为主。从封建社会劳动向资本主义劳动的发展是建立在大机器工业产生的基础上的。没有大机器的发明和应用，就没有实现这种发展的可能。以往，人们常常是强调封建社会私有制与资本主义私有制的不同，但今天看来，除私有制的形式不同外，封建社会劳动与资本主义劳动并没有实质性的不同。这两种制度下的劳动的根本不同不在于劳动中的人与人的关系，而是仍然在于劳动中的人与自然关系的发展，仍然是劳动内部因素作用变化的结果，仍然是智力作用提高的效应，仍然是劳动内部矛盾发展的体现。

私有制是承认生产资料可为私人所有，私人占有了生产资料就可以占有生产资料在劳动中的作用并依此取得收益。因此，当占有生产资料的私人是以自身活劳动直接与其占有的生产资料相结合，他是自己以劳动主体的身份同时占有生产资料作为劳动客体即自然条件和资产条件的作用。但是，当占有生产资料的私人不是以自己的活劳动直接与其占有的生产资料相结合，而是通过他人的活劳动直接与其占有的生产资料相结合，并且自己仍要在这种结合中占有生产资料作为劳动客体的作用以获取收益，这就是私有制下的变态的剥削劳动。封建社会剥削劳动主要是通过占有土地这一当时农业生产中的最重要的自然条件的作用来获取收益，实现剥削的。但当劳动的智力作用提高，实现了大机器的发明和应用之后，工业劳动逐渐成为社会主要劳动，劳动内部因素的主要作用逐渐从自然条件作用转化为资产条件作用，以往占有土地自然条件作用的剥削者仍还保持他们的剥削收入，而另一部分新的占有大机器等为主的资产条件的剥削者就依据资产条件所起的主要作用获取了劳动的相当一部分收益，并由此取得在劳动中的支配地位。物的作用被占有了，成为了变态人的生产支配权力和收益权力，这是剥削劳动的共同点。因此，在私有制剥削的实质上，封建社会剥削与资本主义剥削是一致的。事实上它们是相通的，所不同的只是剥削方式不同，即剥削者所占有的劳动客体因素作用不同，我们看到，直到现在，占有土地等自然条件的剥削者依然存在。至于在封建社会剥削中，地主剥削的是农民，农民是由租地受到剥削的；在资本主义剥削中，资本家剥削的是工人，工人是由雇佣受到剥削的；这都是表现形式问题，是次要的区别问题，不是实质性的问题。资本主义剥削的特殊实质在于剥削者占有的是劳动内部起主要作用的资产条件作用。

在资本主义社会初期，当资产条件作用刚刚在工业劳动中起到主要作用，它并不比自然条件作用显得超出多少，倒是显然大大地盖过了体力作用，因为机器的使用首先的作用是替代人的肢体作用，是人的肢体作用的延伸和加强。汽锤代替了抡手锤，刨床代替了手工刨，火车代替了人拉肩扛。与人工劳作相比，机器生产效率高了几倍、几十倍至上百倍，对此，马克思曾做过这样的描述："由一蒸汽马力推动的450个走锭精纺机纺锭及其附属设备，需要两个半工人看管；每个自动走锭精纺机纱锭在一个十小时工作日里可访出13盎司棉纱，因此，两个半工人一星期可纺出365 $\frac{5}{8}$磅棉纱。可见，大约366磅棉花在变为棉纱时，只吸收了150个劳动小时，或15个十小时工作日，而用纺车，一个手工纺工60小时纺13盎司棉纱，因此，同量的棉花就要吸收2700个十小时工作日，或27000个劳动小时。在木板印花或手工印花这种旧方法被机器印花代替的地方，一台机器由一个成年男工或少年工看管，一小时印制的四色花布的数量，等于过去200个成年工人印制的数量。在1793年伊莱·维特尼发明轧棉机以前，轧除一磅棉籽要花一个平均工作日。由于有了他的发明，一个黑人妇女每天可以轧100磅棉花，而且从那以后，轧棉机的效率又大有提高。原来要花50分钱生产的一磅棉纤维，后来卖10分钱，而且利润更高，也就是说，包含的无酬劳动更多了。在印度，使用一种半机器式的工具——手工轧棉机，来使棉纤维与棉籽脱离。使用这种工具，一个男工和一个女工每天能轧28磅棉花。但使用几年前福尔布斯博士发明的手工轧棉机，一个成年男工和一个少年工每天可轧250磅棉花；在用牛、蒸汽或水作动力的地方，只需要几个男女少年充当添料工。16台这样的机器，用牛来拉，每天能完成以前750个人一天平均的工作"。① 所以，当时机器的应用，明显发挥了它的强大作用，人工劳作相比之下力量太弱了。这突然出现的体力作用的相对下降，使一向依靠传统体力劳动为生的工人遇到了严峻的生存挑战。于是，首先

① 马克思：《资本论》，第1卷，人民出版社，1975，第428页。

进入历史的是，传统的体力工人与新生的机器之间的斗争。“十七世纪三十年代，一个荷兰人在伦敦附近开办的一家风力锯木场毁于平民的暴行。十八世纪初在英国，水力锯木场好不容易才战胜了议会支持的民众反抗。1758 年，埃弗雷特制成了第一台水力剪毛机，但是它被十万名失业者焚毁了。五万名一向以梳毛为生的工人向议会请愿，反对阿克莱的梳毛机和梳棉机。十九世纪最初十五年，英国工场手工业区发生的对机器的大规模破坏（特别是由于蒸汽纺机的应用）即所谓鲁德运动”。[①] 这些斗争表现了人们在传统的体力劳动被用机器作用的劳动取代时的恐惧。这种表现确凿地说明了资产条件作用为主的劳动已经形成，劳动的整体作用是在一个新的阶段上继续前进。而当这种转变稳定下来之后，人们又不难发现，体力作用虽然被相对降低，但它仍然是必要的，原来从事传统体力劳动的人很快就普及为操纵机器的新的体力劳动者了，实现了体力作用随劳动整体作用发展的自身内容的转换。

资产条件作用成为劳动内部因素的主要作用，一方面引起变态的剥削方式的转变，一方面又引起变态的军事劳动发展特征的转变。资本主义时代的战争是战争发展历史的凝集，原始社会战争、奴隶社会战争和封建社会战争的行为特征表现不同程度地继承了下来和注入了新的疯狂，这种加深的继承性是资本主义时代战争的一个方面特征。除此之外，资本主义时代军事劳动的发展特征还表现在两个方面：一是规模、技术、规范化程度方面空前发展，成为发达商品经济的生产重要组成部分，表现出社会劳动整体对它的强烈的依赖性；二是同时它的发展又在正态劳动的制约下向间接维护资产条件的支配作用的方面演进，表现出效能的

① 马克思：《资本论》，第 1 卷，人民出版社，1975，第 468 页。

辅助性。总之，呈现了更大发展的相对独立性和复杂性。

继承性是野蛮和疯狂的沉积。且不论各个国家发生的大大小小的战争，只说两次世界大战，就是人类战争史的重演。战争的发展从未丢弃原始的野蛮，而奴役战俘、抢劫财物、侵占领土在资本主义时代仍然是战争中变态理性惯有的聪明表现。杀人如麻、嗜血如命，仍然是许多发动战争和热衷于战争的狂人的基本共性。自古以来血与火的战史还在深深地刺激着这一时代一心想创造英雄业绩的热血男儿女儿们的坦荡的或卑污的心灵。诚然，每一个人生下来都是无知的，是战争的历史循环往复地教育了一代又一代的常态人，每一代的常态人都懂得这是他们不可回避的历史事实和现实压力，没有战争就没有人类常态的历史。但是，由于人类自身对劳动的认识始终没有达到应有的高度，历史的人们难以认识战争是动物的求生方式在人类常态社会的延续和发展，只能自发地随之任之这一变态劳动演进。于是，所有的野蛮和疯狂，作为历史的产物，作为变态的创造，构成了资本主义时代的战争可以利用的天然手段。

依赖性集中地表现为军火工业高度发达。武器的制造成为工业品制造的重要组成部分。军用品的制造技术的改进成为带动整个劳动技术进步的先头阶段。如果没有战争，就没有使用武器的需要；如果没有使用武器的需要，那么就没有制造武器的需要；而制造武器却已成为社会经济发展的支柱，特别是技术发展的尖端；所以，从整个社会来看，陷入了既是战争需要武器、又是武器需要战争的莫比乌斯怪圈。国际社会不自觉地在依赖军事劳动的求生方式上越走越远，人们利用地球上的有限资源继续狂热地制造相互残杀的武器，这是变态劳动相对独立发展的一个重要方面。

然而，辅助性是资本主义时代军事劳动发展的最基本的趋势特征。建立强大的军事劳动力量，或发动战争侵略别的国家，或为制止侵略战争保卫自己的国家，在资本主义时代，其主要目的越来越脱离直接的战场需要，而渐渐地倾向于只成为威慑力量来达到扩展或维护本国劳动整体中的资产条件作用的目的。这种转变的趋势形成，首先来自正态劳动发展的制约。战争，作为变态劳动的行为表现，对正态劳动的成果创造具有极大的破坏力，正态劳动必须制止这种破坏，才能获得发展的必要的社会环境。资本主义时代，正态劳动的发展创造的人类生存条件大大好于以前社会，相对劳动能力，至少在目前阶段依靠战争求生存的必要性大大降低了，而且，正态的精神劳动的发展也为制止战争付出了相当的努力，总合起来，正态劳动对于阻止军事劳动直接付诸战争在二次世界大战后取得一定的效果。其次，由于军事力量只当做威慑，是有利于劳动整体发展的，所以变态劳动的主体同样可以从中受益，对于直接战争的要求相对也降低了。最后，人类物质劳动的发展已经打开通向宇宙的大门，人类常态社会最终取消战争的物质基础准备已获有一定的可能性。因而人们已开始较自觉地在制止战争行为，只取军事威慑作用是现实的最好选择。当然，现实的威慑也不等于一点儿不真打，而是不断地小打，局部地打，短时间内打。

显然，依赖性与辅助性是相互冲突的。一方面，军事劳动必须要发展，军火工业和军工技术已成为工业经济基础，不发展军事劳动对于军事大国的眼前经济具有很大的影响。而且，国家的存在客观上也必须要拥有军事实力。如果一个国家缺乏自我保护力量，那么受到损害的不仅是资本家，而是包括全部国民的利益。另一方面，军事劳动已不能全部或大部地起战场作用，其作用已降到辅助地位。战场不是主要目的，威慑作用成为主要目的，影响军工生产发展。人们既离不开武器的制造，又真正感到制造的武器对人类本身的生存威胁，因为一场核战争的结果消灭的可能是几百万、几千万人，也可能是全人类，所以，武器的制造与武器的使用尖锐地矛盾着，蕴含着社会对军事劳动的依赖性与军事劳动只能起辅助性作用的矛盾，这是深层的矛盾，既有历史的积存因素的影响效力，又含本身发展阶段劳动整体作用的制约力量。从某种意义上讲，自觉地认识这一矛盾，有助于最大限度地减少这一矛盾造成的盲目的代价。但解决这一矛盾，就是要根本消灭这一矛盾，则还需要真正具备物质基础，需要更自觉的认识努力，一句话，需要劳动整体的进一步发展。这一矛盾的存在深刻地体现了资本主义时代军事劳动变态发展的复杂性。

资本主义剥削劳动和军事劳动的存在与发展，是常态劳动发展在特定阶段上的必然表现，是劳动因素的主导作用与主要作用相分离的外在结果，是常态人还未能超越动物的求生方式的历史演进。对此，任何正义的道德的谴责都不能代替经济的实质内容分析，任何美好的愿望都不能取代劳动的辩证发展历程，任何社会的人与人的关系都取决于劳动发展的内在的人与自然关系的整合状况。而决定人与自然关系的主体因素是劳动智力，智力作用的相对提高决定封建社会剥削向资本主义剥削转化、封建社会战争向资本主义时代战争转化；智力作用的相对不足决定人类还不能突破封闭的有限的地球生存空间压力，因而还不能完全超脱动物的品性，剥削与战争就不可避免地要存在和发展下去。

从劳动发展的历史看，决定资本主义社会常态劳动特征的是劳动内部因素以资产条件作用为主要作用。这就是说，并非资本家与雇佣工人的对立关系是资本主义社会经济的实质矛盾，这种经济对立关系仅仅是劳动社会属性中人与人的关系在这一发展阶段上的一个主要方面的外在表现形式，构成其社会经济的实质矛盾必然在人与自然的关系上，即在劳动主体与劳动客体的矛盾上，这一矛盾的具体的特殊性表现就是资产条件作用是劳动内部因素的主要作用。然而，从历史上看，这种内在的构成矛盾关系总是被外在的人际关系矛盾所掩盖，使人们往往习惯于从外在的形式来直接地表述问题。而事实上如果人们仅仅地表述外在的形式矛盾，讲不出内在的实质内容的矛盾特殊性，那么就可能会脱离人类常态劳动的客观发展阶段去批判社会的存在。这样的批判必然违背马克思主义的基本认识观。马克思主义将劳动看做认识人类社会发展的锁钥，更确切地讲，只有辩证地认识劳动的发展，才能真正掌握这把认识人类社会发展的锁钥。以往的认识史表明，脱离了这一点不可能透辟地分析资本主义经济现实存在的问题，而以道德的谴责来补充认识的空白一直是历史的沿袭。更重要的是，外在形式分析的方法，不能涉及劳动因素作用的变化历程，不能阐明资产条件作用在劳动整体作用发展中的历史阶段性。我们曾一再指出，劳动的内部因素作用是变化的，由此构成劳动的辩证的生动的发展历史。所以，人们不应孤立地看待资本主义社会时期的资产条件作用，不应孤立看待资本主义社会埋藏的劳动变态问题。只就资本主义劳动来谈资本主义社会经济问题，并不是辩证认识的态度。如果看不到资产条件作用为主要作用是从自然条件作用为主要作用演进过来的，那么就不可能从劳动发展的最根基点来阐述资本主义剥削特征的形成原因，就会以次要的或形式的分析来顶替本质的分析，甚至还可能造成虚假的判断。因而这种分析不可能有力量，一旦形式的或理解的情况变化了，就失去了论证的依据，显露出认识的缺陷。如果看不到资产条件作用为主要作用还要进一步向前发展，最终实现智力主导作用与智力主要作用的合并统一，那么对资本主义社会时期劳动变态的认识就不可能是辩证的态度，就可能是用对经济生产形式的一个方面即生产关系的改造来说明人类社会的向前发展问题。

因而这种形式的分析就会无意之中将生产关系当做了社会经济发展的决定因素，从而违背马克思主义认识社会的根本观点。事实上，正因资产条件作用为主要作用只是劳动整体作用发展中的一个必经阶段，这个阶段必然还要让位于新的劳动发展阶段即为社会主义劳动和社会主义社会发展阶段所取代。资本主义的常态劳动和资本主义的常态社会绝不是人类劳动和人类社会发展的终点站。一些资本主义国家的经济学者将资本主义的社会经济关系和资本主义市场的运行准则看成是完美的和永恒的，是没有任何科学根据的。

众所周知，人类常态社会的发展进入资本主义社会时期以后，取得了惊人的巨大的经济成就。目前，世界上经济最发达的国家都是资本主义社会制度的国家，最发达的资本主义国家的经济发展水平远远高于其他国家。自资本主义社会初期，大机器工业的形成就创造了在此之前任何社会都无法比拟的高生产率；到本世纪中期，随着新技术革命的兴起，资本主义社会经济一下子又跃上更大发展的新台阶。从现今的资本主义商品经济发展来看，日用百货品种新奇，花色齐全，制作精良；工业用品丰盛发达。生产设备已经频频换代进入了自动化时代，高、精、尖的新技术应用比比皆是。一些资本主义国家，早就修建有完备的系统的水利设施，纵横交错的水、陆、空交通运输网，功能健全的商业服务业网络，高楼林立的繁华的大城市，展示出现代社会生活的高水平。不仅如此，在这些国家，还拥有目前世界上最先进的科学研究设施，最尖端的航天航空设备，最发达的战略武器，最庞大的教育体系和最高技术的工农业生产体系。对于这些举世瞩目的经济建设成就，这些国家的学者认为要归功于资本主义社会制度，认为这只有靠实行资本主义剥削才能实现。也就是说，他们将社会制度看成了社会经济发展的决定因素，他们把资本主义剥削变态关系说成是天经地义的人类社会的经济关系，他们对资本主义社会的赞美包括社会对军事劳动的依赖性在内。这种认识并不符合客观事实。第一，将资本主义社会的经济发展归结为社会制度的决定作用，是脱离劳动的整体发展来认识问题。劳动是社会经济生活的实质内容，社会经济的发展实质是劳动的发展，劳动是具有整体性的，发展必然是整体的发展，而社会制度因素仅仅是劳动中由人与自然的关系决定的人与人的关系的一个方面的外在表现形式，它本身是被决定的因素，不能决定社会劳动的整体发展问题。第二，将资本主义社会制度作为社会经济发展的决定因素，忽视了人与自然关系即劳动内部矛盾发展的决定作用。真正决定劳动整体发展的是人与自然的对立，是劳动内部因素作用的变化。看不透这一点就只能是流于社会经济的表层去寻找发展原因。第三，将资本主义社会制度看成是经济发展的决定因素，混淆了正态劳动与变态劳动的性质区别，模糊了不同态势劳动的社会不同作用，造成了突出变态劳动作用、美化变态劳动作用的效果。这是从根本上违背社会经济发展的客观事实的，事实上正态劳动是社会发展的希望，而资本主义社会制度若抽掉反映一般的内容只就其特殊性讲，是主要维护变态劳动的。因而这种颠倒正变态劳动作用的认识，对于人类自觉认识自身的发展规律是一种阻力。总之，对资本主义社会经济发展的认识，不能将决定作用归结为资本主义社会制度，必须看到，资本主义劳动是人类常态劳动发展的一个阶段，资本主义劳动整体的发展决定资本主义社会经济的发展，劳动整体的内部矛盾是决定社会发展的基本矛盾，高度发达的资本主义经济发展的基础是正态劳动的存在和发展作用，而体现资本主义社会制度特征的对变态劳动秩序的维护，因变态劳动必然是对正态劳动的依附而只能发挥出次要性的非决定作用。

认识劳动整体中的人与自然关系，即认识劳动的内部矛盾，并认识这一矛盾的内在的主导因素是智力因素，智力作用的提高决定其他因素作用变化，是认识任何社会经济发展的首要问题。任何社会经济的发展都是由其劳动整体内在的人与自然的关系发展决定的，资本主义社会经济的发展是这样，社会主义社会经济的发展也是这样。

五　社会主义劳动的辩证演变

按马克思主义的严格区分，社会主义社会不是一个独立的社会形态，社会主义社会是共产主义社会的初级阶段，是实现由资本主义社会向共产主义社会转化的过渡阶段。因而，社会主义劳动的存在和发展呈现过渡性。在这一特定的社会时期，社会主义劳动不像封建社会劳动那样处于自然条件起主要作用的阶段，也不像资本主义劳动那样处于资产条件起主要作用的阶段，而是处于从呈现资产条件作用为主向智力作用为主转化的趋势到最终实现智力因素起主要作用的阶段。

具体形成社会主义劳动的原因可能是多种多样的，具体的社会主义劳动的发展程度可能是有高有低的，但是，实现资本主义劳动向社会主义劳动转化的决定点仍然是劳动智力作用的提高，由此才决定了人类常态劳动整体发展的这一质的飞跃。

社会主义劳动自产生到结束自己的历史，将是一个逐渐将劳动客体的作用收归社会所有的过程。通过这一过程，人类将实现共产主义劳动。在社会主义劳动发展阶段，智力作用将逐步发展成为劳动整体作用中的主要作用，即实现劳动内部因素的主要作用与主导作用的合并，这表现出劳动内部因素的主要作用的归复，这就使劳动主体在劳动整体的发展中自身重新处于支配地位，而不再是通过对劳动客体作用的占有来实现支配。从新的主要作用向劳动主体作用复归转向了彼此生存意义连接的人的社会。从劳动内部因素作用变化讲，即从劳动内部矛盾来分析，我们可以做出这样的区分：共产主义劳动的特征是以智力作用为劳动内部因素主要作用的劳动，社会主义劳动的特征是从以资产条件作用为主向智力作用为主过渡的劳动。所以，从这个意义上讲，社会主义劳动的根本任务就是实现这种过渡，劳动客体的作用收归社会所有只是社会主义劳动特征的外部表现形式。

正是由于智力作用相对提高，这种提高意味着人类将可能最终打破封闭的地球生存空间的限制和从根本上缓解人类整体的生存压力，劳动客体特别是资产条件对劳动成果的作用才能相对降低，人们的生存依赖才能从争夺劳动客体条件转向更积极主动地开掘自身主体的潜力，于是，将劳动客体的作用从私人占有转移到社会占有才具有可能实现的客观物质基础。这就像原始人必须形成群体才能生存一样，真正的人类整体生存压力的缓解，为了生存的个人占有劳动主要作用必须让位于社会一致地保护劳动主体作用和占有劳动客体作用，人们必须在社会范围内结成一致的生存利益和最终树立全人类共同生存意识，这样人类才能在今后长远面临的生存条件下在真正的人的意义上生存下去。这就是说，作为劳动客体的生产资料从私有制向公有制的转变，不是人们主观的意愿，而是劳动发展的客观历史要求，是人类整体生存下去的必然要求。在劳动还没有发展到这一阶段时，在整体的生存压力现实迫切的状态下，人们之间必然不顾一切地从个人生存目的出发争夺生存条件，这种争夺包含有变态劳动的发展，虽然争夺的结果从总体上降低了人对自然的控制能力，但这在人类常态劳动发展史上是不可避免的，不仅没有能力避免变态，而且在一定程度上还要依靠变态的争夺来形成实现整体生存的动力机制，以整体的受损害和社会绝大多数人遭受压迫和片面发展为代价推动社会整体的发展。只有当劳动发展到一定阶段，个体的生存有了现实的基本保障，整体的生存延续获得了实现的希望，人类才可能逐步地改变自身之间对劳动客体条件的变态的争夺，以现实的劳动客体作用相对降低和劳动主体作用相对提高为基础，以未来的人类整体生存要求为目标，经过自身顽强的努力来取消变态劳动的存在。总之，在社会主义劳动发展阶段，实现劳动客体作用的私人占有向社会占有的转移，是人类劳动整体发展脱离常态进入正态从而获得整体力量突破的客观需要，是人类劳动辩证发展趋势的内在要求。

我们知道，这种客观要求的实现还需要相当的努力，还需要一定的代价。劳动客体作用收归社会占有，即生产资料公有制的建立，只能逐步实现。它的起步，即这一渐进过程的起点是艰难的，是人类社会劳动整体中的很小的一块局部的质变。而且，社会主义的生产资料的社会占有，是范围有限的社会，它与人类劳动整体发展最终正态要求的实现大同的社会，相距甚远。

从历史来看，已经出现的局部社会占有分为：小集体占有、大集体占有、社区占有、国家占有、国际区域占有等等。以国家占有为社会主义社会占有的典型标志，为一个国家的社会主义制度建立的基本依据。需要明确的是，这种局部占有的社会，必须要向全球人类大同社会发展，才具有进步意义，也就是说，它必须是整体演进过程中的一点，才能获取全过程进步赋予的意义，否则，脱离整体进程的局部社会占有只能引起更为剧烈的局部社会间对劳动客体条件的争夺。整体的演进过程将是：先产生小的局部社会占有，然后渐渐扩大占有的局部社会，最后融为全球人类社会大同。无疑，这一演变是人类常态劳动发展史上最后的也是寓意最为深远的乐章。

所以，社会主义劳动的一般要求是向共产主义劳动过渡的局部社会公有制劳动。社会主义劳动的过渡性是有特定限制的，它以劳动的内部因素主要作用向智力作用转化为依据，有特定的发展要求和目标，并非泛指一切过渡性表现。现阶段有一些国家或经济团体，在一定程度上也实行了对劳动客体的局部社会占有，并通过这种占有获取一定的劳动成果，但这种局部社会占有的目的不是为了向共产主义劳动发展过渡，只是为了更好地维护本局部社会的部分人或全体的利益，因而虽从表面上看好像与社会主义公有制形式没有什么两样，但实质与社会主义劳动的性质完全不同。

由于社会主义劳动有其严格的内涵限定，因此，从现实讲，社会主义劳动的实现需有相应的社会制度保障。缺乏一定的社会制度保障，这种向全球人类社会大同发展的劳动是无法产生和存在的。在私有制基础上不可能建立社会主义劳动。这也就是说，社会主义劳动总是同相应的社会主义国家制度相连的，总是在社会主义性质国家中存在的。

建立社会主义制度国家的目的是实现社会主义劳动，而社会主义劳动本身又是社会主义制度国家实现的基础。这二者是相辅相成的。

社会主义劳动必定是社会主义公有制下的劳动。经济的形式反映一定的劳动内容的要求，任何内容都必须有一定形式表现，没有公有制形式，社会主义劳动不能形成自身的本质存在，不能完成自身的根本任务。

社会主义劳动的根本任务是实现向共产主义劳动过渡，这是从社会主义阶段的特殊性来认识的。任何劳动的目的都是为满足社会的人的需要，社会主义劳动并无例外。社会主义劳动根本任务的特殊性在于它不是一个独立的社会形态的劳动，它要向完整社会形态劳动过渡。所以我们才在劳动的一般目的性之上又对社会主义劳动的根本任务做了明确界定。

现时的社会主义劳动的实现是人类劳动智力作用在新的自觉与不自觉发展阶段上的自觉运用的表现，比之以往社会的劳动，社会主义劳动更多地具有认识自觉的成分。概括地讲，自觉表现在两个方面：一是自觉地向智力作用为主转化，再是自觉地消除变态劳动。这两个方面是休戚相关的。没有前一个方面自觉的努力，就没有后一个方面自觉的实现；没有后一个方面自觉的实践，也没有前一个方面自觉的成功。

社会主义局部社会占有劳动客体作用意味着作为占有者的社会直接获取劳动客体作用产生的经济利益。这种利益的实现是其劳动主体的整体利益和根本利益的实现，解决劳动主体的整体生存和根本生存问题。劳动主体的个体生存问题即个人生活消费按劳动主体活动（活劳动）实现价值分配，即按劳分配。按劳分配就是按非剥削劳动主体活动分配。这是社会主义劳动者的个人分配原则。

局部社会占有劳动客体作用是取消剥削变态的基本途径。这对于实现向共产主义劳动过渡，即实现真正的人的正态劳动，结束人类常态劳动的历史，是必不可少的一环。这也就是说，社会主义劳动与私人占有劳动客体作用的剥削劳动是根本不相容的，按劳分配的原则是对按资分配的否定。社会主义劳动是排斥个人（不论什么人）只凭占有劳动客体即只凭具有生产资料所有权就获取收益的（不论什么方式）。所以，社会主义劳动与资本主义劳动的根本区别在于：一个要取消变态劳动，一个要保持并发展变态劳动。社会主义劳动的根本任务决定它要取消变态劳动，而资本主义劳动则保持并发展变态劳动，因此，社会主义劳动与资本主义劳动绝不会趋同。

值得注意的是，局部社会占有劳动客体作用是以一定的经济组织形式即社会主义公有制形式实现的，这种形式是为内容服务的，不可脱离内容要求。在已有的社会主义实践中，我们不难看到，在有些时期，在有些地方，将公有制搞成为公有而公有的实践，似乎好像只要实行了公有制，就是实现了社会主义劳动。而其实，是不是社会主义劳动，除了形式，还要看内容，如果劳动的内容不是取消剥削，不是逐步向全球人类社会大同过渡，那么其公有制就是徒有社会主义其名的。所以，不管社会主义公有制采取什么样的实现形式，都必须符合社会主义劳动内容的要求，回避这一点，就会对社会主义产生模糊的认识。

社会主义劳动向共产主义劳动过渡，既要取消剥削劳动变态，也要取消军事劳动变态。相比剥削劳动，军事劳动是更疯狂的劳动变态，是比剥削的取消更难消除的变态劳动。但问题的复杂性在于，社会主义劳动必须要用加强军事劳动的方式来为最终取消军事劳动做准备，与资本主义军事劳动不同，社会主义军事劳动只是有条件的保留，不具有继承性和依赖性，它只是作为抵抗军事劳动既有的物质力量和精神力量存在，最终是为取消自身服务的。

社会主义劳动的发展是劳动整体的发展，智力作用的提高是决定的因素。正是在智力作用的提高下，劳动的整体才能完成取消变态劳动的物质基础准备，才能实现对自身的自觉的认识，才能从常态劳动质变为正态的真正的人劳动，即共产主义劳动。这一劳动的质变，将结束真正的人类社会的史前史，将使人类整体能够在正态劳动的基础上在真正的人的意义上与自然保持交流而生存下去。而在实现这一质变之前，人类劳动是不完善的，也就是说，是常态的，包括变态劳动即动物的野蛮的寄生的求生方式的延续和发展在内。社会主义劳动作为一种过渡性劳动，其发展过程就是人类劳动由不完善到完善的质变过程，即取消变态劳动实现常态劳动向正态劳动质变的过程。劳动是社会的基础，所以，如果用一句话来概括表达什么是社会主义？那么我们就可以这样说：社会主义是一个人类劳动完善化的过程。

这是马克思主义政治经济学对社会主义的最基本认识。马克思主义对人类社会发展的认识是建立在对劳动的认识的基础上的，因此，对于社会主义发展阶段实质的认识，只能在对劳动发展的辩证认识中找到科学的答案。

社会主义劳动的过渡性及其完成根本任务的艰难性，决定社会主义劳动实践的表现错综复杂。我们知道，劳动的智力作用发展，在全球人类劳动中是不平衡的；正态劳动与变态劳动的对立，在世界各国的表现程度也不是划一的。这两个方面的存在，就足以使资本主义劳动向社会主义劳动转变既是一个长期的过程又是一个多样化的过程。现今，资本主义劳动作为人类劳动的主流，还没有大规模转变的可能，它还在蓬勃地发展之中。但历史的事实是，在20世纪前半期，中国等国家已经开始了社会主义劳动实践。这种实践的开始，即以全人类劳动整体的发展为基础，也以这些国家的先进人物认识到这种转化的必然性并付出巨大代价的努力为条件。我们认为，不论社会主义劳动产生于哪个国家，它都代表了人类常态劳动发展的整体趋势。尽管目前尚存的社会主义劳动实践还很不成熟很多坎坷，但方向与客观的发展要求是一致的，有曲折，但还是在前进。即使现有的实践全部反复了，也还会再产生。因为常态劳动只要存在，它必然要进入劳动完善化的过程。

第十五章　自然的必然与社会的必然

劳动的内部因素作用的变化与发展决定劳动整体的发展变化，这表现出劳动的内部矛盾发展决定社会发展的规律。在劳动的内部矛盾发展中，即人与自然的关系发展中，既含有自然规律对人类劳动活动的根本制约，又含有社会的人对自身的自觉的认识及其与自然交流的能动的创造。所以，人类社会发展的规律，一方面联系着自然的必然性，是自然规律的延伸或转化；一方面联系社会的必然性，是人类意识自觉的能动性作用的体现。

一　劳动的内部矛盾发展决定社会发展的规律

劳动是社会的劳动，社会是劳动的社会。因此，劳动的内部矛盾发展决定社会发展的规律是人类社会发展的基本规律，劳动的内部矛盾是人类社会基本矛盾。这一规律的基本概括是：人类社会的整体与人类劳动的整体是相适应的。人类劳动整体的发展决定人类社会整体的发展，在人类劳动整体发展的一定阶段上形成人类社会形态发展的一定阶段。劳动整体中的主体与客体之间的矛盾是劳动的内部矛盾，也是劳动（社会）的基本矛盾，包含4个基本因素，即劳动主体方面的体力因素和智力因素，劳动客体方面的自然条件因素和资产条件因素。劳动主体与客体之间的矛盾在4个因素之间展开，劳动主体的智力因素是基本因素中的主导因素，随着智力作用的逐渐提高，其他基本因素的作用逐渐变化，推动人类劳动整体向前发展，并由劳动的整体发展决定社会整体的发展。由于人类劳动的起源是常态劳动，既有正态劳动又有变态劳动，所以在常态下，劳动内部矛盾的发展不断地引起正态劳动与变态劳动的对立的变化，推动着常态劳动整体发展并决定常态社会整体发展，这种常态发展的趋势是劳动将完善化，即由主客体矛盾的发展决定消除变态劳动，实现人类劳动整体的完全正态发展，并依此决定人类社会整体正态的实现和继续向前发展。

在此之前，我们对劳动发展阶段分析，直接采用了各个社会形态的划分，现在需要明确的是，在社会形态与劳动发展阶段二者之间，不是社会形态决定劳动发展阶段，而是劳动发展阶段决定社会形态。也就是说，不是奴隶社会决定劳动成为奴隶社会劳动，不是封建社会决定劳动成为封建社会劳动，不是资本主义社会决定劳动成为资本主义劳动；而是劳动内部矛盾发展使体力作用成为内部因素的主要作用时，常态社会的发展随常态劳动的发展进入奴隶社会；而是劳动内部矛盾进一步发展使自然条件作用成为内部因素的主要作用时，常态社会的发展随常态劳动的进一步发展进入封建社会；而是劳动内部矛盾的再进一步发展使资产条件作用成为内部因素的主要作用时，常态社会的发展随常态劳动的更进一步发展进入资本主义社会。通常人们所说的，青铜器的使用标志着奴隶社会的形成，铁器的使用标志着封建社会的形成，大机器的使用标志着资本主义社会的形成，只不过是劳动内部矛盾发展的各个阶段上的外在表现。实质上决定历史上社会形态演进的是劳动内部因素的主要作用由于智力作用的提高产生的更迭。在常态社会历史上，各个社会形态区分的明显标志是由劳动内部因素的主要作用不同而导致的相应的变态劳动的不同。

对社会发展的终极原因概括在劳动的内部矛盾发展之中，是辩证唯物史观认识新视角的新的探获。这一认识是将人类劳动内部矛盾因素作用的变化与变态劳动的发展联系在一起，从而在劳动自然发展的基础上内在地解释了劳动的辩证发展关系。我们的概括与前人不同的关键之处在于：在我们之前，人们只是讲劳动是社会发展的基础，没有强调劳动自身的发展，更没有揭示劳动的辩证的发展关系；而我们则一直分析的是劳动的自身的发展，强调的是劳动的发展对社会发展的基础作用，揭示了人类常态劳动发展的辩证历史过程，并透过劳动发展的外部矛盾看到了劳动的内部矛盾的发展，进一步分析了劳动内部矛盾对劳动整体和社会整体的发展的决定作用。

我们知道，以往理论对于社会发展基本规律的认识是生产关系一定要适合生产力状况的规律。我们认为，这种认识存在以下不足：第一，生产力与生产关系是劳动的社会属性的两个方面，即人与自然的关系和人与人的关系的表现形式，以形式的抽象表现社会发展的基本规律，回避了对社会发展的实质内容的概括，必然使人对社会发展趋势的认识流于形式化。第二，生产关系一定要适合生产力状况的规律没有表明生产力的发展是由什么决定的。如果说，生产力的发展是由生产力的内部矛盾决定的，那么很显然这一规律的概括没有到达终点上，讲的事实上是基本矛盾之上的矛盾。而如果说，生产力的发展由什么决定的是不必认识的问题，那么也就解释不了为什么生产关系一定要适应生产力的问题，因为前提若不必认识，就不可能搞清楚生产力的状况为什么变化，而不知道生产力状况为什么变化，也就无法说清楚生产关系为什么要适应它的变化。从现实来看，人们问到为什么要发展生产力，答曰这是社会发展的需要；人们再问社会发展需要什么，答曰需要发展生产力；实质是循环论证，不做深入的认识。第三，生产关系一定要适合生产力状况的规律没有对生产力做辩证的区分，更没有强调正态的生产力与变态的生产力的不同作用，这就使生产关系要适应的生产力是笼统不清的。我们知道，历史的和现实的劳动是正态与变态统一的常态劳动，作为常态劳动中的人与自然关系和人与人关系的表现形式，常态的生产力亦要分正态与变态。所以，没有辩证的区分，根本无法深刻地认识常态社会，无法真实地反映社会发展内在的辩证运动。总之，生产关系一定要适合生产力状况的规律并不是人类社会发展的基本规律，运用这一规律不能满足认识常态社会发展基本问题的需要。

与生产关系一定要适应生产力状况的规律不同，劳动的内部矛盾发展决定社会发展的规律是从社会经济生活的实质内容出发对社会发展所做出的规律性概括，阐明了劳动内部矛盾中的人与自然的关系发展决定人与人的关系发展，表现了对社会发展规律的终极的认识，反映了人类常态社会发展的必然趋势。劳动的整体性被突出地摆在了认识前提的位置上。在整体性的规定下，劳动的主体与客观的矛盾这一劳动的内部矛盾被揭示了出来，由此我们才看到社会发展的内在的辩证的运动关系。因而，劳动的内部矛盾作为劳动的基本矛盾同时也表明它是社会基本矛盾。

劳动的内部矛盾发展决定社会发展的规律揭示说明，人类劳动的发展不是到了资本主义社会，使人的劳动完全失去人的意义，成为非人的劳动的，而是说自从人类劳动起源，劳动就从还未获得过完全的人的意义。也就是说，变态劳动一直是存在的，并且随着人与自然关系的变化而变换形式，到了资本主义社会这种变态发展至极端。这说明，不能割断历史的联系来看资本主义劳动的特殊性，更不能脱离劳动的整个发展史来认识资本主义劳动的发展趋势。人类在资本主义劳动中付出的代价，同在前资本主义劳动中付出的代价是同样的，都是在特定的历史条件下推进劳动整体发展不可避免的。在旧有的理论基础上怀着满腔的义愤诅咒资本主义罪恶，并不解决对资本主义劳动的历史的辩证的认识问题。资本主义劳动不过是人类常态劳动辩证发展过程中一个阶段上的特殊存在。

运用劳动的内部矛盾发展决定社会发展的规律分析现实社会，具有理论的彻底性。这种分析能够明确地回答社会主义与资本主义的实质的不同，说明资本主义是正态劳动与变态劳动严重对立的社会，是变态劳动最兴旺发达的时期，而社会主义则是取消变态劳动，实现人类劳动完善化的过程。这绝不是用笼统的生产力发展水平所能阐明的。由于军事劳动是最基本最疯狂的劳动变态，是剥削劳动产生的源流，所以，社会主义对资本主义的取代，不仅是消灭剥削，更根本的是消灭战争。尤其重要的是，这种分析还明确地揭示，变态劳动取消的基础，不是任意的，必定是劳动主体与劳动客体矛盾的发展达到人对自然的对抗能力的对封闭的地球有限生存空间的整体突破。这就从劳动的整体性上彻底地阐明了建立在自然的必然的基础上的社会主义实现的必要性和共产主义实现的社会必然性。

二　自然的必然与劳动的发展

劳动的内部矛盾展示了人与自然的对立。自然的必然是对立中的自然的人化自然方面的内在实质的表现。这种必然是劳动内部矛盾客体方面约束的基础，从而也是劳动整体发展约束的基础。

任何进入劳动的自然物都具有一定的存在性质和一定的发展趋势，这是自然的必然。劳动可以制成简单的石斧，但却不可改变石头的构成元素的性质。劳动可以将野稻改造成家稻，进至培育出杂交水稻，但是不能将稻子种成麦子。劳动可以使宇宙飞船进入太空，但绝不会使宇宙的性质适应飞船，而只能使飞船的建造适应宇宙的性质。自然的必然隐秘在自然的具象和表象的联系之后，统领着自然的变迁。劳动主体认识的自然的必然越多，劳动的视野越开阔，劳动利用的自然范围越大。从某种意义上讲，自古至今的劳动发展史，就是一个对自然的必然认识的发展史。

迄今，劳动主体只能认识有限自然中的有限的必然性。千千万万的奥秘还在探索之中。劳动主体通过不懈地探索获得自身的提高，而自身的提高又不断地加深着探索。

劳动主体对自然的必然的认识可以无休止地延续下去，因为认识对象可以从有限走向无限。

自然的必然，有的简单直观，有的复杂深奥。风雨交加、雷鸣电闪，人们看得见，体察得到，对这种必然的现象即使不理解，也都承认其存在。但对微观世界的联系，对于原子奥秘，就难以确认了。对宏观世界，对宇宙间的联系，也是难以把握的。在 20 世纪 40 年代初，链式核反应的必然性，不用说为广大公众不能接受，就连那些直接参加原子物理研究工作的科学家们也不能肯定，甚至核物理的创始人对此也持怀疑态度。即使是已经从理论上计算出了原子能力量的爱因斯坦，也曾向记者透露过他不相信原子能可以实际使用。然而，在科学家们的努力下，到了 40 年代中期，这种必然性就被证实了。随即被用于战争。后来约在 50 年代前期，实现了原子能的和平利用。相比地球上的事物，宇宙间的必然更不易领悟。火星上存在植物曾长期为一些天文学家深信不疑，他们依据光谱测定法间接论证火星植物的存在。那时，如果谁有意或无意地当面表示出对火星植物的怀疑，这些声望显赫的科学家会很轻蔑地讽刺你：难道你真的要等到从火星上摘回几颗卷心菜才会相信？难道你没有见过原子就不相信原子的存在？但事实是，后来人们使用宇宙探测器对火星做了直接的观测，[①] 这才发现火星上只有微薄的水，比地球的大气干燥几千倍，火星植物根本不存在。

尽管劳动主体已探得的自然的必然的奥秘由浅及深，由窄及阔，由有限趋向无限，这是人类劳动不可脱离的基础；尽管需要继续探索的自然的必然的奥秘，还有万万千千，永无止境，这是人类劳动发展的根本希望；尽管在对自然的必然的认识的各个方面，人们还不无争议；但是，从辩证唯物史观来看，自然的必然对人类劳动发展，准确地讲，对人类常态劳动发展，影响最大的是生存竞争弱肉强食的必然性。

物竞天择，适者生存，实质是强者生存。自然的必然就是弱肉强食。强者为了生存，必然要以弱者为食。在自然的竞争中，谁强谁就是支配者，别无他议。强者生存，是自然的淘汰，也是存在的必然。在自然的平衡中，弱者是失落的生灵，是强者存在的代价。谁是强者，相对而定。[②] 同类之中，亦有强者。异类之间，伯仲分明。这也是自然的必然，是客观的存在。对于这种强弱种差的存在，人们只能作为既定的事实接受下来，无须异议。动物的自然求生方式就是强者为王，弱肉强食。强者支配弱者，或迫使其服从，或直接吞食，是动物的自然行为。这本无可厚非，童话里对动物强者残暴的鞭笞，无非是拟人的手法，与必然

① 1975 年，美国的探测器在火星着陆。
② 中国的成语：“螳螂捕蝉，黄雀在后”，很形象地表现出这种相对性。

的自然并无相干。对于这种动物的特性，人们似乎没有异议。问题只在于，如何看待动物的求生方式在人类常态劳动发展中的自然延续。

常态劳动包括变态劳动，变态劳动奉行的准则，同动物的自然行为一样，也是弱肉强食。只不过，变态劳动中的弱肉强食形式上更加复杂化了。在正态劳动的制约和影响下，变态劳动的弱肉强食披上了一张人化的外皮，渗入了意识的作用，掺与了情感的因素，甚至赋予法律的维护。如果仅仅从形式上看，那么变态劳动与动物行为之间的差别无疑是很大很大的。最简单地说，任何人都可以指出变态劳动的主体是穿着人的衣服，而动物是赤裸裸的。但是，从实质来看，变态劳动的行为准则仍然还是动物式的弱肉强食，没有任何超出自然的必然的意义。而且，除去变态文明的一面，变态劳动的残暴是任何动物的残暴所无法比拟的，是自然残暴的自然延续的强烈扩展。因而，人类常态劳动中的变态劳动的必然仍然还是自然的必然。变态的人与人的关系，即变态的人的自然化（变态社会），实质上仍然属于人化自然的范畴。

从这个意义上讲，“人是什么？一半是野兽，一半是天使。”这句话可以说是人类常态劳动存在决定人类常态社会存在的一种真实写照。正态劳动决定人是天使即符合正态劳动本质的人，变态劳动决定人是野兽即延续动物求生方式的变态的人，天使与野兽合成的人就是正态与变态对立的常态人。对此，仅从正态看或仅从变态看，都不符合客观存在的事实。事实就是，在常态社会，人是常态的人必然既含正态又含变态。

变态劳动是自然的必然，其中包括变态的意识。因而，劳动的变态比之动物的自然行为复杂多了，具有了变态理性基础。剥削者为了实现最大的剥削，绞尽了脑汁，惟恐心思费得不够，收益减少。在这方面智力的运用，令人叹为观止。到现代，剥削的方法已经精化和高度社会化。再就战争说，各方为了取得胜利，更是运筹帷幄，深谋熟虑，精心研究。虽然现在没有正式命名的剥削学（其实这已经包含在现实经济研究之内了），但军事学是正式的一门学问（并被称为科学），已经非常发达了。然而，这并不能掩盖事实，变态终归是变态，变态的意识只能与正态的意识合为一起，构成人类常态意识，却不能单独属于人类意识。实质上，变态的意识不论怎样发达，仍然是动物心理的延续发展，只不过采取了依附人类意识的形式。所以，只有变态意识逐渐地消灭，完全的人类意识才能逐渐地实现。

不论变态劳动在变态理性的驱使下多么发展，我们也不能将其混同真正的人的劳动，但是，辩证地看，变态劳动的发展对于真正的人的劳动即完全的正态劳动的实现是具有历史作用的。正是在变态劳动的陪伴下，人类劳动才能从些许的简单正态劳动逐步发展走向完全的高度发达的正态劳动，最终实现真正的人类劳动。生存竞争弱肉强食的必然性在变态劳动中的延续，辩证地看，是相对有助于常态劳动整体的存在和发展的，因而是正态劳动完全实现的历史的必不可少的前提条件。

自然的必然支配着变态劳动的发展，同时也是正态劳动发展的基础。不过，决定变态劳动发展延续的必然与作为正态劳动发展基础的必然，虽同属自然，但作用不同，正态劳动只将其做基础，而变态劳动则全部融于其中。因此，变态劳动实质未能超出自然的必然，而常态劳动作为整体也未能实现对自然的必然的完全的超出。

自然的必然对于劳动发展的根本意义在于它决定人类的生存。人类，最根本的是生存，劳动就是解决生存问题，其次才是发展，才是享乐。当自然的必然决定人类的个体不能独自劳动在地球上生存的时候，人类就必须结成群体劳动，人类原始社会的几百万年就是这样渡过的。当自然的必然决定人类的个体可以独自劳动在地球上生存的时候，我们首先看到的是群体劳动的瓦解，私有制劳动的产生，变态劳动继续分化演进，在此同时个体以家庭的形式出现主要靠正态劳动谋生，只是整个人类生存在相当低的水平上；然后我们看到，随着人类生存水平的逐渐提高，在变态劳动进一步发展的陪伴下，群体劳动又逐渐产生（在某种意义上说，群体劳动从未完全消失过，特别是在军事劳动变态之中），尽管这种群体劳动仍是私有制劳动的组织形式，但它表现出人类生存间的松散的联系，它是提高人类整体的生存水平所必不可少的。当自然的必然决定人类的个体或小的群体绝不可能单独劳动脱离地球生存或是说打破地球生存空间的封闭和有限时，人类就必须结成紧密的劳动整体，这样人类整体才能在无限广阔的自然空间在完全超出动物界的更高水平上生存下去。因此，人类劳动向共产主义劳动发展，即常态劳动经过完善化质变过程发展成为完全的正态劳动，从根本上说，是由自然的必然的发展（即人化自然的发展）决定的。自然的必然是人类劳动完善化的基础，违背自然的必然的决定性，人类就不能有这一基础上的创造，人类就不能在自然中生存。

劳动的发展不断地为人类的生存开辟着新的自然的必然的领域。有了人的存在和发展，就有了人化自然的存在和发展。人化自然构成人的生存基础，体现劳动主体与自然的必然的对抗能力。从人的意义上说，人的自然化既是这种对抗能力的直接表现结果，又是劳动主体对自然的必然超出的社会的必然的创造。

三　社会的必然与人类的命运

社会的必然是人的自然化的必然。社会的必然以自然的必然为基础，即人的自然化以人化自然为基础；社会的必然又是对自然的必然的超出，即人的自然化是对人化自然的超出。没有自然的必然做基础，社会的必然不能产生并存在；没有对自然的必然的超出，社会的必然就没有独立的自身存在意义。社会的必然不能脱离自然的必然，社会的必然对自然的必然的超出并不表示社会的必然可以取消自然的必然而存在。

表现人的自然化的实质的社会的必然是正态劳动的创造，是人类意识自觉能动性的成果。所以，社会的必然有着不同于自然的必然的规定性。自然的必然是既定如此的，必然体现在发生、发展的偶然之中，别无选择，不可避免。比如，一个人的生命周期属于自然的必然，他生下之后，注定要死，这是必然的，至于什么时间死，则是由一连串的偶然决定的。社会的必然不是这样的逻辑。社会的必然是人类实质的表现，是人类在顺应自然的必然的基础上对自身世界具体的创造，是依靠意识的自觉能动作用通过对自然的必然做出选择后再经自然的必然的努力而实现的必然。这就是说，社会的必然首先是创造性的，它对自然的必然的超出就是创造，它确实不排斥自己的基础，但又确实凌驾于自然的基础之上，形成自身必然的存在，体现自身内在的实质的联系和逻辑的发展趋势，以尊重自然的必然为前提而实现自身的要求。其次，社会的必然是能动性的，它是人类经过自身自觉能动的选择后实现的必然。自然的必然作为社会的必然的基础为社会的必然提供了多种的可能，只有在对可能选择的基础上才能实现社会必然自身。自然不能直接做出选择，凡自然直接决定的必然，都是自然的必然。社会的必然的产生必须经过选择，这就是意识自觉的能动作用。这种作用只存在于正态劳动之中，因为这是超出自然的必然的作用。自然的必然并不决定社会的必然的产生。自然的必然只能提供社会的必然产生的基础，或是说，只能决定基础。真正决定社会的必然产生的就是社会的必然自身，也就是说，是社会的必然决定了社会的必然的产生。由于这种产生是有基础的，因而即使不能超出自然的必然，并不化为乌有，仍为自然的必然，超出了才是自身的实现。正因为它是创造性的和能动性的，所以，社会的必然是必须要经过自觉的努力才能实现的必然。在自觉的努力下，成功的结果不会背离必然的逻辑。而不努力或努力失败，就不会有任何社会必然的产生。

因此，我们不能将社会的必然等同于自然的必然，不能按自然的必然要求社会的必然。自然的必然只是社会的必然的基础，它不能取代社会的必然。在社会生活中，如果也同在自然的必然中一样是既定的、不可避免的，那么社会的发展规律就会成了宿命论的。那就等于说，任何人和事都是先天决定的，都是不可改变的，都无须再做努力了。

人类必须自觉地努力下去，才能达到自身整体的社会的必然的创造成功。人类常态社会发展的必然性的确切含义就是，努力必然要实现完全的正态社会，不努力或努力被阻止就没有完全的正态社会的实现。

实现社会必然的努力是正态劳动的努力。正态劳动的努力要以自然的必然为基础，变态劳动的作用属于自然的必然的基础作用。正态的物质生产劳动要努力打通人类进入无限的宇宙之路。如果人类只能生存在地球上，那么就始终不能缓解地球有限生存空间的压力，地球的自然的必然的命运将最终决定人类的命运，有限的人化自然与有限的人的自然化均将中止在有限的时间内。在这样的基础上，人类的整体的社会的必然是无从创造的。所以，人类要实现社会的必然，就必须做到自身存在的自然的必然的基础从有限走向无限。正态精神生产劳动的努力集中体现在社会主义学说的创建上。人类劳动的完善化，是人类自觉的实践，必须要以社会主义学说做理论指导。这一学说的基点是否认现实社会是真正的人的社会，是认定现实社会必须要向真正的人的社会发展。尽管在以往理论中还未能明确完成由常态劳动决定的常态社会向正态劳动的完全实现决定的完全的正态社会转化是社会主义的根本任务，但始终是按着这一方向努力指导实践的。消灭剥削，消灭战争，是社会主义学说的宗旨。因此，马克思主义的社会主义理论对于人类实现社会的必然，即实现完全的正态社会，具有不可缺少的重要作用。

正因为社会的必然不同于自然的必然，只有正态劳动才能创造社会的必然，只有完全的正态劳动才能创造完整的社会的必然，所以，我们看待社会的发展不能同于看待自然的发展，我们看待正态劳动的发展不能同于看待变态劳动的发展。变态劳动不取消，正态劳动就不能成为完全的正态劳动，就不能实现对自然的必然的整体超出。包括变态劳动在内的自然的必然始终是对正态劳动的创造设置阻力的。以往的历史表明，正态劳动的努力一直是向前发展的，尽管历经艰难曲折，付出沉痛代价，自然的必然始终未能阻止正态劳动的发展。然而，在社会的必然中，没有发生过的事情不等于今后不会发生。自然的必然走向无限是社会的必然实现的基础，但自然的必然又始终是正态劳动存在和发展的巨大威胁。什么时间正态劳动被自然的必然阻止，什么时间社会的必然就不能实现。对于社会的必然，没有任何宿命的意义，它的实现取决于正态劳动在自然的必然的基础上的努力。社会的必然是只有努力才能实现的必然。只有努力实现社会的必然，真正的人类整体才能实现，真正的人类整体才能在无限的自然中努力生存下去。劳动的完善化体现了人类实现社会的必然的自觉。

总之，历史的和现实的人类劳动，由常态的资本主义劳动经由常态的社会主义劳动，即劳动的完善化，向能够实现人类生存整体延续的完全正态的共产主义劳动发展，是建立在自然的必然的基础上的社会的必然的客观要求。

第四篇

社会必要劳动与复杂劳动

第十六章　引　　言

如果说 19 世纪中叶社会主义理论已经形成经典的话，那么相隔了一个多世纪后的今天，人类的认识终于又实现了经典之上的历史飞跃。辩证唯物史观和劳动完善化论再一次向世界阐明，社会主义不是一党、一派、一国的事情，它关系到全人类的命运。嘲弄社会主义只是无知和愚昧的表现。社会主义本身绝不会与无知和愚昧相连。作为自觉地认识全人类共同事业的社会主义理论总是凝聚着巨大的生命力根植于科学理性的广阔的文化沃土上。任何偏见，无论是对社会主义理论的僵化，还是对社会主义理论的攻击，都无疑注定要成为人类进步的阻力。追求真正的人的意义上的生存和幸福，始终是社会主义的根本目标。

辩证唯物史观的认识基点是：真正的人还未形成，真正人的社会还未形成，历史的和现实的人和社会是不完善的，历史的和现实的人是常态的人，历史的和现实的社会是常态社会。数千年的人类常态文明史不过表现了人类还处于史前期的十分低级的发展阶段，已有的人类还远没有达到真正成为人的境界。繁闹的现代生活虽然令人眼花缭乱，住有摩天大厦，行有飞机车船，吃有精美食品，穿有各种款式的服装，但是，这只是一方面的现象，并不足以概括现实的本质。因为事实上直到今天，在我们生活的社会中，还有人吃人、人杀人、人剥削人、人奴役人、人欺压人、人玩弄人的另一面。人和社会的不完善根源于劳动的不完善。人类劳动的起源是常态劳动的起源，既有正态劳动的发端，又有变态劳动相伴。丑恶的非人的历史与现实根源于变态劳动，历史与现实的人的本质决定于正态劳动，正是由于存在正态劳动与变态劳动的对立，才存在历史与现实的人与非人的对立。

辩证唯物史观阐明，在人类变态劳动的历史中，战争变态是本源，剥削变态是演进。比起战争，剥削是进化了的比较文明的变态行为。比起剥削，战争始终是更疯狂的世间苦难。战争和剥削所引发的一切变态与正态劳动所创造的人的生存方式的激烈冲突的根底就在于变态劳动本质是动物的求生方式在人类常态社会的发展延续。在人类已有的历史中，这种动物的求生方式不是被遏止，而是不断地演进，它作为一种自然的必然成为正态劳动发展完善的基础，所以，正态劳动创造的社会的必然对自然的必然的超出，包括对变态劳动的超出。在生存的压力下，人类劳动将逐步取消变态劳动，由常态劳动转变为完全的正态劳动，即真正的人的意义上的共产主义劳动。这一劳动整体的完善化质变过程，就是社会主义的实践过程。因而，以辩证唯物历史观来认识社会主义，比以往的历史观念的认识，具有更为深刻、更为全面、更为明确的理论内涵。

劳动完善化论表明，正态劳动与变态劳动的对立关系演变是由劳动内部矛盾发展决定的。劳动主体与劳动客体各自因素作用的变化体现人与自然的关系变化，决定正态劳动与变态劳动的发展程度。当智力主导作用呈现起主要作用的趋势时，即智力作用的提高已经使人对自然的对抗能力达到能够打破地球有限生存空间的封闭时，人类劳动整体才能进入完善化的质变过程。因而，劳动的内部矛盾是社会基本矛盾，劳动的内部矛盾发展决定社会发展的规律是社会发展的基本规律。

劳动完善化论指出，社会主义是一个复杂的劳动完善化过程，生产力与生产关系不过是劳动中人与自然和人与人关系的表现形式，在常态社会，由于劳动的辩证存在，生产力必然也有态差的性质的不同，笼统地不加性质区分地讲发展生产力不能讲清楚社会主义的特性，只能使人的认识陷入混乱。社会主义的实质是，从全人类生存的角度，开拓无限的生存空间，自觉地调整自身的关系，取消一切变态劳动，实现人类劳动整体的完善化。这一过程的复杂性就在于，一直保持着一定的动物的求生方式的常态人最终要整体脱离动物界完全转化为正态人，一直依赖着地球有限的封闭的生存空间生存的常态人最终要整体脱离地球的封闭完全进入宇宙生存。

总之，局限于封闭的地球谈论人类自身的完善是绝没有出路的。劳动完善化论开拓的理论视野说明，认识人类劳动的现实必须要放在整个人类劳动发展的历史长河之中，认识人类自身命运的根本出路必须要探向无限的宇宙。

意识不到宇宙空间对人类自身关系调整的重要性，这使得以往所有的试图在地球封闭的生存空间条件下完善人类自身达到和谐相处的人们的希望和努力统统落空。而且，抱有这种希望和做出这种努力的人的自身所处的生存条件越是低下，他就可能被变态劳动决定的变态社会吞噬得越早。因为在一个有限的生存空间中，人类绝不可能无限地生存，最终的压力会内在地以渐释的方式透发出来，反映在每一代人具体的生存条件有限上，因而常态的人必然在一定程度上（有时是完全疯狂）与动物一样弱肉强食，所以在这种生存的自然条件下，人类不可能实现自身的完善。

高度抽象的基础理论是对社会经济生活的总体把握。这与一般日常生活的审视角度和功利主义的认识态度根本不同。另一方面，高度抽象的基础理论又是对社会经济生活的本质认识，这与一般应用理论的功能和作用也截然有别。这就是说，基础理论的研究必须是对考察对象同时做总体把握和本质认识，非总体的本质是认识的迷误，总体的非本质也是认识的歧途。劳动完善化论把握和认识的正是人类社会经济生活的总体和本质。这一基础理论以宇宙空间为认识范围，突破了以往一切理论的认识局限，抵达了人类对自身自觉认识的彼岸。而以往的理论将对社会主义的认识局限于地球空间，停留在形式上，真诚地指出人与人的剥削关系产生于私有制，私有制是万恶之源产生于生产力水平低，所以推断当生产力水平提高了，私有制就要被取消，取消了私有制，人与人的剥削关系就可以为人与人的平等劳动关系所取代，整个社会就会变得美好起来；并没有看到，在一个封闭的地球空间里，资源是有限的，时间也是有限的，生活在其中的人必然要在有限的生存时间内争夺有限的资源，动物的求生方式不可避免，即人与人之间如同动物般的生存争斗是不可避免的，这是由自然的必然决定的，正因此，剥削是次要的问题，更残酷的是直接的战争掠夺与残杀。决定动物残暴的是求生的本性，这对于未能完全超出动物的人也是同样的。待到大限的时刻到来，地球上的所有生物与地球一同毁灭。甚至不用等到那一刻，只要地球上的生存自然条件大变，或是常态下变态的人为残暴猖獗，地球上包括人在内的大部分生物都可能随即消灭，所以，按一个封闭的生存空间条件，将未来的人类社会描绘成天堂一般，人人充分享受，人人自由自在，只能是空想。但固有的观念束缚着理论的认识一代接一代地传了下来，事实上，人们只要再往前迈一步，认识人与自然的关系必须突破地球对人的封闭，一切人与人的关系都能得到真正通达的解释，然而，这一步却迟迟未能迈出。如果说，在 19 世纪，勇于社会主义理论探索的人们尚难于对自己的认识检验的话；那么到了 20 世纪末期，已经实施了长期的社会主义实践，人们应该而且能够对传统的理论进行认真的负责的反思了。社会主义不光是理想，而且是现实。我们必须正视现实。在现实中，我们看到同样是实行社会主义制度的国家，相互开战。这是传统的单纯讲消灭剥削的社会主义理论所不能解释的。与其说这遇到的是社会主义实践中的棘手的政治问题，毋宁说这实质是社会主义理论的欠缺问题。这里蕴含着深刻的寓意：原先人们憧憬的人类美好的境界在现实中不能实现，比剥削还要残酷的争斗还在继续。血总是浓于汗的，或许人们都愿意多流汗而不愿多流血。但事实上血并没有少流。我们看到，在国与国之上是封闭的地球空间时，国与国之间的利益之争是必然存在的，[1] 惟

① “战争绝不是人与人的一种关系，而是国与国的一种关系”（参见卢梭：《社会契约论》，商务印务馆，1982，第 18 页）。

一的出路只能是共同打开封闭的空间，去寻求开放的无限的共同生存条件。要么共同灭亡，要么共同走劳动完善化的社会主义之路。毫无疑问，社会的必然的选择肯定是后者，因为人类最根本的是要生存下去。然则，这一点的突破，即劳动的完善化必要以智力作用的提高打通宇宙之路，是社会主义理论的发展，是发展了的社会主义理论的力量，这种力量展示了全人类的前途和希望。现在，尽管炮火还在延伸，军火还在世界各地源源不断地制造出来，尽管剥削还在盛行，包括被剥削者在内的许许多多的人还在把这种动物的寄生的求生方式看做不可变更的事情；但是，劳动完善化论表明，正态劳动发展的巨大作用不是不会改变这一切的。

传统的理论单纯地划分剥削与被剥削的关系，对大批的生产军火的工人根本无法解释。将战争放在剥削之后认识，面对恐惧战争胜于恐惧剥削的社会事实，是根本没有说服力的。从本质的要求讲，现在整个世界都在翘首以待社会主义理论的发展。人类为进步付出的代价已经太大了，只有社会主义理论的推进才能使人类自觉地认识自身，减少盲目的代价。资本主义经济，一方面是正态劳动高度发达，为人们提供了现代化的生活享受；一方面是变态劳动高度发达，使人类的残杀能力和寄生梦死的生活空前膨胀。正义与邪恶，勤劳与狡诈，才智与残暴全都搅在了一起，使人喘不过气来。人们像看待魔鬼一样，看待自身变态劳动的创造，剥削培育着丑恶的心灵，战争的阴影笼罩着每一个人。人们恐惧战争，但没有人能制止，惯性在继续，虔诚地呼吁停止战争纵然是各国政府的实际行动也无济于事，这个问题必须要从社会主义理论上根本解决才行。随着地球上资源的枯竭，世人一面惊呼要倍加珍惜，一面又迫不及待地将更多的资源投入为争夺资源的战争中。石油，再有半个世纪就要告罄；煤炭，几个世纪后也要用光；铜、铁、金、银、锡等等金属矿，储量都已确知十分有限了。即使是空气和水，也都趋向匮乏。有人断言，仅仅为了争夺水，就极可能爆发恐怖的战争。[①] 纵欢作乐开着汽车满处兜风的人们可以跑够自己的一生，可是，下一代怎么办？再下一代又怎么办？似乎没有多少人愿意想，这本身就表明社会还远未达到真正人的社会，因为真正作为人，是不能不想这些问题的，他必须有全人类的意识，他必须有自觉的对自身生命延续的认识，而且是不能不解决这些问题的，解决不了这些问题，是成不了真正的人的，他们将像动物一样死去。现在，有不少的明智者忧心忡忡地关心着地球上许多濒临灭种的生物，大声疾呼并采取措施挽救。可是，仔细地想一想，难道人类自己的生存还不危险吗？难道人类自身还不应该清醒地意识到必须赶快挽救自己吗？小动物可以由人类挽救，而人类自身除了自身挽救别无办法。“人必自助，然后上帝才能助你。”[②] 人类劳动的变态，战争的根源是有限生存空间的压力。从原始部落占地为生的有限生存空间，到现代国际社会全球范围的有限生存空间，人类一直处于不断扩大的有限生存空间的压力之下，同动物一样，为了生存相互争斗延绵不断，人本来自动物，至今尚未完全超出动物，因此这种争斗以战争的形式越演越烈是有自然基础的。现时的争斗，不是为了一片山林，一只猎物，而是广阔的土地、主权和资源，但道理是同样的，都是为了生存。诚然，生存可有不同层次的含义，争斗的一方则可能只是为了必要的生存条件，而在另一方则可能是为了极奢侈地生存。正因为暴力就是经济力，战争的目的是为了生

① 我们知道，埃塞俄比亚干旱严重，影响经济发展和人民生活，这个国家早就打算引尼罗河的水来灌溉农田，但是这一工程必然要与苏丹和埃及发生冲突，因为它们同样也渴求能够得到更多的尼罗河的水。

② 法国女英雄圣女贞德语。

存，所以，战争是一个根本的经济问题，是一个必须解决的基本的劳动变态问题。解决战争问题的基础是人类打开封闭的生存空间。没有这一基础的实现，即使人人都有美好的愿望，但生存的现实还是会迫使人们去争斗，直到有限的地球的自然的必然允许的最后一天。

当然，当前最急需社会主义理论推进的，还是正处于改革之中的社会主义国家。理论的力量是无穷的。社会主义国家改革遇到的最难解决的问题是理论问题。理论决定思想，思想决定行动。改往哪改，没有正确的理论指导不行。改起来看，改什么样是什么样，改到哪是哪，最后只能是东欧、前苏联的结果。如果是从策略上讲，那么社会主义是什么方法都能使用的。但是，如果没有社会主义原则的坚持，那么策略的使用是没有意义的。既要有原则，又要讲策略，首先必须解决什么是社会主义的问题。以传统的形式化的观点去解释什么是社会主义，绝不会使改革前进半步。现在这个问题上绊住了腿。一方面，从实践出发，人们已经看到传统的社会主义经济体制没有活力，这是一个事实判断，而不是理论分析。在理论方面，尽管人们对传统体制做了批判，但仍然依据的是传统理论，虽然做出了社会主义经济是商品经济、社会主义经济体制是市场经济体制等新的理论概括，但对什么是社会主义，仍是形式化的旧说，并没有将改革的核心推向理论的基点。正因为还是站在传统理论的根上批判传统，还是大观念不变小提法翻新，所以，只能发现传统理论的欠缺却不能解决与实践存在的巨大冲突，从而才造成又要改革又改不动的僵持局面。这就是说，不解决批判的理论，就完不成理论的批判，就达不到改革的目的。

在传统理论看来，社会主义公有制与商品经济是矛盾的。因而，在未能批判传统理论的前提下，致力于改革的人们将社会主义公有制与商品经济的关系视为一大难题。这是因为，对社会主义是按传统理论认识，对商品经济还是按传统理论认识，基本的认识都未变，只是要将两个固有的认识上矛盾的范畴联在一起，这当然是很难的。只是难是难在传统理论未变上，一旦解脱传统理论的束缚，社会主义公有制与商品经济的关系问题包括市场运行问题，并不是难于解决的。

总之，基础理论的推进，对于社会主义国家的改革是至关重要的。

对劳动的研究，是政治经济学基础理论研究。一切现实经济问题都实质是劳动问题，都需要从对劳动的分析中找到根本答案，都需要劳动分析的理论提供指导。劳动的完善化涉及现实经济的各个方面的问题，反之，现实经济的各个方面问题都与劳动的完善化有关。商品经济是社会的现实，劳动的完善化至少在现阶段要融于商品经济之中。或者说，劳动的完善化在一定的阶段上要以商品经济的形式表现出来。因而，我们需要根据劳动的内部矛盾发展分析常态劳动在商品经济中发展的外部表现，通过揭示商品经济中劳动的必要性、复杂性和整体发展性，来进一步阐释劳动完善化过程。

商品经济中最基本的劳动范畴是社会必要劳动，这是指社会中一切经过交换实现了价值成为商品经济中有用劳动的劳动。在以往理论中，对社会必要劳动的研究几乎没有展开过，这一范畴总是用以说明社会必要劳动时间的。显然，这种状况或是说这种欠缺表现出政治经济学的研究远未成熟。因为社会必要劳动时间是用以界定商品价值的范畴，而对社会必要劳动本身缺少研究，那是很难透过商品之间的联系来认识社会经济的客观发展趋势的。这就如同早就有劳动价值论，而一直缺少劳动的政治经济学研究一样。社会必要劳动的范畴是静止的，但在静止的范畴所表现的劳动中却孕育着丰富的历史的辩证的运行。不揭示这种运动，这一范畴的使用只能流于肤浅。在以往的理论中，对社会必要劳动有两种界定：一是指在现有社会正常的生产条件下，在社会平均劳动熟练程度和强度下，生产某一单位产品所需要的劳动量。再是指为满足社会对某种产品的需要而必须分配到某一部门去的那部分社会总劳动。人们只要仔细分析一下就会看出，这两种界定指的都是活劳动，即劳动主体的活动，并非完整劳动。我们知道，在现实经济中，劳动主体与劳动客体具有不可分性，所以，绝不能只从劳动主体来认识社会必要劳动，而只有从劳动的主客体的统一即完整劳动范畴来界定社会必要劳动才具有真实意义。再有，以往的界定讲的只是生产同类产品的必要劳动，没有做社会整体的总括，也没有从社会整体上去表现生产各种产品劳动的必要性。这种认识是不足的，因为尽管整体是由局部组成的，但只有认识了整体才能更好地认识局部，没有整体认识的局部认识是散乱的。更需要指出的是，由于以往不是从常态认识社会，社会必要劳动的研究没有正态劳动与变态劳动划分做基础，因而没有反映商品经济中存在的辩证的劳动对立关系。

我们对社会必要劳动的研究，重点是研究其中的简单劳动与复杂劳动的关系。这是马克思主义政治经济学的研究涉及还不多的领域，其内在的联系还有待于揭示。因而，考察简单劳动与复杂劳动的发展历史过程实属必要。如果我们能够周密而详细地分析每一社会发展阶段上的简单劳动与复杂劳动状况，那么对于认识现实与今后的发展趋势肯定大有助益。但是，由于我们要求集中力量分析简单劳动与社会必要劳动的关系、复杂劳动与社会必要劳动的关系，从而揭示劳动的必要性问题，并进而阐述劳动的整体性发展问题，因此关于史的方面的分析就只好简略，仅举必要的例证而已。简单劳动与复杂劳动的关系还牵涉熟练劳动与非热练劳动、体力劳动与脑力劳动的问题，这些方面虽然不是主要的论述点，但其相互关系也必须界定清楚。似乎不必讳言，过去这些方面的研究并不是很准确的。也许这与劳动的政治经济学研究长期以来未能进展不无关系。除了简单劳动与复杂劳动的一般关系外，我们的研究侧重点还将放在物质劳动与精神劳动的复杂性上，进一步展开分析劳动完善化的基本条件。

通过这些研究，我们将从社会必要劳动的角度阐明人类劳动的发展趋势，这有助于人们具体地认识由劳动内部矛盾发展决定的劳动完善化进程。这将表明，劳动的完善化就是发生在我们身边的经济问题。因为本质分析的抽象会使人更深刻地感受到身边的具体，人的认识本来就是，抽象认识得越深越透，具体的认识就越细越明。

第十七章　社会必要劳动

社会必要劳动是商品经济中的有用劳动，其有用性决定于劳动成果具有的自然使用价值和社会使用价值。自然使用价值是商品经济的劳动成为社会必要劳动的基础，社会使用价值是商品经济的劳动成为社会必要劳动的依据。没有自然使用价值的劳动在任何时候都不会成为有用劳动，但只具有自然使用价值而不具有社会使用价值的劳动不属于商品经济中的有用劳动。商品经济的劳动要获得有用性必须要获得社会使用价值，这是商品经济的有用劳动的特殊性，即社会必要劳动的一个基本特征。商品经济的劳动必须要经过交换才能获得有用性，没有交换即没有有用性，社会必要劳动排斥一切未能交换的劳动，只容纳商品社会承认其有用性的劳动。

无论正态劳动还是变态劳动，在商品经济中都要经过交换才能成为社会必要劳动。正态劳动并不因其正态而全部能成为社会必要劳动，变态劳动也不因其变态而全部不能成为社会必要劳动。能不能成为社会必要劳动的关键并不在于劳动的态势差别，乃在交换，在能否获得社会使用价值。人类常态社会的需要既包括正态劳动的社会使用价值，也包括变态劳动的社会使用价值，故整个社会的劳动交换，既有正态劳动也有变态劳动。不过，对具体劳动而言，有的是具有正态劳动与变态劳动双重性的，因而，总的说来，实现交换的社会必要劳动是常态劳动。劳动的正态是常态下的正态，劳动的变态是常态中的自然组成部分。在现实的商品经济中，同为常态劳动，但不一定同为社会必要劳动。常态劳动不能实现交换，因而不能成为社会必要劳动的原因主要有：（1）信息障碍。劳动交换的实现在于供求沟通，有需要买的，有需要卖的，对上号，谈妥价，交易成。从卖者这一方看，卖出了，其劳动就是交换出去了。至于卖高卖低，那是另一码事。而信息不灵，就构成供求沟通的障碍。买的人有，但卖的人不知道，仍然是卖不出去，卖不出去自己的产品，卖者的劳动就不能成为社会必要劳动。商品经济越发达，交换的关系就越复杂，因而信息的重要性也就越大。信息的有无、真假、迟及等直接关系劳动的命运。一有不慎，信息失误，往往会失去交换的机会，与社会必要劳动无缘。也就是说，凡是遇此情况的，作为未能实现交换的劳动，都是商品经济中的无用劳动，全部报废。一种情况是，明明有买家，仅仅因卖者不知道，结果卖者劳动没有能实现社会使用价值。这是由于信息不灵造成的。这种情况随现代经济信息发达而减少。再一种情况是信息虚假造成的。明明没有买家，却得到有买家的信息，结果卖者大量生产，而产品销不出去。在现实中，这样的事屡屡发生。还有就是经济竞争中对信息的竞争使然，由于社会供大于求，这时谁先得信息，谁的就能卖出，抢不来信息，就实现不了交换。由于信息竞争失败而成为无用劳动。（2）流通缺陷。没有畅通的渠道，包括组织和设施，劳动的交换也难以实现。缺乏一定的组织机构或是说有机构而不适用，必然阻碍交换，比如，在改革前的社会主义国家，基本都是用行政命令的方法搞流通，非常不灵活，当然也就不能适应劳动发展的需要了。缺少基本的流通设施也不行，比如，缺少运力和储力，收获大量的柑橘，运不出去，或运去没有地方储存，结果运不走的烂掉，运出去没地方储存的也烂掉，表面上看是柑橘烂掉了，实质上是生产柑橘的劳动全都烂掉了。这种情况并非个别的，越是在交通不发达的地方越常见。这很能说明流通对商品经济的重要性，不重视流通，就很难提高整体的经济力。（3）市场盲目。主要是供求结构失衡。从劳动本身讲，供给创造需求，假定信息灵敏准确无误，流通渠道畅通，并且没有延迟的需求，应该是卖家与买家相等的。但事实上，客观要求的相等在经济运行中总是以波动的方式并付以代价而实现的。这种波动有时大有时小，也就是说，付出的代价有时大有时小，然而，波动的结果作为代价付出的就是交换不出去的无用劳动。这种表现就是经济运行的结构不平衡。此生产的，是社会不需要的；彼生产的，也是社会不需要的；社会需要的，彼此都没有生产。这就是市场的盲目性。通过市场的盲目性而实现的供求结构平衡，有时代价损失是极其惊人的，甚至可能导致整个国民经济混乱疲软。在现时代，随着人们对市场客观要求认识的增进，加上一定的有效的沟通与控制，市场盲目造成的损失会一点点减少。（4）自然灾害。在劳动取得成果，但还未能交换出去之前，或是劳动正在进行之时，遇到不可抗拒的自然灾害的侵袭，往往要使受灾的很大一部分劳动化为无用劳动。如暴雨袭击，泛滥成灾，受洪水淹没的地方均遭损失；大雪封门，埋住畜圈，致使牲畜大量死亡；狂风骤起，刮倒树木，建筑物；大海无情，掀翻船只等。这些，都会对劳动不能成为社会必要劳动起作用。在现时人类劳动能力下，这是防不胜防的，只能尽最大努力将损失降到最小的程度。（5）人为损失。除了天灾，还有人祸。且不论连绵的战火的威力，只说经济事故，天天都无计其数。汽车司机违章驾驶，血的教训历历在目。火车司机闹脾气，一把急刹车，长长的列车里不知有多少货要遭殃。保管人员责任心不强，可能使产品遭雨淋而失去任何使用价值。从宏观上讲，经济管理不当，盲目建设又被迫停建，造成的损失就更大了。从技术方面讲，设计不周或工作疏漏，也可能造成重大责任事故，甚至可能报废整个工程项目。特别是在建筑史上，不乏实例。在现代化的高、精、尖产业中，更有时会因一丁点儿疏忽而出事故。[①] 有时事故会使全部劳动成果毁于瞬间，如 1978 年美国大力神Ⅱ导弹试验时，由一个小弹簧失灵造成大灾难；1982 年欧洲发射阿丽亚娜 L5 火箭时，由于涡轮泵齿轮箱中的一个齿轮润滑不良，导致齿轮间隙变小，造成火箭坠毁。不过，我们有理由乐观地认为，随着科学技术的进步，人类劳动在预防事故方面的能力将越来越强，措施也将越来越有力，虽不可完全避免，但总的趋势是事故将越来越少。

由于各种原因未能成为有用劳动的劳动不能进入社会必要劳动范畴，而实现了交换的社会必要劳动又是生产劳动与非生产劳动的统一体。就一个国家来说，生产劳动比重越高，在一定的劳动发展水平上，社会必要劳动的总体实力越强。这是一个很明显的事理，似乎不必再议，但事实上做到却是很不容易的。因为社会必要劳动的实现靠交换，交换靠市场，市场是自发的，在国民经济素质较高的国家市场的自发选择是向生产劳动倾斜的，而在国民经济素质较差的国家市场是向非生产劳动倾斜的。比如，在中国古代史与近代史交替的时期就是这样。当时的清朝，朝政腐败，民不聊生，内忧外患，社会生存希望只能是发展生产劳动，富国强民，然而，这个时期发展非生产劳动的劲头在整个中国历

---

① 1992 年 3 月 22 日，中国发射澳大利亚卫星出现故障，紧急关机。“经过火箭工程技术人员 17 天的紧张工作，澳星发射故障真相大白：箭上程序配电器第四、第五触点之间，发现有一铝质多余物。”正是这一点点多余物，构成两个触点间短路，造成电爆管起爆，险些铸成大祸（参见《人民日报》1992 年 8 月 22，第 1 年版）。

史上最盛。众所周知的圆明园就是这时修建的，里面花鸟山水，楼阁亭榭，珍珠财宝，应有尽有，奢侈之极，一般人想都想不到。这个耗费了巨大财力修建的皇家艺苑，其实就只供皇帝和少数满清贵族享乐，不必说黎民百姓，甚至连汉族朝臣也不得入内。更有甚者，就是全国吸食鸦片，上至王公大臣，下至市井小民，烟民成串，屡禁不止。据英国东印度公司供认，仅1838年，其运销中国的鸦片就达4万箱。殖民主义者向中国推销鸦片固然十恶不赦，不可饶恕，可是，买鸦片吸鸦片的终归都是中国人自己，在这种市场交易中，中国人选择的是有害的非生产劳动的产品消费，责任主要在自己。众所周知，在鸦片战争以后，英国打开了中国的大门，疯狂地向中国市场推销包括钢琴、餐具、睡衣睡帽等本国商品，均遭到中国市场的自发抵制，英商也无可奈何，赔钱而归。所以，当时的中国人惟独喜食鸦片，市场不抵制鸦片，是自己走向堕落，是自己选择非生产劳动的结果。正如一位伟人所说，任何事情都是内因起决定作用。一个国家弄到那份地步，① 是没有不挨打的，历史早已充分地证明了这一点。这就是说，社会必要劳动中的生产劳动与非生产劳动构成事关重大。如果一个国家沉湎于非生产劳动的享乐之中，长期不能自拔，那么等到挨打的那一天再愤怒无比也没有回天之力。战争是经济实力的较量，不重视发展生产劳动的结果只能是挨打，道德的谴责不会改变战场上的力量对比，弱者的呻吟只会激起凶残霸道的攻击者的更大的疯狂。在现时代经济中，道理仍是同样的。政府对

① “鸦片贸易，使中国以白银来弥补贸易逆差，大量白银流向外国。公元1823年（道光三年）至公元1831年（道光十一年），每年流出白银一千七八百万两，公元1834年（道光十四年）至1838年（道光十八年），每年流出白银近三千万两。相当于清朝政府每年的农业税收入。白银外流，造成清政府财源枯竭，银价和物价上涨。鸦片贸易将中国人民的生活推向更加痛苦的深渊”（刘泽华等编著：《中国古代史》（下），人民出版社，1979，第525页）。

于市场的干预，可以在一定程度上避免市场自发选择的盲目性，但干预不周可能犯更大的错误。只要生产劳动的发展受到抑制，非生产劳动的发展受到鼓励，那么长久下去的结局就不会不是历史上的惨剧重演，挨打还是必然的，可能挨打的形式会有变化，但挨打的命运是不会逃脱的。历史上的前车之鉴，对于中国尤要引起高度重视。发展生产劳动，是强国之本。只有将非生产劳动的发展限制在最低的可能度之内，一个国家的经济才能蓬勃地发展起来。相反，如果对这一问题抱无所谓的态度，随心所欲，随人们所好，不分生产不生产，喜好什么发展什么，虽可美其名曰满足人民需要，但终将损害人民的根本利益。我们现在可以看到这样一些事实：其一，盲目建设，不怕浪费形成大量奢侈型的非生产劳动。如过量的豪华车、表、衣、食、住等用品的制造，过分豪华的办公大楼，过多耗能的生活设施，等等。对此，作为发展中国家不能与发达国家相比绝对量，发达国家的这些制品可能更多，但这在总的劳动构成比例上相对不高，而发展中国家本来总的经济能量就不大，再使非生产劳动占多了，那么就是经济发展中很严重的问题了。其二，引导高消费娱乐，引发大量的娱乐型非生产劳动。一个国家如果干别的事情钱紧，特别是对长期基础研究、教育事业和新技术开发缺乏资金，而热衷于投资建设舞厅、歌厅、娱乐场、游乐园以及体育场等，是很危险的。这些虽为市场交换所接受，但却是盲目地助长非生产劳动发展。一个国家的国威不能靠非生产劳动去打，而必须要靠生产劳动去打。倘若一个国家生产劳动的实力很小，相比其他国家很落后，那么无论怎样炫耀自己的非生产劳动发展成就，也是没有国威的。这样的国家，到头来总是要被他国欺负的。其三。放任消极型非生产劳动发展，只能给社会增添过多的负担。从物质劳动讲，如烟草、毒品还在合法、不合法地制造。从精神劳动讲，如烧香拜佛，还在扩大这方面的社会服务。一个发展中国家如果这样发展下去，那是得不到经济实力的根本改观的。

从另一个方面划分，社会必要劳动分为简单劳动与复杂劳动。分析这一对范畴，揭示它们之间的内在联系，是我们研究社会必要劳动的重点。在商品经济中，不能实现交换的简单劳动不属于社会必要劳动，不能实现交换的复杂劳动也不属于社会必要劳动。社会必要劳动只承认实现交换的简单劳动与复杂劳动。凡是社会必要劳动，都具有必要性，不论其是简单劳动还是复杂劳动。

需要强调的是，简单劳动与复杂劳动并不等同于非熟练劳动与熟练劳动。简单劳动与复杂劳动是按劳动技能质量水平的高低划分的，相对而言劳动技能质量水平高的是复杂劳动，劳动技能质量水平低的是简单劳动。而非熟练劳动与熟练劳动是按劳动主体掌握劳动技能的熟练程度的高低划分的，一般说来，劳动主体掌握劳动技能的熟练程度高的是熟练劳动，劳动主体对劳动技能掌握得不太熟练的是非熟练劳动。在复杂劳动中，有熟练劳动也有非熟练劳动；在简单劳动中，亦有熟练劳动与非熟练劳动。因而，不可将简单劳动与非熟练劳动、复杂劳动与熟练劳动混同。以往对这两对范畴未加区分，应予纠正。

在漫长的劳动发展史中，简单劳动与复杂劳动的关系大体上和体力劳动与脑力劳动的关系相对应。不过，体力劳动与脑力劳动的划分标准并不同于简单劳动与复杂劳动，它们是按劳动者运用身体器官的侧重点不同划分的。体力劳动是劳动者主要运用体力的劳动，脑力劳动是劳动者主要运用脑力的劳动。事实上，任何劳动都需要劳动者既付出体力又付出脑力，从来没有纯粹运用体力或纯粹运用脑力的劳动。体力劳动并非是一点儿也不用费脑力的劳动，脑力劳动也并非是一点也不用费体力的劳动。尽管如此，从历史和现实来看，虽然划分角度不同，但体力劳动大多表现为简单劳动，脑力劳动大多表现为复杂劳动。所以，通常人们对这两对范畴不加严格区分，而且侧重讲的是体力劳动与脑力劳动的关系。可是从今天来看，我们应该注意这两对范畴之间的关系只是大体上对应，终归其间的划分标准是不同的，若泛泛了解二者的概括情况，不区分未尝不可，只是要深入研究就必须严格按它们各自的确切含义进行。

劳动的技能质量水平，作为简单劳动与复杂劳动的划分标准，是由劳动主体与劳动客体两个方面构成的，这两个方面不可分割，但又有它们各自的区别。在我们这个时代，有些劳动主体的作用可以部分地由客体作用替代，这表现出人类劳动的进步。但是，主体作用全部被客体作用替代是永远不可能的。在一个劳动整体中，劳动主体的作用就是主体作用，劳动客体的作用就是客体作用，这是不能混淆的，不能因主客体作用合成整体作用就不分主体与客体的作用区别了。简单劳动的劳动主体是简单劳动者，复杂劳动的劳动主体是复杂劳动者。简单劳动者在简单劳动中起主体作用，复杂劳动者在复杂劳动中起主体作用。一般地讲，劳动的技能质量水平高低与劳动者受教育程度的高低是对应的，复杂劳动需要受教育程度较高的劳动者，简单劳动需要的劳动者受教育程度相对低一些。不过，在现实组合中，也有一些劳动的劳动者受教育程度与劳动整体的技能质量水平并不是对应的，在一定程度上存在着简单劳动者受教育程度高和复杂劳动者受教育程度低的情况。比如，一个人力清洁工的劳动可以由一个受过高等教育的人担任，他起的作用可能比没受过高等教育的人要好一些，也可能还差一些，不管他工作效果如何，这位受过高等教育的人所从事的清洁工劳动都是简单劳动，他本人是简单劳动者。事实上，这种情况并不罕见，有些地方一搞卫生运动，就大规模地组织平日里做其他工作的人来干，而且一干连绵不断，不管是受过何等教育的，统统用作简单劳动者。再有，有些受过高等教育的人坐在办公室里，自愿做一些简单劳动，看看门，传传话，抄抄文，本身不做多少事，更不能使集体劳动的技能质量水平提高，如此终身也只能落个终身简单劳动者。这就叫有文凭，不做事。文凭也许对个人是有一些用处的，因为它毕竟可以证明一个人受过教育的程度，但是，从一个国家要实现现代化的需要来讲，是没有用的，干现代化需要的是教育出能做事的人，而不是仅仅有文凭的人。总之，受教育程度高不一定就是复杂劳动者。若从事情的另一方面来看，在现实中，复杂劳动者也不一定就是受教育程度高的人。比如，一个从事经济考察制定重要的长期规划的小组，其中每一个成员都要求有一定的特长和工作能力，但未必每一个成员都受过高等教育。这个小组的劳动是整体性的。这是一个从事复杂劳动的小组，其中每个成员都是复杂劳动者，不管他受教育的程度是高还是低。在这种情况中，最典型的例子是飞机驾驶员，驾驶现代化的飞机应是复杂劳动，因为飞机作为劳动客体对整体劳动技能质量水平高起作用，但驾驶人员并不一定受教育的程度高。就中国讲，只是近几年才招收培养大学本科制的飞行员，在战争年代有许多是速成班培养的驾驶员在空战中立大功。今后，随着飞机驾驶自动化程度的提高，也可能人们不用接受多少专门的训练，就可以将大飞机安全地驾上蓝天。就现时代劳动发展的程度讲，在一些复杂劳动的整体中，确实不需要人人都是智星。有的可以是做辅助性工作的，虽然这些人也应算做复杂劳动者。当然，在现实的具体工作中，也有一些人员滥竽充数，明明工作需要的劳动者必须具备良好的教育基础，但他们不具备也不努力提高自己，结果只能是降低工作效率，使劳动客体的作用也难以正常发挥。复杂劳动是效率高、社会作用大的劳动，并非是受过高等教育或是占据优越的工作位子就可以宣称自己做的是复杂劳动。事实上，在现阶段有许多复杂劳动者是很辛苦的劳动者，他们并非很轻松地工作。像从事基础理论研究工作的人，不论是社会科学还是自然科学，不论是哲学还是数学，[①] 都是长年累月孜孜不倦钻研的人，耐不得寂寞，耐不得煎熬，是拿不出一流的认识成果的。像水稻育种专家们，不仅要付出大量脑力劳动，而且还要在田间从事大量体力劳动，并且年复一年地干下去，历经数载乃至数十载，才能育出真正好的良种。在一些尖端科学研究中，科学家们更是夜以继日、废寝忘食地工作，他们的大脑经常处于高度兴奋状态，非此，就难以有新的发现或新的创造，而这种用脑是非常累人的，一个研究项目攻下来，他们往往筋疲力尽。这绝非一些人所想像的那样，复杂劳动者尤其脑力复杂劳动者，是四体不勤，五谷不分，[②] 写写画画，风吹不着日晒不着的悠闲者。除非是冒牌的，除非是不负责任的例外，复杂劳动绝没有那么多的舒舒服服可言。

虽然从现在来看一些复杂劳动可以保留少许受教育程度不很高的劳动者，大量的没有受过教育或只受过很少教育的劳动者还可以从事简单劳动为生，但是，这正是经济落后的根源，绝不是能长存久在的。一个国家，或是说整个人类社会，要保持存在，都必须致力于提高劳动者的受教育程度。复杂劳动的发展将来必

① “在数论领域中，众多的猜想历来吸引着各国最优秀的数学家，许多人做出过杰出的贡献。然而，我们应该看到，数学家在得到崇高荣誉的同时，也付出了辛勤的劳动，一些猜想的解决，甚至是微小的进展，都是科学家们艰苦劳动的结晶”（楼世拓：《数论中的猜想》，载《科学前沿中的疑难与展望》，湖南科学技术出版社，1998，第26页）。

② 在以农业劳动为主而求得社会生存的时代，五谷不分确是莫大的讽刺，而在一个社会分工更加发达、社会生活更加丰富的时代，对原子电子茫然不知，更是真正的悲哀。

然要求所有的复杂劳动者都要受过良好的教育。人类社会的发展必然要整体提高劳动者的素质，即使是将来的简单劳动，相对说来劳动者的受教育程度也要提高。

简单劳动的存在和发展是社会经济生活的需要，在现实经济中，这些简单劳动能够获得社会必要性，概括起来，分为两方面原因：一是与复杂劳动是同类劳动而报酬可为劳动者接受。这里又分两种情况。一种情况是劳动者报酬低于复杂劳动者，但由于简单劳动者对低报酬能接受，所以能与复杂劳动同在。例如，做同样的鞋，复杂劳动是简单劳动效率的 10 倍，复杂劳动者的报酬是简单劳动者的 5 倍，简单劳动者仍然愿意做这种鞋而不愿改做他事。人们走在马路上，常可看见马车拉煤，这与汽车运输的效率相比，差距很大，可是，马车运输者愿意接受这一事实，并还愿以此谋生，那么这种并存就不会消失。在现实生活中，或是说在常态社会，人们的生活标准是不一样的。变态劳动的大亨们一掷千金，而普通百姓必须节衣缩食。即使在同样的工资收入者中，生活标准也可能因家庭经济负担不同而不同。每个劳动者对报酬的要求都是用自身已有的生活标准衡量的。只要是能够基本满足他现有标准的生活，或是还能再高一些，那么即使相比别人是较少的报酬，他也能够接受。所以，当复杂劳动者取较高报酬时，这种简单劳动者并不因自己的劳动效率低报酬低而放弃此工作。反过来说，这些简单劳动者也因此只能过比较低标准的生活。目前，一些经济落后地区、落后国家的劳动者到经济比较发达的地区或国家去打工，情况大体就是这样，他们中大多数人从事简单劳动，比如在已有挖掘机的条件下去做人力挖土方的活，挣简单劳动报酬，这种报酬比当地人少得多，但是却比他们原来生活地的收入又高得多，因而这对他们来说是可接受的劳动。再一种情况是简单劳动者与复杂劳动者的报酬等同。这说明复杂劳动的水平还不很高，生产的固定资产成本高，而使劳动主体收入难以提高。这其中包含有部分劳动主体作用与劳动客体作用能够互换的可能。例如，10 个简单劳动者与 100 万元资产结合，同 1 个复杂劳动者与 1000 万元资产结合收益相等，并且，增加劳动者减少资产与增加资产减少劳动效果等同，在这种状态下，简单劳动者的报酬不会比复杂劳动者少而且也不会放弃他的简单劳动。不过，这种情况终究是暂时的，技术进步会拉开他们之间的差距，简单劳动者一旦看到其报酬相比不能为自己接受就会放弃这种劳动。

简单劳动能够获得社会必要性的第二种原因是社会客观需要此类劳动，此类劳动只有简单劳动，没有复杂劳动。比如，一般生活服务劳动只是家务劳动的社会化，就只有简单劳动，这种情况现在看不会改变。这里细分也有两种情况。一种情况是指现实存在的社会客观需要，像门卫、售票、看车等劳动，现在社会还离不开，还有普遍的需要，但将来会逐步消失的。再一种情况是不仅现实存在而且长久存在社会客观需要，如一般生活服务劳动就是这种情况。

复杂劳动获得社会必要性有顺利与曲折之分。顺利的是很快能得到社会承认，能交换出去的复杂劳动。这一般是实用性的复杂劳动，如机器纺织、机械制鞋、蒸汽机车运输、专职教育、艺术创作等等。计算机的运用在本世纪 50 年代后普遍推开，生产电视机、录像机的劳动发展迅速，新式武器的制造随着战争的升级而受到欢迎，这些复杂劳动一进入市场，就找到需求，就实现了价值，发挥出作用。相反，一些基础性的复杂劳动被社会承认总是比较难，往往要历经曲折。在复杂劳动的发展史上，这样的事不乏实例。数学中群论的创立，是对科学的重大贡献，但是这项具有划时代意义的成果却在创立者伽罗华生前迟迟得不到承认，直到这位在法国巴黎郊区长大的数学天才去世后才得以发表。瑞典的阿伦纽斯提出了在化学发展中带有革命性的电离学说，但当时竟被权威们认为是“胡说八道”。伟大的法国科学幻想小说家凡尔纳的著作对现代科学基础研究不无启迪作用，有人惊呼作者的超前性是本世纪科学技术大发展的曙光，但是这位对推动科学技术进步做出重大贡献的名人，第一部作品《气球上的五星期》投稿 15 次被拒绝，直到第 16 次才获得出版的幸运。美国科学家史密斯编绘了世界上第一张最为系统的地层表《美国沉积地层表》，成为生物地质学的创始人和先驱者，但是他的成果被社会承认竟拖延了 20 多年。在社会科学基础研究领域，具有新的创见而迟迟不能被社会承认成果的情况，更是屡见不鲜。这与其说是劳动者个人的悲剧，不如说是社会自身的损失。

不管是哪一部门的复杂劳动，能够得到社会承认，获得社会必要性，终归是因为社会生活的需要。市场上交换的完成实质上是客观的需要所决定的。人类的进步表现在物质生活和精神生活的日益丰富和复杂上。这在常态社会虽然是包含有变态劳动的需要在内，但是对于劳动复杂性的要求却是共同的，变态的复杂是与正态的复杂相缠在一起的。在劳动完善化的过程中，这种相缠的现象只能逐渐减少。复杂劳动的发展，一方面扩展了人类的生活内容和生活水平，表现出人类进步的趋势；一方面又刺激了更多更高的对自身发展的向往和追求。劳动内在的人与自然关系的发展趋势体现在复杂劳动的发展上，人与人化自然关系的发展趋势体现为复杂物质劳动的发展趋势，人与人的自然化的发展趋势体现为复杂精神劳动的发展趋势。这两个方面的复杂劳动的发展分别满足社会物质生活和社会精神生活的需要，反映社会生存的客观要求，是人类劳动内部矛盾发展的外在的集中表现。

与复杂劳动的社会必要存在同时存在的简单劳动，并不体现人类劳动发展的根本趋势。对于生产同类产品的复杂劳动与简单劳动来说，如机械化农业劳动与传统方式农业劳动，它们的并存是劳动者可接受的，这一点我们作为一种存在原因分析过了，但更进一步说，产生这种可接受的原因是有条件的，也就是说，是有一定存在基础的。（1）传统束缚。当新的技术已经推开之后，有的人或有的地方仍坚持传统工艺，不相信新技术或是不愿改变自己的习性，还想靠传统劳动方式吃饭，宁可吃亏也不变。这种不经济的行为往往不可思议地长期存在。这是胳膊拧不过大腿的做法，悲剧是无法避免的，不过，较量总是要存在相当时间的。（2）地理阻隔。当此地复杂劳动已经形成时，彼地的简单劳动由于地理阻隔信息不通，并不知晓，依然故我。这时彼地的简单劳动仍占据统治地位。此地的复杂劳动只在此地称雄。（3）技术封锁。拥有新技术的个人或团体为了保持自身技术垄断地位以获得高收益，实行技术封锁。这就使同行想学做不到，只能还按简单劳动生产。（4）资产不足。简单劳动向复杂劳动转变，需要有一定的资产积累，没有这方面的条件，纵使主观想变也不可能。总之，因为有这些阻力，简单劳动者自愿或不自愿地接受了与生产同类产品的复杂劳动并存的事实。

生产不同产品或分别达到不同目的简单劳动与复杂劳动分别有各自的社会必要性。社会客观的需要使它们都能实现交换。当社会接受了某种复杂劳动之后，就会在一定时间内对它产生一定的依赖性，如电视机出现以后，生产电视机的复杂劳动将在一定时间内为社会依赖，除非社会需求改变，否则不会变。而一些简单劳动长期存在，是适应一些社会基本需求的，这类简单劳动与复杂劳动之间没有竞争，相安无事，因为它们各有各的作用。由于用处不同，都是社会客观需要，所以复杂劳动不论怎样发展也不能排斥这类简单劳动的存在。

社会必要劳动整体间的联系使简单劳动与复杂劳动相互影响。简单劳动影响复杂劳动的存在和发展，复杂劳动也影响简单劳动的存在和发展。从人类劳动整体的发展趋势看，复杂劳动对简单劳动的影响必定要占主要地位。但是，从现实来看，简单劳动与复杂劳动的相互影响是十分复杂的，在特定的环境下，简单劳动的影响可能占主要地位。比如，在一些经济发展比较落后而又自我陶醉的国家，社会必要劳动中的主体部分是简单劳动，这时虽然并不一定复杂劳动的影响不能为主，但形成简单劳动的影响占主要地位是很有可能的。简单劳动与复杂劳动之间的相互影响直接关系社会必要劳动整体力量的变化。对于各个国家来说，无不希望自己国家的社会必要劳动整体力量逐步增大。不管这种整量中包含的正态与变态各是多少，这里既存在生产劳动与非生产劳动的比例问题，也存在简单劳动与复杂劳动的关系调整问题。一般讲，简单劳动大多是从自身绝对量的增加上促使社会必要劳动整量的增大，而复杂劳动既可从量上又更着重从质上促使社会必要劳动整量的增大。简单劳动是历史的和现实的社会必要劳动的基础，而发展的需要则是简单劳动为主必须向复杂劳动为主转化。这种趋势体现劳动内部的智力作用的提高使主要作用向自身转化。这就是说，是劳动内部因素作用的变化决定社会必要劳动整体的外部变化。从内部因素讲，是智力起主导作用；从外部具体讲，是复杂劳动起主导作用。智力对整体作用的决定性集中体现在复杂劳动中，即复杂劳动的发展对社会必要劳动整体发展起决定作用。所以，经济发达的国家能够发达，是复杂劳动而不是简单劳动的发展决定的；经济落后的国家要赶上经济发达的国家，必须主要依靠复杂劳动而不是简单劳动。中国有一则古老的寓言叫愚公移山，讲的是一位被称为愚公的人要以全家之力，镐劈锄刨，人拉肩扛，子子孙孙干下去，挖掉挡在家门前的两座大山，最后，他的顽强的精神和坚强的毅力感动了天帝，天帝派神仙帮他把山搬走了。我们今天从经济学的角度来分析这个故事，可以看出，神仙当然是没有的，而愚公挖山干的只是繁重体力劳动，是简单劳动，即使排除对动机的评价，我们也不能否认愚公只是想靠简单劳动来达到他的美好而崇高的目的，不能否认这样做可以达到目的，但路漫漫其修远兮，谁都懂得这样效率太低，成本太大。如果我们换一种角度思考，劝愚公不要只知劳动挖山，而是提高劳动的复杂程度挖山，也就是说，不是光拼体力干，而是主要依靠智力作用，那么效果定然会两样，不用感动天帝，自己也能把山移走，这才叫显示出人的力量，而不是把希望最终托在神的身上。我们知道，诺贝尔也是历经艰险，发明炸药才成功的，与愚公不同，他的劳动是高智力复杂劳动的实现。据记载，仅仅在1929年运用诺贝尔炸药爆破下的岩石就达500万立方米，足够围绕赤道造两道2米高2米宽的长城，要是堆成山无疑也是一座雄伟挺拔的高山。而现代爆破技术的发展，已经可以实现一次定向爆破搬走一座山头。因而，对于经济落后国家来说，切不可幻想依靠简单劳动去实现现代化的目的，那样纵然拼命苦干也苦不出头的，纵使有最美好最崇高的愿望也是枉然，只有像发达国家一样依靠复杂劳动，才能走上现代化之路。总之，在认识简单劳动与复杂劳动对社会必要劳动整体的作用上，绝不可像愚公那样只认简单劳动，对复杂劳动的决定性全然无知。

综上所述，社会必要劳动是商品经济劳动实现的表现，具有自然使用价值基础上的社会使用价值，既包含正态劳动与变态劳动、生产劳动与非生产劳动划分，又包含简单劳动与复杂劳动的划分。凡是成为社会必要劳动的劳动都具有社会必要性，这种必要性是常态社会的经济生活需要赋予的，通过市场交换实现的。

简单劳动与复杂劳动相互联系、相互影响，共同决定社会必要劳动整体技能质量水平。而复杂劳动的发展集中体现劳动内部智力作用的提高，代表社会必要劳动整体发展的趋势，对社会必要劳动整体发展起决定作用。

第十八章　简单劳动与复杂劳动

继续研究社会必要劳动，需要继续深入研究反映不同技能质量水平的简单劳动与复杂劳动的关系。探讨复杂劳动向简单劳动的还原问题以及简单劳动与复杂劳动的发展并存问题。我们对前一个问题侧重于劳动内容分析，对后一个问题着力于基本特征的阐述。

一　还原问题

由于劳动技能质量水平不同，复杂劳动与简单劳动的效率不同，评价这种效率不同，一般称为复杂劳动向简单劳动还原。这一问题涉及如何认识复杂劳动与简单劳动之间的交换关系，更是具体分析复杂劳动与简单劳动对社会发展不同作用的基础。在以往理论中，对这一问题的研究是不多的。[①] 反思已有的认识，在当今劳动实践更加活跃地向前发展的现实面前，我们虽然还不能够全面、系统地论述这一问题，但至少可以明确以下几方面的要点。

---

① 参见朱钟棣：《劳动价值论中一个并未得到充分论述的问题——应当如何把复杂劳动还原成简单劳动》，《财经研究》1989 年第 4 期。

（一）复杂劳动向简单劳动还原不同于熟练劳动向非熟练劳动折算

我们知道，复杂劳动与简单劳动是按劳动技能质量水平的高低划分的，熟练劳动与非熟练劳动是按掌握劳动技能的熟练程度划分的，这是两种不同认识角度的划分。相比之下，熟练劳动向非熟练劳动的折算要简单明了得多。在同种劳动内，只要依照各自的工作效率就可确定折算系数，如一个工作日砌 1000 块砖的熟练劳动者的工作效率，自然是一个工作日砌 200 块砖的非熟练劳动者的 5 倍。不同种劳动之间熟练劳动向非熟练劳动折算，如果复杂程度相同，即劳动的技能质量水平相等，那么也是简明的，甲熟练劳动可按乙熟练劳动向乙非熟练劳动折算，乙熟练劳动可按甲熟练劳动向甲非熟练劳动折算。只是，如果劳动的复杂程度不同，那么还需要先经过复杂劳动向简单劳动的还原，然后才能折算出来。因为熟练劳动与非熟练劳动之间只存在劳动技能熟练程度的差别，本身不能解决劳动间的技能质量水平差的问题。所以，这就表明复杂劳动向简单劳动还原是一个与熟练劳动向非熟练劳动折算有联系但又不同于这种折算的更深层的问题。就熟练劳动向非熟练劳动折算讲，它要解决的只是简单倍数差问题，一种熟练劳动比不熟练劳动的效率高出也不过是几倍、十几倍，最多几十倍，不会有太大的差距。但就复杂劳动向简单劳动还原讲，它要解决的问题就不这样简单了，对同行业劳动它要认识比较劳动效率相差很大甚至劳动作用完全不可替代的劳动（如火车运输与人力运输），对不同行业劳动它要研究这些劳动之间的通约基础（如制作航天飞机的劳动与推小车的劳动）。总之，这是两个问题，并不等同，对复杂劳动向简单劳动还原必须深一步研究。

（二）创造性劳动既包含在复杂劳动中也包含在简单劳动中

广义地讲，凡是做出前所未有的产品的劳动，就是创造性劳动。[①] 具体说，做出科学发现的劳动，做出新的理论认识的劳动，发明机器、发明技术等劳动，都是创造性劳动。创造性劳动具有一次性特征。一旦一种创造性劳动形成，随后与之同样的劳动就是对它的模仿与继承，这些劳动只能是非创造性劳动。创造性劳动是不断产生的，劳动的发展质量的提高依赖于创造性劳动的产生。但新的创造性劳动产生不能改变旧的创造性劳动的创造性，虽然劳动的技能经常是新旧更替的。需要明确的是，创造有简单创造，也有复杂创造，并非只有复杂创造。简单创造仍然属于简单劳动，并不因其创造性而改变其简单性。复杂创造才属于复杂劳动，而且，复杂劳动之中也并不都是创造性劳动。这也就是说，在创造性劳动之中，既有复杂劳动也有简单劳动。比如，传统农业体力劳动是简单劳动，这其中仍不乏创造性劳动，因为没有创造，就没有这种劳动的产生，以后的存在是以创造的产生为起点的，有了创造，才有了人们习以为常的延续。农具的一点点改进，耕作方式的一点点改进，每一点点改进都是一次新的创造，不管其改进的是多么简单。而复杂劳动的创造，相比简单劳动，要困难得多。比如，大型集成电路的创造要比简单手工工具的创造困难得多。由于创造性劳动并不都是复杂劳动，简单劳动

① “创造性劳动的特征，是能对过去所积累的实践经验和理论成果做批判性的理解，勇于探求新思想，提出新假设，并在此基础上找到对技术、组织及其他方面各种问题的更完善的解决办法。在整个人类历史发展长河中，正是这一类活动决定了社会生活中生产力的发展、社会形态和政治形态的发展。在个社会中，具有专业技艺、受过训练而从事创造性工作的人员起的作用越大，这个社会的成熟程度也就越高”（参见〔苏〕U. B. 布什马林：《现代资本主义创造性劳动资源的发展》，《经济资料译丛》1991 年第 1 期）。

也存在创造性劳动，所以，我们不能认为复杂劳动向简单劳动还原是创造性劳动向非创造性劳动还原。而且，创造性不论在简单劳动中还是在复杂劳动中，都属于一种特殊性，正如它的一次性特征一样，创造性劳动是领先出现的劳动而不是普及的劳动。因此，一般研究复杂劳动向简单劳动的还原，不以创造性劳动为对象，既不以复杂的创造性劳动为对象，也不以简单的创造性劳动为对象，而是以通常已经稳定下来的复杂劳动和简单劳动为对象，至于创造性劳动的效率比较，只能视为特殊的情况，按特殊情况处理。

（三）复杂劳动与简单劳动的关系是发展的

在小商品生产时代，劳动内容是比较直观，劳动方式是家庭独立，劳动技术是手工技术，而且，社会分工不发达，所以，复杂劳动并不很复杂，复杂劳动与简单劳动之间的关系基本上可以直观把握，复杂劳动向简单劳动的还原也不难认识。

在大机器工业刚刚产生之时，也就是说，社会化大生产刚刚形成之时，劳动的复杂程度虽然有所提高，但是并没有产生技能质量水平的质的突破，复杂劳动与简单劳动之间仍然只存在技能质量水平的量差。其直接表现就是，劳动的工具主要是延伸人的肢体作用的工具，还没有创造出主要替代人脑作用的工具。因而，一般说来，这一时期的复杂劳动仍然不过是“多倍的简单劳动”，① 不过是“高出两倍或三倍的”。② 所以，尽管劳动的组织形式发生了很大变化，劳动的效率提高了许多，但复杂劳动向简单劳动的还原并不太复杂，还原仍然同小商品生产时期一样，在只有量差的范围内进行。

---

① 马克思：《资本论》，第1卷，人民出版社，1975，第58页。

② 《马克思恩格斯选集》，第3卷，人民出版社，1972，第237页。

但是，随着社会化大生产的发展，当人类劳动工具产生根本性的变化之后，即出现了主要替代人脑作用的电子计算机之后，相比简单劳动，复杂劳动的复杂程度空前提高。这种提高的突出标志就是，人类已经能够打破封闭的地球空间进入宇宙探索生存的条件。这说明劳动的技能质量水平已经产生了质的突破，由此形成了现代的新质的复杂劳动。这种复杂劳动不同于简单劳动只有技能质量水平量差的复杂劳动，是复杂劳动本身的质变。它与一般简单劳动相比，因为质已不同，所以是根本无法进行效率量的比较的。比如，推小车的劳动与送宇宙飞船上天的劳动，是根本无法进行量比的，因为无论用多少小车相加，也不可能把小车推到太空上去，这里有个突破地球引力问题，劳动不在多，而在质，质达不到，量再多也没用。当然，我们这里不涉及不同质的复杂劳动问题，虽然道理是同样的，但我们现在主要分析的是复杂劳动与简单劳动的关系。由于出现了不同质的复杂劳动，所以在现时代，复杂劳动与简单劳动之间除了存在技能质量水平的量差外，在某些领域同时还存在技能质量水平的质差。这样一来，复杂劳动与简单劳动的关系真正复杂起来，复杂劳动向简单劳动的还原问题也真正难以认识了，因为这绝不能用传统的没有技能质量水平质差的劳动观来认识。这就给政治经济学基础理论研究提出了更深一层的新的认识问题。

（四）复杂劳动向简单劳动还原是通过市场交换实现的

复杂劳动向简单劳动还原涉及的理论问题是复杂的，通过计算比较复杂劳动与简单劳动的效率差，只适用于相互间只存在技能质量水平量差的劳动，而且完完全全地计算出来是困难的，至少在现阶段还做不到。但是，实际上复杂劳动向简单劳动的还原是每天都在进行的，不仅只存在技能质量水平量差的还原在进行，而且技能质量水平有着质差的还原也在进行，这都是通过市场交换实现的。这也就是说，现实的市场还原，包括不同质的复杂劳动还原。

市场还原的实现，有的是以效率比较为基础的，有的是在效率比较的基础上加以社会客观需求配置比例为依据，还有的就是效率无法比较的，只以社会客观需求配置比例为依据。不论哪种还原的实现，都是对复杂劳动与简单劳动的各自的社会使用价值的认定。只不过，以社会客观需求配置比例为依据的对劳动的社会使用价值的认定，表现为市场强制通约。市场强制通约以承认简单劳动的社会必要性为前提，因为简单劳动不管多么简单，只要社会需要，就必须在社会劳动中占有一定的配置比，所以市场是以保留简单劳动存在的总量需要对复杂劳动给予承认的，复杂劳动不管多么复杂也只能占有一定的配置比，在接受这一配置比的情况下对自身社会使用价值的认定，也能按这一认定值与简单劳动通约。复杂劳动特别是现代新质复杂劳动被市场强制通约的高效率潜化表现在推进社会经济发展的作用上。

总而言之，无论在质上还是在量上，复杂劳动对社会经济发展的作用，都是简单劳动做不到的。尤其是复杂的创造性劳动虽被市场强制通约，但它起到的社会作用更大，而且有的可能极其长远。

二　并存问题

简单劳动与复杂劳动并存，这是商品经济发展的历史与现实。并存中的简单劳动是处于社会必要劳动整体之中的，并存中的复杂劳动也是处于社会必要劳动整体之中的。市场交换沟通了简单劳动与复杂劳动之间的联系。简单劳动与复杂劳动的社会必要性都是在交换中实现的。人们不会因自己不能做其他劳动而拒绝与其他劳动交换。社会分工的必要似乎掩盖了人们之间作为劳动主体现实潜在的某些不可替代性。在简单劳动与复杂劳动的具体交换之中，含有正态劳动的交换和变态劳动的交换，也包含有生产劳动的交换和非生产劳动的交换，这些都是常态社会的需要，这些需要不妨碍简单劳动与复杂劳动的并存发展，但是，简单劳动与复杂劳动的并存发展却对正态劳动与变态劳动、生产劳动与非生产劳动的变化有着直接的影响和作用。

在常态社会中，社会必要劳动的发展表现了正态与变态的对立，生产与非生产的统一，我们知道，这种对立统一是由劳动的内部矛盾发展决定的，即由人与自然的关系发展决定的，不过，就劳动内部矛盾发展的外部表现讲，这种内在的决定作用无疑要体现在简单劳动与复杂劳动的并存发展之中。在原始社会的商品交换中，复杂劳动只是极少的一部分，而且本身复杂程度极低。虽然这时制陶、冶炼技术均已出现，但其产品是很珍贵的，这一点考古资料能够证实。而自那时发展至今，劳动的技能已经大为改观了。从刀耕火种发展到了机械化农业，从手工制陶发展到自动化生产线，从原始冶炼发展到现代化的冶金工业，从原始工具发展到电子计算机，从原始武器发展到原子弹，从原始的人力运输发展到航天飞机。所以，今天的简单劳动早已不是原始时代的简单劳动了，今天的复杂劳动也不是原始时代的复杂劳动。然而，正像人们已经创造出现代化的生活，但从全世界看，还只是少部分人享受，大部分人还是贫穷落后的一样，现代复杂劳动的复杂程度虽然极高，但从人类劳动整体看，也只是一小部分，大部分的劳动还是简单劳动。只不过劳动整体的技能质量水平提高了，相对简单劳动与复杂劳动的技能质量水平都提高了。而简单劳动占主体的状况仍未改变，复杂劳动的相对量增长得不多。我们看到的现实就是，一方面科学技术高度发达，另一方面靠简单劳动吃饭的人还很多。这些以简单劳动为生的人与少数从事高智力现代新质复杂劳动的人同处在一个地球上。面对这种长久未能改变的状况，政治家想到的是要获得大多数人的支持，军事家想到的是用高新技术武器消灭对方有生力量，财政家想到的是努力缩小贫富差距，慈善家想到的是救济穷人，科学家想到的是尽快发展科学技术，而绝大多数的人想到的是安居乐业。不管人们怎么想，事实上这种状态是很难改变的。这种长久的范式似乎已经铸成人们的定见，似乎简单劳动永远是大多数，劳动发展的主导作用就在这大多数之中，社会发展的主导作用也在这大多数之中。这是历史给我们留下的认识，这是历史的事实对认识的作用。但是，我们不可否认的是历史的事实，却不能不否认历史的认识。从历史的事实中归纳出关于今后长远的命题是超出推论前提的。历史不等于未来，未来的发展会改变前久的范式，呈现与历史不同的格局。虽然历史上简单劳动一直是大多数，今天还是简单劳动为大多数，但未来不会再是。劳动的发展将会使复杂劳动的数量绝对地和相对地增长。这是由劳动内部智力作用将成为主要作用决定的，这是劳动完善化的希望。

对劳动整体技能质量水平提高起主导作用的是智力，而不是体力。这一作用的外化就是复杂劳动对社会必要劳动发展起主导作用，也就是起决定作用。简单劳动起不了这种作用。肯定复杂劳动具有这种作用十分重要，不能因复杂劳动一直是少数而否定复杂劳动具有这种作用。以农业劳动为例来说，到底是复杂农业劳动推进整体发展，还是简单农业劳动推进整体发展呢？虽然形式上简单劳动是大多数，但事实上推进农业劳动整体发展的是复杂劳动。良种的选育、农业耕作技术的改进等都来自农业复杂劳动，这些劳动对于农业生产发展是至关重要的。例如，被誉为当代神农氏的中国水稻育种专家袁隆平，培育出杂交水稻良种，不仅使中国水稻大幅度增产，而且使美国、埃及、印度等众多国家水稻产量猛增，因而成为国际知名的“杂交水稻之父”。[①] 这是复杂劳动推进农业发展的最好例证。至于机械、化肥、农药的制造及应用，更是提高农业劳动整体技能质量水平必不可少的。我们知道，在现实商品经济中获得社会必要性的简单劳动分为两大类：一类是有同种类复杂劳动的简单劳动，一类是没有同种类复杂劳动的简单劳动。前一类简单劳动的社会必要性是逐渐削减的。剧烈的竞争将使简单劳动始终处于劣势地位，暂时地存在，是以劳动者的生活相对低水平为代价的，是以人类劳动整体发展坎坷为代价的。随着复杂劳动复杂程度的进一步提高，这类简单劳动将逐渐失去社会必要性。比如，人工老式采煤，相比机械采煤，效率低，危险大，可在目前条件下，很多经济落后地区还离不开人工采煤，小煤窑遍地，人挑马拉，简单支护，通风极差，死亡率极高。这并不是长久之计，人们已经感到这种方式采煤收益很低，靠这种简单劳动难以提高生活水平，不用说去做洲际旅行，就连眼下盖漂亮舒适一些的房子都很困难，更何况这种劳动对人的身体健康影响很大，很多劳动者患煤矽肺病早早逝去。现时代许多青年人对从事这种劳动顾虑重重，不再像过去人们选择职业时那样不以为苦了。像这类劳动，自然是要被淘汰的，它不可能为提高劳动整体技能质量水平起作用。不光是人工老式采煤这种劳动，现代经济中还有许多种这样的简单劳动与复杂劳动并存。在一个更加开放的经济环境中，这些简单劳动都将迅速衰

---

① 据统计，从 1976～1989 年，中国共累计推广袁隆平育种的杂交稻 12 亿多亩，增产稻谷 1200 亿公斤。目前，已有美国、日本、菲律宾，巴西、阿根廷、墨西哥等 100 多个国家引进这种稻种（参见《光明日报》1990 年 6 月 10 日，第 1 版）。

落，让位于同类复杂劳动发展。如果看不透这种形势，还去一味地发展这类简单劳动，那么经济陷入难以自拔困境就是必然结果。回顾社会必要劳动发展的历史，到今天，人们应该看到复杂劳动与简单劳动的社会作用不同，对整体发展起主导作用的是复杂劳动而不是简单劳动。至于后一类简单劳动的存在，是社会客观需要决定的，客观的社会需要不会改变，这类简单劳动就不会改变。从今天来看，人类生活将越来越丰富，但丰富之中也仍会保持一部分简单的存在，这类简单不等于低级简陋，同样也蕴涵着美。然而，这不可否认的简单的美并不能表明简单劳动能对劳动整体的发展起主导作用。社会必要劳动整体的发展终归是越来越趋向复杂的，这与简单的存在毕竟是不同的。只有复杂劳动的发展才能与人类整体寻求开放的生存空间的发展要求相一致，它的主导作用也由此而体现。

将历史上社会必要劳动发展整体中的主导作用归结为占劳动大多数的简单劳动，是一种误解。从内在的角度讲，这是不承认智力作用是主导作用，而将体力作用看成是主导作用。我们说，劳动发展的主导作用只能在劳动主体作用中，而不会在劳动客体作用中，笼统地不分体力、智力，可以讲劳动主体起主导作用，但那是针对劳动客体而言的，是不精确的，不能满足深层研究的需要。深入地区分劳动主体作用要分智力作用和体力作用，而主导作用始终是在智力作用不在体力作用，因为肢体是受脑智力支配的。将体力作用看成主导作用，在某种程度上也是对主导作用与主要作用的混淆。体力作用曾经起过主要作用，那是在生产极落后的时代，而且至今残留在一些极简单的笨体力劳动之中。不过，尽管如此，不能将主要作用与主导作用等同，体力作用起过主要作用但从未起过主导作用。简单劳动（历史上主要表现为体力劳动，以体力付出为主）从未起过主导作用，在劳动整体技能质量水平的提高中是复杂劳动起决定性作用而不是简单劳动起决定性作用。

事实上，从历史来看长久地存在着认为简单劳动起主导作用的误解，其基本原因是混淆了简单劳动中的正态劳动作用与劳动技能质量水平提高的主导作用的区别。我们知道，在正态劳动与变态劳动的统一中，只有正态劳动是社会必然的存在，变态劳动是属于自然的必然，没有正态劳动，就没有人类社会的存在（即使常态的社会存在也不会有）。变态劳动是依附于正态劳动而存在的，正态劳动的基础作用是整个社会生存的保障。所以，无论对简单劳动还是对复杂劳动，都要分辨它们的正态劳动作用和变态劳动作用。变态劳动作用在常态社会是必要的，但不起社会必然作用。由于在历史上是简单劳动占劳动的绝大多数，因而按比例讲，也是正态劳动的绝大多数在简单劳动之中。复杂劳动本身数量少，即便全都是正态劳动，占劳动整体中的正态劳动的比重也有限，何况实际并不是全部为正态劳动，在复杂劳动中确实存在一定的变态劳动。这样来看，当然是正态劳动的主要部分在简单劳动之中。于是，当人们认识社会必然的作用时，就不可忽视地必须承认简单劳动的绝大多数发挥的作用。不过，承认这些劳动的作用并不是因为它们是简单劳动，而是因为它们是正态劳动。这种承认与确认劳动发展的主导作用不同，不是一回事，不能将这种承认与对劳动发展的主导作用的肯定混在一起不分，以为有社会的必然的基础作用就是对劳动的发展起主导作用。这种混淆对自觉地实现劳动完善化是不利的，因为这可能使人长期地只重视简单的正态劳动的发展，将这种劳动的作用从社会必然作用夸大到劳动主导作用，而事实上压制复杂劳动发展作用，使社会经济长期得不到发展，始终处于经济落后国家之列。这就是说，在社会发展中，正态劳动是起一种作用，复杂劳动是起一种作用，既要有正态劳动的作用，又要有复杂劳动的作用，这两种作用都不可缺少，不可将这两种作用混同。现时代正态劳动发展的技能质量水平还很低，以至于还没有脱离以简单劳动的正态劳动为主要部分的阶段，这是事实，是历史演进的结果，但是这一阶段快要过去了，现代技术革命的主导作用正在迅速提高整个人类劳动的技能质量水平，正在大量淘汰低效的简单劳动，正态劳动以复杂的正态劳动为主要部分的日子已经不远了，至少我们从登月火箭传来的成功的欢呼声中能够预感到这已并非渺茫之事了。而且，在一些经济发达国家，正态劳动的复杂程度和范围都已大幅度提高，这正是这些国家经济发达的根本原因。

总之，靠简单劳动是不能实现人类劳动完善化的。简单劳动是贫困的象征（这是相比复杂劳动效率而言，除去社会客观需要的简单劳动）。如果说在剥削社会里被剥削者是受剥削而贫困，那么在无剥削的社会制度下贫困的原因就只能归结于简单劳动自身。人类千百年来的文明史表明，简单劳动状态下的民族，经济落后，不断遭受外来侵略与挤压。现代化的生活不是简单劳动创造的，上天下海不要提，现代音响、视听艺术、彩色摄影，都不可得。没有劳动高智力的开发，即没有劳动向复杂劳动发展，人类就打不开通向宇宙的大门，就消灭不了变态劳动，就只能在有限的空间里消耗着有限的资源，以常态走向毁灭告终。发展经济不是变魔术，没有劳动的技能质量水平的提高，什么人间奇迹也无法创造。所以，实现劳动的完善化，即进行社会主义实践，必须高度地发展复杂劳动，必须肯定复杂劳动的主导作用，必须充分发挥复杂劳动者中的广大知识分子的作用。这也就是说，必须树立简单劳动从属于复杂劳动的新观念，彻底根除轻视复杂劳动，轻视复杂劳动者的旧观念。因为时至今日，还有人天真地讲，社会主义的知识分子是靠工人、农民劳动吃饭的，是必须参加简单体力劳动才能改造思想为社会主义服务的。一些本身从事技能质量水平很低的劳动的简单劳动者极端鄙视复杂劳动者，尤其鄙视高级知识分子，认为他们不如自己贡献大，甚至有些完全是文盲还理直气壮地认为惟有自己是建设社会主义的主力军。这事实上仍然是穷社会主义理论的翻版。这就是理论的误差造成的宣传的误差带来的实践的误差。如果照这样讲下去，那么确实什么是社会主义，只能是一个很糊涂的问题。我们说，社会主义是劳动的完善化，劳动的完善化首先要求的是富裕，而富裕只有靠复杂劳动来解决，进一步说，劳动的完善化需要消灭变态劳动基础，而这也只有靠复杂劳动的高智力的力量才能实现，所以，社会主义的实质是与复杂劳动相连的，社会主义的发展是要求高智力的主导作用与主要作用合并。从正态劳动完善的意义上讲，干社会主义就是干复杂劳动。社会主义劳动完善化的过程，即是常态劳动向完全正态劳动转化的质变过程；同时也是一个由简单劳动为主向复杂劳动为主的发展过程，即从劳动技能质量水平提高的角度讲，社会主义劳动的完善化过程就是社会主义劳动的复杂化过程。

因而，我们只能按照历史的事实承认绝大多数简单劳动在人类社会发展中起到正态劳动的社会基础作用，却不能承认简单劳动可以建设社会主义。今天来看，在经济发展还比较落后的社会主义国家，简单劳动还占绝大多数，但这不是社会主义的特征，不解决社会主义的存在和发展的问题，这众多的简单劳动是人类社会发展整体能动作用下的社会主义国家产生的依靠力量，但社会主义的存在和发展绝不能依靠简单劳动，要实现社会主义的目标就必须实现简单劳动为主向复杂劳动为主转化，就必须使社会主义复杂劳动的发展获得技能质量水平的质的飞跃，这是实现整体的社会的必然与无限的自然的必然的统一的基本前提。在社会主义的建设过程中，复杂劳动必须要担负起主力军的责任。社会主义的劳动完善化，只能依靠复杂物质劳动与复杂精神劳动的共同主导作用来实现。这就是说，从劳动的态势上讲，真正的社会主义劳动是由常态向正态质变过程中的劳动；从劳动的技能质量水平来讲，真正的社会主义劳动是复杂劳动为主的劳动；劳动的复杂化是劳动的完善化的必要条件，劳动的完善化是劳动的复杂化的根本出路；这是由劳动智力的主导作用与主要作用走向合并的趋势所体现的劳动内部矛盾即人与自然的矛盾发展决定的。在这一决定作用下，简单劳动与复杂劳动的并存，既是前社会主义劳动发展的历史，也是社会主义劳动发展的未来，但所不同的是，在历史中是简单劳动占绝大多数，在未来将是复杂劳动占绝大多数。这是一种将会彻底改变人类社会常态存在使之完善的根本性的转变。

第十九章　复杂物质劳动

在劳动完善化的过程中，复杂物质劳动的主导作用是根本。

复杂物质劳动外在地集中体现了劳动的人与人化自然方面的智力作用。整个人类劳动的进步依靠复杂物质劳动的根本主导作用，也就是说，依靠人与人化自然的关系相对深化。近代以来复杂物质劳动的突飞猛进的发展，开创了人类常态社会物质生活翻腾激越的新时代。飞机、大炮、子弹的呼啸与电视机、电子计算机、电子游戏机的普及并进。人们过去不敢奢想的许多事情成为了现实，舒适的洲际旅行，神奇的加速器，清晰的卫星通讯，无不为人们的生活蒙上玫瑰色的光彩，然而，现代武器的发达又在人们的心灵上投下恐怖的阴影。人类从来没有像现代这样能干，人类也从来没有像现时代这样恐惧自己的能力。人类一方面为复杂物质劳动的创造而欢呼，尽情地享受着它的创造成果；一方面又为复杂物质劳动的创造而担忧，时刻感受到它创造的生存威胁。

如若先不讲生存的担忧，近代以来复杂物质劳动的一连串跃进，确实为常态人类生活的物质世界创造了一个新天地。在16～18世纪自然科学研究取得重大进展的推动下，产生了手工劳动工具向大机器作业的重大转变。随着矿山开采和金属加工的规模不断扩大，此时出现了工业用大型水车、大型风车和一些小的适用于专门作业的工作机。但真正促使劳动技能质量水平大幅度提高的转折点，是从纺织业的机械化开始的。1733 年，凯伊发明了织布飞梭，改变了用手穿梭的操作法。飞梭的应用大大地提高了织布的效率，并促使了纺织机器的出现。1764 年，哈格里夫斯发明了“珍妮纺纱机”，经过改进可同时纺 120 根纱线。1769 年，阿克莱特发明了“水力纺纱机”。1779 年，克伦普顿综合了珍妮机和水力机的优点，发明了纺纱“骡机”，一次可同时带动 400 个纱锭，且质量令人满意。1785 年，卡特莱特发明了水力带动的卧式织布机，一下子提高织布能力 40 倍。在纺纱机、织布机问世后，其他纺织工具也很快地实现革新，净棉机、梳棉机、卷扬机、漂白机、整染机等相继被发明出来。在纺织业机械化的带动下，其他行业也陆陆续续地采用了机器。从物质劳动发展的角度看，这时的复杂程度相对提高了一大步，结束了长期的手工劳动阶段。接着，这种机器创造浪潮很快地从工作机转向了动力机。蒸汽技术的开发和利用使物质劳动的复杂程度获得更迅速的提高。1782 年，瓦特发明和试制双动式蒸汽机成功，可以普遍适用于各种工厂。在这之后，蒸汽机又进一步被革新为高压蒸汽机。不久，蒸汽船和蒸汽机车也历经艰难发明出来并投入使用。运用蒸汽动力的航海和陆地运输扩展了人们的劳动能力，使得矿产资源的开采规模能够不受地域限制地扩大，使得劳动的远距离的经常性交换成为现实。蒸汽机的广泛应用，形成了与传统农业和传统手工业截然不同的机器工业，成为物质劳动中的领先部门，由于这一部门与其他劳动部门有着不可分割的联系，它的进展相应带动了其他部门劳动的改进，促使整个物质劳动的技能质量水平向前迈进。而且发展的活力继续繁衍，因工业部门内部对机器的需求越来越大，迫使制造机器的工艺必须实现机械化。在这之前，用手工制造的机器耗费工时大，效率低，质量往往不能严格保证。更为困难的是，手工制机器限制了机器本身精度的提高。于是，一批新的创造性复杂劳动应运而生，开始了用机器生产机器的劳动历史。其中，最著名的莫兹莱建立了一座划时代的里程碑，制成了机床。此后，机床工业在适应生产发展的需要中进一步实现了标准化和精密化。这些机械制造业的开拓者们，有着坚毅顽强的探索精神，有着敏锐的洞察力和准确的判断力，他们在对物质劳动的技能质量水平提高的具体努力中起了重要的作用，他们是许许多多科学原理发现的实际应用者，他们同所有创造性的复杂物质劳动者一样为人类物质生活的提高做出了突出的贡献。只要回顾这段劳动发展的历史，人们就不能不对这些历史上的复杂物质劳动者的杰出代表表示由衷的钦佩。在充满智慧和勤劳的创造性劳动者的奋斗下，早期的化学工业和早期的炼钢制材生产也随着新的创造发明成功而确立。从经济学研究的角度来看，这些创造性的复杂劳动固然使发明者获得巨大的经济收益，表现出他们的劳动创造了极高价值，他们的劳动技能质量水平在当时是遥遥领先的，但是，事实上他们的劳动留给社会的利益比之他们自己所得的收益更大。不论其有无专利，专利对他们的发明的保护作用多大；他们的创造留给世上的是实实在在的东西。尽管这些创造他们不做也会有人来做，但毕竟总是需要有人做的，没有人做，劳动的复杂程度就不能提高。这些勤奋的创造者不仅自己通过努力使自身成为复杂劳动者，而且更重要的是他们的努力使千千万万的人随之也成为复杂劳动者，也就是说，这些创造提供了物质劳动整体进步的可贵契机。

在 19 世纪初期，人们关于电的知识已经有了相当的积累。当法拉第研究出电磁感应定律之后，很快电的工业应用就得到实现，各种电动机和发电机接连不断地被制造出来。同蒸汽动力机相比，电动机具有更多的优点。于是，新的一批发明创造又勃然兴起。虽然巨大的蒸汽机仍在运转，但电动机器以更大的嗡鸣声加入了工业大合唱的队列。爱迪生发明的供电系统和白炽灯泡静悄悄地改变了城市生活的一切。电进入了劳动的领域，电进入了人们的生活。电的力量展现的神妙的机理使人们又一次陶醉在自身劳动智力的胜利之中。很快地，电动力与专门的机械加工技术结合在一起，无数的发电站被建起来。同时，电动力的使用取代了蒸汽动力，还推动了诸多材料、工艺、控制等工程技术的发展，产生了一批新的专业技术。在材料工业方面，各种制造导体和绝缘材料的企业纷纷建立。在工艺方面，应用电力促进了电解、电焊、电热、电火花加工等新工艺的出现。在工程控制方面，发展出了自动化仪表仪器。随后，无线电技术、内燃机技术也相继发展起来。从而，物质劳动整体的技能质量水平又获得新的提高。

进入20世纪以后，复杂物质劳动的发展更加迅速。工业、通讯业的设备逐渐改进，性能越来越好；交通运输工具效率大幅度提高，汽车、火车、飞机，形成各自的交通网，海运兴旺发达；农业生产得到了工业部门的支持，开始出现机械化生产；军工生产更是蓬勃发展，各种武器在不断地更新技术下源源地大批地生产出来。复杂物质劳动的复杂性大为提高，专业化分工越来越细，新的技术成果越来越显著。而这些劳动技能的推进，是以自然科学基础研究做后盾的。这一后盾力量是更深层次的复杂物质劳动。

推动最初机器大工业产生的，是近代经典力学体系的形成，是近代数学、化学、生物学、天文学和地质学等科学理论的创立。伽利略是近代实验物理学的先驱，他创造性地进行力学理论研究，开拓了近代自然科学新纪元。开普勒作为天文学家，提出了经典力学的行星运动三定律，成为“天空的立法者”，近代天体力学的奠基人。牛顿是近代自然科学的集大成者，最重要的贡献是使经典力学成为一个完整的体系，提出了著名的万有引力定律和力学运动三定律，这些发现对以后科学的发展具有深远的影响。同时，这一时期数学也取得惊人的发展，解析几何、微积分创立。除此，物理学还对热和电磁进行了研究，虽然这些研究是初步的，并含有一定的错误，但却是以后物理学研究的重要基础。这一时期对电子研究做出重大贡献的富兰克林，证明了闪电是一种自然放电现象，认识到雷电对人体的危害，发明了避雷针。同期，伏打发明了伏打电池，从而使电学研究进入了从静电研究向动电研究飞跃的新时期。只是光学的发展，处于微粒说和波动说交替的阶段，还不能解释全部光现象。这一时期的化学取得了显著的进展。波义耳提出了化学元素的科学概念。拉瓦锡对燃烧现象进行了科学研究，推翻了传统的燃素说，提出了氧化燃烧理论，完成了一次化学革命。这一时期的生物学研究以哈维的血液循环的发现和林耐的生物分类学创立最为重要，但从总体上说还处于发展的起步阶段。以后，天文学发展史上出现了著名的“康德——拉普拉斯星云假说”。地质学随着航海和地质的重大发现步步深入形成了一门新的独立学科。

19 世纪科学的发展将人对人化自然的认识提升到一个更为全面发展的高度。19 世纪是数学膨胀和爆炸的年代。几何学爆发革命，非欧几何产生，拓展了人们对空间形式的认识，使空间概念具有更抽象和更一般的意义，从而为探索物质世界提供了更加完善有力的思维工具。同时，非欧几何的建立还推动了高维几何、拓扑学的形成。接着，希尔伯特在原欧氏几何基础上大步迈进，将公理化方法推向了形式化的高峰。在代数研究方面，群论和逻辑代数产生，开辟了新的研究领域。而罗素对于集合论逻辑矛盾的发现，则是预示下世纪数学繁荣的前兆。19 世纪的物理学理论实现了一次全面的综合，初步揭示了自然的统一性，又一次开阔了人们的物理理论视野。能量守恒与转化定律是19世纪物理学最伟大的发现。热力学基本定律也在这一世纪建立。同时，分子物理学和光的波动说进一步发展。最重要的法拉第电磁感应理论的创立，如前所述，这成为一场电力革命前奏的基础。法拉第的理论表明了物质之间的电磁力是由媒介传递的近距作用，进而提出了场的概念，这在物理学基础理论研究中具有重要意义。而麦克斯韦的研究则把光、电、磁等自然现象统一起来认识，是人类对物理世界认识的一次大综合。19世纪的化学研究取得了一系列的光辉成果。经过曲折的道路，原子—分子论得以创立，这一理论揭示了一切化学过程本质上的统一性，在化学史上占有重要地位。随后，建立了无机化学、分析化学、有机化学和物理化学4个分支组成的较完整的化学理论体系。细胞学说是19世纪生物学的最重大发现之一。施莱登在前人研究细胞的基础上，独立研究植物发育，提出了细胞学的主要思想，确定细胞是所有植物结构的基本单位，植物的生长过程就是独立的活的细胞的形成过程。施旺进一步把细胞学说拓展到动物界，将细胞学说更明确地表述为所有的生物都是由细胞及细胞产物组成。施旺和施莱登被合称为细胞学说的创立者。对于细胞的科学认识，是人类对自身认识深入的一个重要方面。在认识细胞的劳动过程中，有众多的人为之付出了艰苦的努力，虽然最终成果由个别科学家取得，但是众人的努力起了不可磨灭的作用，不然，这项认识成果很难破土而出。从事复杂物质劳动是艰辛的，尤其是创造性的劳动更为艰辛。从表面上看，许多科学家的发现是偶然获得的，但事实上，为了得到这种偶然，他们要付出长期的甚至终身的努力，而且还可能是以很多人的努力不成功为沉痛代价。达尔文创立的进化论是19世纪生物学的又一最重大的发现。这一学说将生物学从神学的禁锢中解放出来，成为推动当时社会思想进步的重要力量。达尔文做出的这一发现，依靠的是广博的学识和常年的奋斗。这位科学巨匠的艰苦劳动为社会留下了一笔宝贵的财富。

一个自然科学家的成功往往要遭受很大的磨难，而留在后世的却是无穷无尽的光辉。19 世纪最伟大的科学家巴斯德被称为“人类的恩人”并不过誉。巴斯德做出的免疫学说以及炭疽病疫苗和狂犬病疫苗，是人类生存的一道屏障，是人类自我解救的智慧典范。在进行科学探索的道路上，巴斯德几乎每前进一步都要遇到反对派的攻击和阻挠，他艰难地勇敢地搏斗，为了全人类，直至走完了自己的人生旅程。后世的人们不能忘记他，不能忘记他的劳动，不能忘记他的劳动创下的功绩。人们不光要记住那些代表历史时代的帝王的名字，更需要牢牢记住像巴斯德这样的代表人物对人化自然的智慧的科学家的名字。忘记了他们，就会失去对复杂物质劳动主导作用的应有的尊重。而缺乏这种根本上的尊重，对于一个国家来说，社会经济的发展绝不会跟上时代滚滚前进的车轮。

进入 20 世纪后，自然科学的发展又创造出更新的辉煌世界。20 世纪数学最突出的进展是抽象代数的兴起，群论、域论、环论，构筑成基本成熟的抽象代数基础理论。拓扑学和泛涵分析也日臻完善，成为数学新的支柱学科。此外，非标准分析，模糊数学和运筹学也成为数学中新兴的学科。20 世纪是物理学取得极大成就的世纪。最初 X 射线、放射性和电子的发现猛烈地冲击了传统的理论和观念。继而，现代物理学的两大基础理论——相对论和量子力学创立。相对论的产生推动了物理实验技术的迅速发展，导致了许许多多的重大技术创造和科学发现。量子力学揭示了微观世界的波动性和粒子性、连续性和间断性以及必然性和偶然性之间的辩证关系，极深地扩展了人们认识物理世界的视野。20 世纪 30 年代以后，现代物理学继续迅猛发展，新的分支学科相继出现。核物理学与粒子物理学的巨大进展导致原子能技术的开发利用。凝聚态物理学的形成和进展，带动了电子学和电子技术的飞速发展，实现了超导研究的重大突破，将对人类物质生活产生巨大的影响。20 世纪的化学也取得斐然的成就。无机化学中对元素周期律的认识不断深化，稀有元素化学产生并发展。分析化学出现三次重大变革，20 年代初为揭示定量分析原理发生一次变革，20 世纪 40 年代实现由经典分析为主向仪器分析为主的转变是又一次变革，其后为解决分析自动化的要求和新的分析内容要求而引起了第三次变革。有机化学中关于金属有机化学和天然有机化学的研究取得新进展。高分子化学作为一门独立的化学学科产生并发展，从而使化学工业生产进入高分子时代。物理化学中，化学热力学和化学动力学不断取得新成就，以及其他各个化学分支都进一步发展，有力地推动了应用技术的发展。由于现代天文观测手段提高，20 世纪天文学获得许多重大发现。最著名的是 60 年代做出类星体、脉冲星、3K 微波背景辐射和星际有机分子等四大发现。同时建立了射电天文学和现代宇宙学。20 世纪的地质学在前寒武纪地球历史研究、海洋地质学、大地构建理论等方面取得新进展。20 世纪的生物学在上世纪成就的基础上又取得巨大成果。孟德尔定律被重新发现，现代遗传学诞生，研究由细胞水平向分子水平过渡，用生物化学方法探求遗传基因的化学本质，以后又以生物大分子为对象研究结构、功能和信息三要素之间的关系，进一步深入揭示遗传的本质和规律。遗传密码的破译是分子生物学取得的最重大的突破，也是人类自身认识的又一次巨大进步，其成果表明生物界从最高等的人类到最低等的病毒，在蛋白质生物合成的遗传密码上竟几乎完全一致。这一研究从分了水平上证实了整个生物界的统一性。从劳动的发展来看，这是复杂物质劳动取得的历史性成就。这绝不是简单的体力或一般的智力所能胜任的劳动。遗传学的成就只是现代复杂物质劳动对社会巨大作用的一个部分，只这一部分就能够使物质劳动发生强烈的变化，但现代自然科学成就并不仅止遗传学成就，20世纪以来社会必要劳动的技能质量水平大步提高，是有其深厚基础的。自然科学基础研究对劳动整体的发展是必不可少的。有些经济发达国家将自然科学基础研究当做国家资源看待，是有深刻道理的，是有睿智眼光的。这种基础研究是复杂劳动，是重要的复杂劳动，在政治经济学研究中必须将其概括在内并给予充分的重视。对于大多数从事基础研究的劳动者来说，他们可能没有抡过大锤，没有插过秧，没有扛过枪打过仗，没有经过商，但这并不等于他们没有受过苦和累，并不等于他们没有贡献于社会，恰恰相反，他们花费的心血大大地超过一般简单劳动者，他们的贡献也大大超过一般简单劳动者，他们是各个时代劳动整体发展里程碑的奠基人。充分重视自然科学基础研究，是人类能够超出自然的必然的最根本的重要条件之一。

现在，人类的复杂物质劳动发展已进入运用高新技术的时代，高智力发出的光辉更加明媚艳丽。

晶体管的发明是划时代的开端。标志着以电子计算机为代表的电子技术发生了革命性的变化。这一变化推动了整个现代信息技术的发展。现代信息技术以电子计算机技术和光纤通讯技术为主要内容。电子计算机最初采用电子管制成，体积大而又不灵敏，晶体管问世后很快就由体积小而效能大的晶体管取而代之。接着，爆发微电子革命，在一块晶体硅片上制作出成千上万固体电子元件，电子计算机进入小面积集成电路时代，体积显著缩小，功耗大幅度降低，运算速度进一步提高。不久，又出现大规模的集成电路，电子计算机的体积更加缩小，稳定性和运算速度更加提高，操作系统、编译程序等系统软件更趋完善。而超大规模的集成电路又很快地发展起来。在微电子领域，如今集成电路技术是最为活跃的前沿，最富有活力，最引人注目。集成电路的开发和制造水平，集中反映了当代复杂物质劳动高智力发展的水平。目前，电子计算机的功能已超出了单纯处理数据的范畴，它的记忆和判断能力在逐渐增强，广泛应用于工农业自动化控制、像识别、文字翻译、资料存储等社会劳动领域。许多国家特别是经济发达国家的国民经济各部门，使用电子计算机已普及化。现代光纤通讯技术的发展也是举世瞩目的惊人成就。这项技术是激光技术在通讯领域的应用，是通讯技术最重大的变革。在容量相同的情况下，用于通讯的光缆直径只有原来电缆的1% ~0.1%，一根比头发丝还细的光缆纤维，可以传导几百路乃至几万路通讯信息。光纤通讯容量大、抗干扰力强，可靠性极高，一年之中停机时间仅30秒，材料成本也相对低，是现代理想的有线通讯技术。这比用人工传递信息的简单劳动效率，差之何止千里。现代光纤通讯技术在物质劳动中的复杂性还特别表现在它是一种复合技术，是光技术与电子技术复合产生的高技术。这种在实用技术上实现的光电转换，为人们物质生活带来了更多的方便。在现代高度信息化的商品经济活动中，光纤通讯发挥出极为显著的优势，它和电子计算机相配合，服务于人们对经济信息的交换、存储、处理等需要。在经济发达的国家，均已建立起光纤通讯网络，体现出高智力复杂物质劳动的确凿力量。

具有划时代意义的现代生物技术的创造，被广泛应用于农业、食品工业、医药工业、能源工业、化学工业、冶金工业等各个行业。这一领域的复杂劳动新成果，具有广阔的前景，对于物质劳动整体技能质量水平提高具有重要作用。现代生物技术表现出高智力对自然奥秘的破解和高妙的利用，主要分为遗传工程、生物催化工程、微生物工程和细胞工程4个方面。遗传工程应用生物化学手段，以人工方式创造新的生物或生物的新功能。自然界的生物基因有3800万种，如果这项技术开发利用起来，给人们生活带来的利益是极大的。遗传工程在农业上的开发最引人入胜，其中通过固氮基因的转移来解决非豆科作物的肥料问题，利用病毒做载体进行植物育种，用注射法导入重组基因改良家畜品种等，都发挥出很大的经济作用。人们希望经过努力，利用遗传工程来大幅度提高粮食产量。如果这一努力实现，那么全世界人口的基本生存条件将大为改观。生物催化工程又称酶工程，利用酶或细胞特有的催化功能，生产现实生活需要的产品。过去，用化学催化剂要几年甚至上万年才能完成的催化工程，用酶催化只要几秒钟就够了。酶催化一般还不需要高温高压，从而节约了能源，具有良好的经济效益。微生物工程又称发酵工程，利用微生物的特殊功能于生产之中。这可为高效生产饲料、肉类、能源、医药开辟新的道路。在工业上，污水处理、细菌冶金、石油开采等工艺都可应用发酵工程。这一新技术还具有生产工艺安全、生产时间缩短、生产成本较低和生产设备可充分利用等优点。细胞工程通过人工方式改变细胞特性，从而改良品种，创建新品种，加速生物繁殖。这将为高效能地促使自然生物为人的生存服务。

新材料技术已经成为现代工业的基础。因为各种工业新技术的兴起都是以新材料为支柱的，甚至是以新材料的使用为先导的。这种材料技术的拓展是物质劳动整体技能质量水平提高的重要条件。现代新材料大体包括信息材料、能源材料、高分子有机合成材料、高性能复合材料和新型金属材料。

在传统能源有些已经面临枯竭的情况下，新能源技术的开发是复杂物质劳动发展的又一个重要方面。在现代，社会生活对能源的需求量越来越大，储量日趋减少的煤炭、石油等传统能源根本不能满足需要。目前，已开发的新能源有核能、太阳能、地热能、风能、氢能等。这些新能源是解决近期能源问题的重要途径。如正在加紧研究的核聚变能，可将1克氘核聚变获得相当于100立方米汽油燃烧释放的能量，而每一立方米海水中约含有3克氘，所以随着这项技术的开发，海水将成为重要的能源宝库。

在海水能源开发的同时，其他海洋技术的开发也已兴起。为了向海洋索取更多的生存资料，复杂物质劳动在这一领域进行了广泛的探索。由于海底石油和天然气的贮量约占地球油气贮藏总量的1/3，所以海洋石油开采技术已走向成熟。海洋矿藏的开发集中在锰矿团上，据估算光太平洋底就蕴有17000亿吨锰矿团。可供人们使用千年以上。现在人们正在研制开采这些矿团用的高性能的深潜船。其他海水淡化技术、海洋发电技术也已发展起来。人们憧憬着今后建立海上城市、海上机场、海上油库、海上工厂、海底军事设施和科研基地等。

空间开发技术是当代新技术开发的最高领域。人类打开通向无限宇宙的大门，进入太空时代，必须依靠空间开发技术。这是人类科学知识的最大综合运用，是人类复杂物质劳动智力极高发展的凝结点。对于人类的生存命运来讲，这是最重要的劳动内容的组成部分。人类通过这方面的劳动突破地球有限生存空间的封闭，具有深远意义。由此，人类将可能获得无限的生存自然条件。目前，许多国家已经把空间开发技术列为优先发展的领域，投入了大量的资金和人力，因而有些技术已初步达到实用阶段。运载火箭可把宇宙空间飞行器送入预定的轨道，众多的人造卫星被用于科研、气象、导航、地质、军事等方面的服务。登月飞行已成为现实，航天飞机往返太空和地球之间对于加快空间技术开发具有重要作用。这种作用是复杂物质劳动高智力作用的突出代表。

总之，现代科学技术的发展表明复杂物质劳动的技能质量水平已经提高到了对地球空间全面开发、对宇宙太空进行探索、对微观世界灵巧利用的高度。这是千千万万物质劳动者代代努力的结果。尽管达到这一步，人类已经历尽千辛万苦，已付出沉痛代价，但是，距离人类通向无限宇宙生存的要求，距离实现劳动完善化的要求，还相差很远很远。现实中还存在着大量的变态劳动，还存在着大量的简单劳动，这就从总体上表明复杂物质劳动发展的水平还不够，还面临着许许多多的困难。

从地球作为一个星球的角度来看，现代复杂物质劳动在把握地球气象方面的认识能力还处于封闭的状态水平。气象卫星也未能脱离地球范围进行观测，这就使得对地球气象的认识存在很大的局限性。因而，现在人们只能做准确的短期天气预报，而不能准确预报长期气象。眼下技术最先进的国家做出的有效天气预报时间也只有 10 天左右，超过这段时间几乎是茫然的，在目前条件下，认识视野最重要的拓展是，中国的气象工作者根据天体位置对长期的气象做出的大体推测基本准确。这一工作与古埃及人以观察天狼星在一年中最早的晨曦来预报尼罗河的定期泛滥，道理是一致的。这说明整个太阳系的磁场决定着地球上气象的长期走向。地球这一小范围的气象受更大的天体范围的控制。从可视性来讲，太阳系的其他行星的位置对地球上不同区域的气象影响都有对应点。所以抽象地讲这些天体位置不同的影响实质是天体磁场变化的影响。不掌握这些天体磁场的变化规律，人们对于地球气象的长期情况就无法得到准确的认识。在这种状态下，人们对工农业生产的长期安排就很难说不与气象条件的客观允许情况不冲突，以此造成损失也就是避免不掉的。因而，从劳动生存的角度讲，人们必须从更大的空间范围来认识和把握地球的气象问题，只有认识范围扩展了，打破了现时的自身封闭状态，才能获得更大认识自由。有了这种自由,“天有不测风云”才不仅是短期不存在,而且是长期也不存在了。但是做到这一步,还需要条件。研究整个太阳系磁场对地球气象的长期影响,没有能覆盖整个太阳系的宇宙探测恐怕是很难得到的,只靠朴素的地球上的观测最多只能把握大体情况,这是远远不能满足需要的。因此,更加艰难的发展,更高智力的开掘还在后面。

现实的新能源的开发也只是暂时缓解近期的紧张局面,解决不了远期的问题。从长远来说,人类必须依靠宇宙能生存,不能依靠有限的地球资源和有限的太阳能生存。尽管太阳的冷却还是相对远的事情,但是,从做人的意义上讲,必须想到这一天,必须现在就开始为解决今后长远的问题而努力。因为这本身就需要有相当长的探索过程,如果不是从现在开始努力,那么等到生存的压力明显地压下来的那一天再努力就晚了。简而言之,我们讲的问题不是开除哪个国家球籍的那种危机感和紧迫感,而是说全人类必须共同地紧迫地努力奋斗才能保持住自身整体的宇宙籍。

其实,即使不讲长远的生存问题,现时人们受到的自然威胁也并不为少。众所周知,各种可怕的疾病时时在缠绕着人们的身体,危及着人类的生存。

“免疫性疾病、恶性肿瘤、心脑血管病、呼吸系统疾病、遗传病、感染性疾病和外伤已突显于主要位置。每年全球死于这些疾病的人数高达数千万。问题的严重性在于,一方面这些疾病的死亡率和死亡人数居高不下,另一方面发病和死亡威胁的势头还在扩大,而更为急促的是,对这些疾病的病因和发病机理了解不多,有的更是知之甚微,无法在早诊早治和预防等重要环节上做到有效防治。况且,这些疾病多数并非单纯生物因素所致,研究难度很大,防治难度更大。如何深入认识这些重大疾病的发病机理,掌握有效的救治手段,进而大幅度降低发病率,是未来医学面临的最大挑战之一。

对于细菌性疾病，面临的一大难题是对付抗药性。如今细菌对抗菌素产生抗药性的速度超过了研制新抗菌素的速度，更远远超过工厂生产新抗菌素药物的速度。照此下去，小小细菌再次给人类致命一击的时代回归并非耸人听闻之言。

遗传性疾病在各国特别在不发达国家发生率很高……先天愚型和先天缺陷患儿出生率持续增长，已严重影响人口质量和社会进步。

艾滋病作为“超级癌症”，已有遍染全球之势。此病称得上当今医学的奇异现象。它的病因明确，发病过程基本清楚，甚至连病原体的基因微细结构都已探明，但就是找不到有效的治疗和预防办法，尽管已动用了迄今医学武库中所有的“武器”。艾滋病给了我们一个反思的机会，使我们认识到，即使没有艾滋病，今后也会有其他同样厉害的病毒流行病发生。这是自然界自身不断综合的必然结果。我们的任务是要加紧探究其中的理论机理，探索防治措施。能不能在未来几十年内拿下艾滋病是对医学家的严峻考验。

现代人面临的种种社会、环境压力，竞争意识，以及工作、生活方式导致身心经常处于高度应激状态、疲劳状态和紧张状态，与科技进步和物质文明相伴而生的“文明病”、精神沉沦、各种危及健康的因素，如吸烟、吸毒、酗酒、家庭瓦解和不良性格特点等发生频率增加，使身心疾病与日俱增。所有这一切，使精神性疾病、神经性疾病、忧郁症、高血压、衰弱症和外伤等逐渐成为棘手的医学问题。

随着人口城市化趋势和工业化程度的进一步提高，过敏性疾患和感染性疾病将趋增势，这些疾病采用传统疗法将难以奏效，针对它们的防治将成为艰巨的任务。

随着太空开发、海洋开发、南极开发、高原开发等特种事业的发展，太空病、海洋病、南极病、高原病和其他特殊条件下发生的疾病的防治工作将提到议事日程上来。[①]

由此可见，人类还需要开足脑力：坚忍不拔，为保持自身存在，同顽固的疾病作顽强的斗争。复杂物质劳动在医学领域的发展具有事关人类整体存在的重大作用。

人类近期生存面临的严重挑战还在于生态环境污染的威胁。由于现代工业技术处理不当，排放到大气中的硫氧化物、氮氧化物等与日俱增，致使大气污染日益严重。酸雨发生的频率和范围越来越扩大，已成为全球的公害。大面积酸雨危害人体、腐蚀建筑、污染水源，并进一步引起全球温室效应。预计 21 世纪初，地球表面温度将上升 1.5℃ ~4.5℃，这对农业和农副业生产将产生严重影响。森林的破坏也是生态恶化的一个重要原因。全球森林覆盖率急剧下降，并由此造成严重的水土流失问题。全世界现在每年表土流失量大约为 230 亿吨。这对土壤肥力直接造成影响，并引起部分地区沙漠化。

这些情况表明，人类必须立足当前解决生存问题。如果当前的生存都不得解决，那么长远的生存也就不存在解决不解决的问题，因为人类的存在已等不到那时了。

所有这一切问题的解决，不论是当前的，还是长远的，都只能依靠复杂物质劳动的努力，尤其是要依靠高智力的现代新质复杂物质劳动的努力，简单劳动对此是束手无策的。

20 世纪中期开始的新技术革命证明，物质劳动高智力的创造力是极其大的。这不仅为千百年来的体力劳动所不可比，而且就是在现代也为仍占绝大多数的简单劳动所不可比。人们或许记

① 方福德：《未来医学面临的挑战和机遇》，《科技导报》1992 年第 1 期。

得有这样一个古老的故事：一个聪明的大臣，献给国王一件精美的棋盘，要求国王按盘上的方格给他大米作为回赏，第一个方格给 1 粒米，第二个方格给 2 粒米，第三个方格给 4 粒米，第四个方格给 8 粒米，以此类摊。国王糊里糊涂地同意了，命令拿米来。结果第五格需要 16 粒米，第十格需要 512 粒米，第十五格需要 16384 粒米，第二十一格给了这个大臣 100 多万粒米，第四十格国王付出了 1 万亿粒米，不等到第六十四格，国王已没有米可给了。以此为例，可以形象地表明智力发展效率的增进。或许可以说，体力的效率是线性增长，是有限的；而智力的效率是指数增长，是无限的；进一步说就是，简单劳动好比是按线性增长往棋盘放米，顶多能放几个格，因为增长是有限的；而复杂劳动是按指数接连往棋盘放米，并且增长还可突破棋盘的限制。因而，简单劳动的效率，也就是 1 粒米、2 粒米，顶多 5、6 粒米，依靠简单劳动仅仅能糊口而已，若假定复杂劳动的效率在第十格上，那么就是 512 粒米，相比之下，远远超过简单劳动。10 个简单劳动也抵不上一个复杂劳动。往往教育投资的效益就体现在这里，用培养 10 个简单劳动者的费用培养一个高效率的复杂劳动者，将获得的效率可能大大超过 10 个简单劳动者的效率。在现实经济中，我们不乏看到这样的实例。从微电子革命的作用讲，事实上高智力复杂物质劳动是完全能够取得这种指数增长的高效率的。正是靠这种高效率，人类才能不仅解决现实的生存，而且能奔向无限的宇宙太空去寻找自身的出路。

历史的和现实的复杂物质劳动的发展是常态下的发展，高智力包括变态的高智力在内。除去剥削劳动高度发达外，现代的复杂物质劳动的发展对于战争的影响和作用日益成为威胁人类自身生存的最严重的问题，这甚至是来自自然生态方面的危险远远无法相比的。

全世界现存的核武器的威力，足以使全人类毁灭多次。起初物理学家们做出核裂变试验，意识到自身的劳动将开辟人类历史的新纪元，却没有意识到这一发现将使整个人类受到严重的生存威胁。最先试制核武器的科学家们本意是为了制止法西斯战争，也没有意识到这将把全人类拖向核恐怖的深渊。

然而，尽管核武器的作用已经极大地显示了变态复杂物质劳动制造的恐怖能力，人们仍继续源源不断地把高科技成果和高智力运用在战争的需要上。这一方面是出于防止现代武器杀伤破坏力的驱使，另一方面又无可驳议地挑起了新的更大的战争威胁。美国为了在世界上取得战略优势并带动本国经济更高速地发展，提出“星球大战”计划。该计划拟建立一个复杂的7层防御系统，使用数千个卫星组成一个庞大的战略保护网。估算实现这个计划需要1万亿美元。整个计划对技术提出了前所未有的极高要求，投放在这一计划中的高智力复杂物质劳动的规模将是空前的。

现代电子高技术早已广泛应用于战争，并因而导致战争形态出现“软”、“硬”一体化趋势。现代战争中存在着无形的电子战场，即战争双方的“软系统”对抗形成战争“软形态”。“软系统既包括作为独立系统的指挥、控制、通信和情报系统等电子战系统，也包括用在各种‘硬’武器装备中的电子和光学分系统。由微电子和信息技术构造的软系统，突出体现了现代战争的高技术化特征。在现代战争中，软系统的地位和作用明显提高，这是因为：现代战争的初战、进程和结局如何，在很大程度上取决于软杀伤的效果。软杀伤的目的是破坏敌人的软系统，使对方‘耳聋眼瞎’，夺取‘制信权’从而为硬杀伤创造条件和争取主动”①无疑，电子战场的涌现给战争的残忍和恐怖晋加了新的一级。

① 于德惠、赵一明：《科技发展与战争演变》，《科技日报》1991年2月4日第4版。

现在，智慧的武器专家们还在设计着种种的新式高技术武器，以求达到武器威慑的作用和战场杀伤敌方有生力量的目的。这种发展趋势将使武器的性能越来越精良，将使战争的摧毁力越来越强大。这一现实的变态发展惯力的威胁，是急需解决的人类生存问题。在高智力复杂物质劳动的作用下，打开天国的大门与打开地狱的大门的能力同在，为了生存和毁灭生存的力量共存，这就是劳动的常态，这种状态不会长久地存在，不是鱼死就是网破，人类不是走向正态生存，就是走向变态毁灭。触目惊心的争斗即将在新的世纪展开，变态的复杂物质劳动自身的发展不会停住脚步，除非正态对它的制止成功或是它已经把人类完全拉进了地狱的大门。

变态的复杂物质劳动的智力发达还体现在现代信用经济的发达之中。依靠占有劳动客体作用来占有收益已经高度社会化，其借助于高科技的运行手段将这种占有收益的需要紧紧地镶嵌在整个国民经济的运行之中。在变态的发展中，人们对于劳动客体的占有越来越需要高智力的保护或高智力物化手段的保护。社会经济现代化的进程，已经使许多国家的剥削劳动也现代化了，有价证券交易有大型自动报价系统，股市分析可用高级电子计算机模拟，信息交换有快速而敏捷的通讯网，那种豪华与气派，复杂与精深，让人眼花缭乱，丝毫看不出这是一种动物的寄生的求生方式在现代社会中的延续，反而像神圣不可改变的一样。在这种高科技复杂物质劳动的作用下，剥削就像弥漫在空气中的灰尘似的在茫茫的现代经济生活中显得那么的自然，那么的平谈，那么的普遍。比起战争的恐怖，剥削是更难于使常态人摆脱的诱惑。正态的物质劳动，即便是最高智力的复杂劳动，在这些事实面前，也只能任其自然。

有人说，核武器是人间魔鬼。其实，剥削也是。只不过一个才产生了几千年，一个是频频的战争孕育而成。常态的复杂物质劳动的高度发展，一方面造就了这些魔鬼的飞扬跋扈，一方面为人类正态劳动完善准备了必要的物质技术条件。常态的复杂物质劳动不能自我完善，尽管打开天国的大门的钥匙是它猎取的，尽管在制止变态的疯狂中它也有一份不可磨灭的功绩，但是，劳动的完善是整体的完善，完善的力量要靠整体的力量，真正地实现劳动的完善化，不被自身变态所毁灭，还同时必须要有复杂精神劳动的努力。

第二十章 复杂精神劳动

在劳动完善化的过程中，复杂精神劳动的主导作用是关键。

复杂精神劳动自身也要经历由常态向正态的转化，因而复杂精神劳动为劳动整体完善起的作用是自身转化过程中的作用，其中起关键作用的只是正态复杂精神劳动。

复杂精神劳动的关键作用是建立在复杂物质劳动的根本作用上的。复杂物质劳动的高度发展造就了物质劳动整体技能质量水平的跃进，这是人类劳动整体完善的必要条件。从近代科学技术发展的进程中，我们看到，物质劳动的每一步提高，都需要付出相对复杂的努力，整个的发展就像一幅网链的延伸，环环相扣，环环相连，每一步都不是容易前进的，每一步的前进都是劳动者智力发展的光辉硕果。简单物质劳动是绝不能完成这样的智力进步的。简单物质劳动只体现社会必要性，而不具有推动物质劳动发展的复杂性，不具有主导物质劳动技能质量水平整体提高的能力。更重要的是，作为人类劳动的绝大部分的物质劳动，其由简单为主向复杂为主的转变趋势，反映了作为人类劳动存在基础的正态劳动由简单为主向复杂为主的转变要求。正确地理解这一趋势和要求是正确地认识现代的简单劳动与复杂劳动的关系发展的前提。通过对比分析，我们明确指出，简单劳动中的正态劳动所起的基础作用，将逐渐为复杂的正态劳动作用所取代。任何不以发展的眼光来看待正态劳动的复杂程度提高而始终坚持对正态的简单劳动推崇和维护的认识都是错误的，在理论上是荒谬的，在实践上是有害的。简单劳动作为正态劳动的绝大多数即将成为历史，新的世纪将呈现出以复杂劳动为主的壮观景象。这是劳动完善化的要求，这是实现社会主义的希望。

复杂精神劳动的高度发展具有复杂物质劳动高度发展不可取代的作用。单纯物质劳动的发展不能使人类劳动整体超出自然的必然，只有依靠整体的力量即包括精神劳动在内的力量才能使人类劳动整体超出自然的必然，实现整体的社会的必然。复杂精神劳动是精神劳动智力发展的集中体现，复杂精神劳动的高度发展将完成人类对于自身世界常态历史的科学认识，将科学地探索出人类劳动由常态向正态转化的道路，即找到具体的实现人类共产主义社会之路。在常态的历史中，变态劳动的发展形成了相对独立的运动，即包含物质劳动的变态创造又包含精神劳动的变态创造，既有生存的需要之举又有纯粹的疯狂所为。理清变态产生、演进的自然条件和历史依据，人类才能认识自身完善的客观要求，才能做到抑制变态的自觉，这种认识是要由复杂精神劳动来承担的。几百万年来不断演进累积的变态劳动，是不容易消失的，这需要复杂精神劳动在复杂物质劳动创造了人类更广阔的生存自然条件下努力开拓，实现对自身作用的认识自觉。

过去，人们认为社会主义学说的创立，即人类认识自身的自觉，可以起减少社会发展的代价、避免社会发展的曲折的作用。这种认识固然旨在强调复杂精神劳动的作用，强调理论认识对于实践的重要性，但其实对于复杂精神劳动的作用并没有给予充分的认识。复杂精神劳动在劳动完善化中的作用并不是减少一些新社会诞生的痛苦的事，而是缺少它就不可能使新社会诞生。如果作用仅仅在于减少社会发展的代价和曲折等痛苦，那么社会主义学说对于实现社会主义劳动完善化，即通过社会主义实践走向共产主义社会，就不是具有关键作用了，而是可有可无的了，因为没有它，新社会照样会产生，只不过多一些痛苦罢了。因而，也可以说，过去的认识实质上是没有把复杂精神劳动的作用摆在实现社会主义的关键作用上来认识。这一点是必须要从理论上纠正的。就是说，不能将人类对社会主义的认识自觉看成是可有可无的，看成是只能减少痛苦的，而必须把这看做关键的，因为这种认识的自觉对于人类社会的生存和发展是必不可少的，对于实现劳动的完善化是必不可少的。所以对于社会主义学说，不是谁想要不想要的问题，而是全人类生存的需要，没有它，人类劳动就不能完善，人类就会在变态的疯狂中毁灭。复杂精神劳动高度发展的重大历史责任之一就是一定要使社会主义学说成为全人类的科学思想普及开。

劳动的完善化要求复杂精神劳动高度发展，其中包括哲学、社会科学各个方面的认识努力。

从某种意义上说，错误是正确的先导。人类对于自身正确认识的得来，历经坎坷，走过漫长的曲折之路。哲学作为对人的认识的最高概括，由神奇的析释到朴素的直觉，由理性的崇拜到对理性的抛弃，由不可知的宣扬到可知的肯定，留下了有名的和无数的思考。这其中不乏高明智慧的火花，确有相当的哲理价值，但是，在现代自然科学还未能表现出它的巨大能量之前，哲人们的思考是难免不带有局限性的。只不过，尽管有着局限性，也是极有认识价值的。哲学的发展是整个人类认识的基础。

政治是经济的集中体现，是复杂精神劳动的又一重要领域。对于政治问题的研究历来为社会所需要。人杰地灵，每一个时代都培养出了自己时代的政治头脑，既有历史的局限性又有时代的适应性。政治是人类精神生活的灵魂，是人类社会生活的主宰，复杂的政治问题只有依靠复杂精神劳动来解决，重大的政治问题的解决是复杂精神劳动的重大成果。在劳动完善化过程中，各种反映到政治上的矛盾和要求，都需要这一领域的复杂精神劳动给予具体的解决。

文学是社会的一面镜子，一面折射得复杂纷繁的镜子。文学以形象来解剖人生，以人生来说明人生，感情的激荡是主旋律。然而，这种感情真诚的呼唤，能够直接地普遍地强烈地震撼社会和每一个生灵。复杂的文学意识对于整个复杂精神劳动的发展不无启迪意义，甚或可能独自奏出时代的最强音。常态社会的苦难，文学的直接感受最多，完善社会是现时代文学追求表现的主题。固然，社会主义学说不等同于文学，但文学的努力却是社会主义劳动完善化思想的来源之一和实现目标的必用力量。

常态社会的历史是一部常态劳动发展史。洞悉历史，才能了解自身。历史的研究是复杂精神劳动对于社会过去的总结，总结既是记忆又是提高，它将人类的发展长河联结在一起。这种总结是人类不断地向未来进取的精神力量源泉之一。

法律维护的是常态社会的秩序。这在人类正态社会实现之前属于必要的复杂精神劳动作用。尽管社会是常态的，存在着变态，但也要求有一定的秩序，变态有法律允许的变态，也有法律不允许的变态。法律代表着常态的规范，是社会矛盾对抗中的制衡。实现劳动的完善化必须运用法律手段，虽然这一手段也将消融在自身的作用过程之中。

马克思主义理论研究是人类复杂精神劳动高度发展的体现。通常讲，它包括哲学、政治经济学和科学社会主义 3 个方面，其中政治经济学是基础。马克思主义从经济研究出发，对人类社会做出了高度的哲学概括和社会主义的科学探索。但这并不像某些俗人所说的，只要是正确的，就是马克思主义的；只要是错误的，就是非马克思主义的。马克思主义理论研究是一个探索的过程，允许错误和失败，也允许反复和曲折，它是劳动智慧的结晶，但也可能出现认识过程中的误差，它需要在不断地探索中完善。马克思主义的科学性，从根本上说，在于它的发展性，在于它与全人类利益的一致性，在于它要以自身的努力促使人类社会完善，促使人成为真正的人。马克思主义理论在当代的发展，是复杂精神劳动技能质量水平提高的突出体现，这实质是人类获得整体的社会的必然的实现的关键起点。

复杂精神劳动对于劳动完善化的精神主导作用并非在遥远的未来才显现出来，而是自社会主义学说创立并传播时就开始了。这种作用是长久的，有时表现为激烈的社会思想冲突和社会制度演变，它贯穿于整个思想领域，也浸透在人们日常生活之中。

人类劳动的完善需要自觉调整人与自然和人与人的关系。这种调整是连续性的，并非孤立的一代人两代人的举措。自觉的调整首先要自觉地认识现实并解决现实的问题。当前，最大的现实问题之一是人口爆炸。人类必须科学地解决自身的存在量问题。人类不是在无限的生存空间向无限的生存空间发展，而是在有限的生存空间向无限的生存空间发展，如果不能自觉地认识自身存在量与自身劳动能力决定的生存空间的关系，那么就可能在自身的盲目生产中阻碍自身对自然对抗能力的提高。1987 年 7 月 11 日，南斯拉夫的一个新生儿引起了全世界的关注，联合国秘书长亲自到医院对他表示祝贺，因为他的降临表明全世界人口已达到了 50 亿。人口的剧增，在大量存在简单劳动的阶段，是严重的社会问题。当初，桑格夫人宣传节育，主要是从家庭贫困和妇女健康角度考虑的，但是她的倡导事实上开创了人类自觉地计划生育的先河，具有重大而深远的意义。人类必须学会自觉地接受自然的规范。控制当前的人口爆炸是复杂精神劳动的重要内容之一。人口质量的提高，从自觉地推行计划生育的角度讲，也有赖于复杂精神劳动的积极努力。

就现实讲，努力提高社会经济管理劳动的技能质量水平，也是复杂精神劳动发展的一个重要方面。社会经济管理劳动不出物质产品，但却是物质生产的基本条件。在现代，宏观经济环境和经济秩序的重要性已充分为人们所知。没有社会经济管理劳动创造出良好的宏观条件，任何物质生产在现代社会都难以进行。社会经济管理劳动所做的，实质是人类对自身的社会经济行为的认识和控制。目前，这种认识和控制越来越呈现区域协作化和国际协作化趋势。就国民经济运行而言（一定的社会制度下的运行是一定的），其水平是与社会经济管理劳动的技能质量水平相一致的。也就是说，作为一种复杂精神劳动，当它的发展滞后于它为之服务的物质劳动时，国民经济运行的水平就相对低，宏观的波动和损失就大，而当它的发展跟上去了或大体跟上去了，国民经济运行的水平就能与国民经济发展的要求相适应或基本相适应，经济运行的不必要的代价就能较多地避免。不过从现实来看，可以说世界上几乎所有国家的社会经济管理劳动发展水平相对其复杂物质劳动的发展水平，还都是有相当差距的。我们看到的最明显的事实就是，科技发达，而经济总是或长或短的时间混乱。由于社会经济管理劳动的发展状况直接关系社会经济的繁荣与稳定，因而在劳动完善化的过程中，人类需要自觉地努力提高社会经济管理劳动的复杂程度，使之适应社会必要劳动整体发展的需要，尽可能减少社会经济发展的代价。这种提高包括现时仍然处于资本主义劳动发展阶段的社会经济管理劳动，因为这关系到人类劳动整体发展的连续性。

当前，社会主义国家的社会经济管理劳动的技能质量水平的提高更具有迫切性和直接的现实意义。长期以来，社会主义国家的经济建设处于一种僵化的体制管理之下，经济的活力受到了很大的压制。这并不是说社会主义国家的经济建设没有成就，而只是说它应有的活力没有完全发挥出来，事实上社会主义国家的经济建设都取得了巨大的成就，无论是从发展速度上还是从发展的绝对规模来讲，这些国家都比社会主义制度建立之前大大地超过了。然而，由于体制的僵化，问题还是存在的；与其他国家经济的发展相比，差距还是存在的。这正是各个社会主义国家先后实行经济体制改革的缘由。问题是，从目前来看，改革是相当艰难的。旧的体制难以继续维持了，而新的体制又难以形成。东欧一些国家在改革过程中发生剧变，前苏联在改革过程中解体。除去政治原因不说，仅就经济管理方面讲，改革前的体制僵化反映了社会主义国家的社会经济管理劳动水平低，不能适应社会经济发展的需要；改革中发生的问题也同样是反映了社会经济管理劳动水平低不能适应改革的需要。体制的问题实质是社会经济管理劳动存在差距而拖住了整个社会经济发展的问题。所以，经济体制改革的真正核心就在这里，就是说必须要提高社会主义经济管理劳动的技能质量水平。我们不能以相对低水平的社会经济管理劳动去管理即将实现现代化的社会生产。我们不能指望在社会经济管理劳动发展的低水乎上获得高水平的社会经济效益。没有高水平的社会经济管理劳动，就无法建立适应社会主义现代化建设需要的经济体制。由此而言，当前社会主义经济体制改革最需要的，就是突破性的发展社会主义社会经济管理劳动。这一点不突破，改革就不可能有突破，徘徊和混乱就难以避免。这就是说，如果我们能把改革的实质要求落实在劳动上，以社会经济管理劳动的技能质量水平提高为突破口大胆地改下去，那么我们的经济体制改革一定会大有希望的。所以，改革的关键不是让别人改，而是要让从事社会经济管理劳动的人自己改。自己改不了，就要被别人改下去，否则，改革就无法前进。取得突破性发展的社会经济管理劳动必须是能大体上把握住国民经济运行的客观轨迹的劳动。尽管取得这种突破很困难，但是坚持社会主义改革的人们必须尽最大的努力去突破，这既是近期的社会主义经济体制改革的迫切需要，也是长期的社会主义劳动完善化的客观要求。

在劳动完善化过程中，复杂精神劳动的发展和作用，除了有正态与变态的区分外，还有生产与非生产的区别。在复杂物质劳动中，也分生产与非生产，不过，总的说，非生产的复杂物质劳动的影响和作用相对小一些，可以简略不提。而非生产的复杂精神劳动则不一样，它的影响和作用相对大多了，绝不可忽视。[①]在这中间，尤以宗教的消极影响和作用为最。这些劳动的宗旨是要求人们消极地避世，与世无争，安于在封闭的地球空间生活下去，直至自然毁灭。困难的是，这种消极的精神宣传往往对于人的惰性有很大的推动力，更容易为现时大多数人接受。这从简单劳动与复杂劳动的关系讲，现时的人大多数从事的是简单劳动，简单劳动所蕴含的人与自然关系的浅弱限制了人们的认识视野，使大多数人不能对人世间的事态做出深知。相比之下，非生产的复杂精神劳动以其精美的复杂性很容易征服认识视野狭窄的人。而更深一层的原因则是，迄今人类对自然的奥秘还仅仅是刚刚打开了缺口，尚有许许多多的每天发生在我们身边的自然问题还不清楚，这就给人们短暂的人生留下不尽的迷惑，于是也就有了非生产的复杂精神劳动大片的驰骋余地。目前，不用说世界上绝大多数国家的人信奉宗教还不能接受社会主义思想，就是在少数社会主义国家之中也存在着大量的宗教信徒。这是不能不承认的事实。这一事实明显地反映了非生产的复杂精神劳动的影响和作用

① 对此，现实的人们总是采取历史的继承的态度。

的力量。至少，在简单劳动为主向复杂劳动为主转化之前，这种力量是难以减弱的。因此，抑制非生产的复杂精神劳动的影响和作用的有效机制是促使劳动整体的复杂程度提高。劳动的完善化客观上要求社会必要劳动中的非生产的复杂精神劳动逐渐削减。

其实，不光人们对非生产的复杂精神劳动的影响和作用易于接受，这总是有其劳动的简单化基础的，即便没有这个基础，大多数人对以后长远的事想到的也不多。这种自发形成的状态，既与社会劳动分工有关，也与人类生命发展的链条有关。人类是在每一代人生的努力中接连上生命发展链条的，每一代人都要对自己这一代人负责，因而每一代就不能不考虑自己这一代的问题。同样，每一个人处在自己这一代中也要首先考虑自己的生存问题。有了以个人生存为基础的每一代的生存，才有了人类生命发展的代代延续。再者，大多数人不能自发想到长远的事，也是社会劳动分工使然。考虑人类整体生存和发展的问题，是专门的复杂精神劳动的任务，大多数人至多只能树立全人类意识，而不能具体地从事这种工作。在社会必要劳动中，复杂精神劳动只能占一小部分，不能人人都以复杂精神劳动为生。由于这种社会劳动分工存在，在其所担负的任务面前，复杂精神劳动必须对社会负责。如果复杂精神劳动不负责，不能很好地完成其所担负的任务，那么受到损失的是全社会，是整个人类。复杂精神劳动者的思考是代表全社会的思考，他们的思考要为全社会服务。对于大多数人来说，劳动完善化的意识只能是从社会教育中得到的，不可能人人都去探究社会的奥秘，就像只有农民种田而所有不种田的人都可以吃到粮食一样，新鲜的精神食粮只能由复杂精神劳动者供给，创造性的复杂精神劳动者一点点地发现社会真理，而更多的复杂精神劳动者则是为传播和捍卫真理而献身。在社会主义劳动完善化过程中，复杂精神劳动的关键作用正是通过这些复杂精神劳动者的自觉努力而实现的。

进一步讲，复杂精神劳动对于人类整体问题的考虑，不能只从未来着想，这如同不能光从现实看问题是一样的。未来是理想的，现实是严峻的，如果不能解决现实问题，那么任何理想都将成为空想。劳动的完善化既是人类的崇高理想，是人类的根本出路，又是很具体很复杂的直接现实问题。放弃理想是没有出路的，回避现实不是解决问题的办法，社会主义劳动完善化的过程只能是理想与现实的统一。而如何取得这种统一，就是复杂精神劳动要不懈地探索的基本问题。

当前，摆在社会主义国家面前很现实的问题是如何看待剥削的存在。我们知道，取消剥削是一个过程，需要有相应的物质条件。在社会主义初级阶段，不能一下子完全消灭剥削，一定程度上的剥削还是存在的。当然，剥削的存在不能体现在社会主义劳动之中，而只是体现在社会主义初级阶段社会的非社会主义劳动之中。也就是说，刚刚起步的社会主义国家的劳动不能完全是社会主义劳动，在相应的程度上还要保留和发展非社会主义劳动。将社会主义劳动完善化的要求，简单化地理解为与历史截然断开，看不到它是一个既有起点又有终点的过程，或是将剥削的存在混淆到社会主义劳动完善化的要求之中，都是极其有害的。前者将导致新生的社会主义国家在现实的资本主义尚占统治地位的世界上无法立足，后者将导致变态劳动以更加愚昧的方式继续发展下去。马克思主义政治经济学与资产阶级政治经济学的根本区别在于，马克思主义认识到了人类劳动要发展完善的社会必然性，而资产阶级则囿于狭隘的生存利益和认识眼界甚至看不到这种发展的可能。至于承认现时代劳动的不完善即变态劳动存在的不可避免性，马克思主义政治经济学与资产阶级政治经济学并无不同，因为这是事实，马克思主义是从事实出发认识问题，脱离了现实的事实无从谈发展，脱离了现实的事实没有任何科学性可言。不仅如此，现时代发展中的马克思主义政治经济学还进一步认识到现时代的剥削劳动仍在发展中，取消剥削劳动仅仅是刚开头，并不是结束，现时代的社会主义无剥削劳动还要与剥削劳动并存。总之，不能准确地认识这种并存，归根结底是复杂精神劳动发展还不适应社会主义劳动完善化客观需要的表现。

复杂精神劳动要研究和解决的人类自身问题，总的说，是由复杂向更复杂的方向发展的，越来越复杂，而且，自从开始社会主义实践以来复杂程度急剧上升，直至发展到今天东欧剧变和苏联解体后的这样相当复杂的程度。如果说现今以前的复杂精神劳动的认识成果还足以满足实践需要的话，那么现今若还用以前的认识来解决社会主义实践问题，还保持复杂精神劳动的整体水平在原有的水平上，那是绝不够的。这就是说，面对认识对象的复杂，面对现实任务的复杂，复杂精神劳动的发展必须进一步复杂。从根本上说，进一步复杂的复杂精神劳动所要研究和解决的最重要的复杂问题，不是消灭剥削，而是消灭战争。消灭战争将是劳动完善化过程中最基础最关键最难点的问题。战争既是先于剥削存在的劳动变态，又具有极大的疯狂性和破坏力，是人类生存的直接的现实的严重威胁，是复杂物质劳动所无法解决的问题，因为它只能提供解决的必要条件，即人化自然的无限扩展，而不能直接解决人的自身变态行为，不能自觉调整人的自然化中的人与人的关系，所以，对于取消战争的在物质基础之上的人的自觉努力的问题，也就是说以在无限的自然的必然中树立人类整体生存意识实现人的完全正态的问题，只能而且必须要智力高度发达的复杂精神劳动付出长期的艰苦的具体的努力。

历史是劳动创造的。常态的历史是常态劳动创造的。劳动，只有劳动，才是创造世界历史的动力。在创造常态历史的劳动中，复杂劳动起主导作用，正态劳动起社会必然作用。在正态劳动的社会的必然的发展要求下，实现人类劳动的完善化，复杂物质劳动起根本的主导作用，复杂精神劳动起关键的主导作用。只有复杂物质劳动的高度发展，没有复杂精神劳动的高度发展，不能实现劳动的完善化。而起关键作用的复杂精神劳动的高度发展又必须以复杂物质劳动的高度发展为根本条件。只有当整体高度发展了，物质劳动与精神劳动都实现了高度的复杂化，人类才能在自身自觉的努力中迎来既是理想又是现实的劳动完善化的世界。

第五篇

现时代劳动与劳动完善化

我们的研究进程是从劳动的社会性研究开始的，即是以劳动的社会性为基础进行研究的，在这一基础上确立了劳动的态势差别，即对无差别质同的人类劳动区分为正态劳动与变态劳动，因而阐明历史的和现实的人类劳动是常态劳动，是人的意义上的劳动与非人的意义上的劳动的对立统一。继而，我们依据劳动的态势差别，从外部分析了劳动的惰性，即从对常态的社会的生存和发展的角度，区分了生产劳动与非生产劳动。然后，我们的研究进入了劳动的内部，分析了劳动的内部矛盾，即劳动主体与劳动客体的矛盾，从劳动内部因素作用的变化探析劳动内部矛盾的历史发展过程，并依此论述了常态劳动的态势差别产生和演变的客观内在条件，同时阐明了劳动内部智力主导作用与主要作用从分离到合并的内在的发展过程。并论证了常态劳动的不完善性及其走向完善的质变过程，提出社会主义的实质是劳动的完善化，即人类、人类社会的根本出路。我们的研究表明，实现这一过程是超出自然的必然的社会的必然的客观要求。接下来，我们又从外部研究劳动内部矛盾发展的作用，阐述了劳动内部主导作用的外部具体表现，阐述了劳动的复杂化与劳动的完善化的关系。

下面，我们的研究要进一步抽象认识现时代劳动的总体。在坚持劳动的整体性和社会必要性的分析前提下，继续讨论人类劳动完善化过程。

第二十一章　私有制劳动与公有制劳动

一　整体限于自然的必然约束的私有制劳动

私有制劳动的基本划分是两类：一类是无剥削存在的私有制劳动，一类是有剥削存在的私有制劳动。现时代的私有制劳动主要是后一类，这一方面表现为资本主义国家中的私有制劳动，一方面表现为社会主义国家和其他发展中国家的私有制劳动。其中，资本主义国家中的私有制劳动以发达资本主义国家中的私有制劳动的发展最为典型。只是，不论哪一类私有制劳动，合为整体，便限于自然的必然的约束下，而不能整体达到社会的必然的超出。劳动，只有正态的劳动，才具有社会的必然的规定性，变态的劳动不具有这种规定性。本来，在私有制劳动中，不论哪一类，都含有正态劳动，甚至还可以说均是以正态劳动为主，但是，从整体来看，不具有完全的正态性，表现为鲜明的常态性。因此，作为一个整体，私有制劳动未能超出自然的必然，而必然要在其约束下。

现时代的私有制劳动的发展是迅速而复杂的。从整体上看，在自然的必然的约束下，最尖端的科学技术出现在私有制劳动中，私有制劳动的技能质量的整体水平已绝非建造金字塔、长城的时代所能媲美了。水车、耕牛、木犁的使用虽然尚未绝迹，但那只遗留在贫困落后的地区，现代化的大工业造就了现代化的农业，联合作业器械的运用可使一个农业劳动力耕种上千亩土地，获得比传统劳动作业高百倍的效率。现代化的大工业是电子化、自动化的时代，不用说传统的手工工业无法与之争艳，就是大工业生产开始的初期状况也实在无法与现在发展的前沿相比。高度发达的现代科技劳动的复杂性与一般复杂劳动有技能质量水平的质的差别，虽然同为私有制劳动，显然，私有制的存在没有影响它们之间复杂程度的差距的拉开。而且，正是在这种差距下，现代尖端科技劳动已经打开了天国的大门，迈出了通向无限宇宙的第一步。在现时代的私有制劳动中，正态劳动的这种发展给全人类的生存延续带来了希望。而同时，军事变态劳动急剧发展，剥削变态劳动也急剧发展。从私有制的角度讲，剥削变态是它的基本特征。剥削现在已经普及化、非职业化和高度信用化。股权的分散使得大多数人可以拥有一点点剥削收入，即仅靠占有劳动客体作用而取得的收入，这一点点并不足以维持生活，但这一点点却与大量拥有剥削收入在劳动的态势上是一样的。剥削并不因其量少而不叫剥削，剥削是以其占有劳动客体作用而取得劳动成果的方式，不论取得量的多少，在方式上是同一的。

在剥削劳动与被剥削劳动的对立统一中，被剥削者与剥削者同处于自然的必然的约束中，这两个方面是一个被约束的整体。如同被剥削劳动可能达不到劳动的目的而成为无用劳动一样，剥削劳动也因此达不到劳动的目的而成为无用劳动。现实经济中，总是不断地有一部分剥削劳动被排除在社会必要劳动之外。剥削者必定是要靠被剥削者为生的，但这种依靠的实现不是必然的。不然，剥削者就不必胆战心惊，整日惟恐有失了。将具体的剥削看做必然的剥削，只是一种假定。进一步讲，作为一个剥削者，即便能实现获得大量剥削收入，在激烈的经济竞争中，也很难将这种实现长久地保持下去。小的企业主难逃这种命运，大的家族财团也是如此。

在美国，“摩根是最早解体的家族。二次大战前摩根家族的成员就已退出了摩根公司的领导，所持股票也大部分出售。摩根家族的第四代，曾在摩根公司中任职，但到 1959 年摩根公司同保证信托公司合并成摩根保证信托公司后，公司领导中再也没有摩根家族的成员。在 1980 年该公司董事会中，只有挂名董事沃尔特·佩奇是老摩根的孙女婿。

洛克菲勒曾是美国最有势力的家族，二次大战后对美国经济和政治一直有着举足轻重的影响。但从 20 世纪 70 年代以来，家族放松了对工商企业的控制。在其长期控制的埃克森石油公司和其他美孚系统石油公司中，家族已不再拥有最大表决权股票，也不兼任公司领导。由于戴维·洛克菲勒对大通曼哈顿银行经营管理不善，家族的金融地位也明显削弱。1976 年洛克菲勒家族还拥有大通银行的最大表决权，但其占所有股票比例也只有 1.85%。到 1979 年，这个家族连这一点表决权也不再持有了。1981 年 4 月，戴维·洛克菲勒从大通曼哈顿银行董事长职位上退休，专门经营家族的基金会和洛克菲勒中心。近几年来，洛氏家族的势力一直大收缩，其财富也有减少的趋势。1985 年洛氏家族宣布，位于纽约曼哈顿中心区、占地 12 英亩的著名的洛克菲勒中心将公开招标出售，以清偿家族所欠的一些债务。在洛克菲勒第四代中，也没有人表现出对金融或工商业有兴趣。

梅隆家族曾是美国最富有的家族，其财富远远超过洛克菲勒家族。1970 年理查德·梅隆（安德鲁·梅隆的弟弟）去世之后，梅隆家族便一直走下坡路。二次大战前，梅隆家族在其主要的工业公司海湾石油公司和美国铝公司中所持有的股份分别高达70%和35%，而到20世纪70年代分别下降到6%和2.5%。而海湾公司行贿丑闻被揭露后，公司经营状况更差，股票价格下跌。下属的不少子公司常年亏损，有些最终倒闭。海湾公司也在1984年被加利福尼亚美孚石油公司以134亿美元收购。

在美国的富豪家族中，杜邦家族内部的组织和控制最为严密。杜邦财团主要公司的领导职务，过去都由家族成员亲自担任。美国最大的化学公司杜邦公司由这个家族掌管了170年之久。1971年，最后一个在杜邦公司担任董事长的杜邦辞去了职务。1978年，小艾里尼·杜邦也辞去了高级副总经理的职务。至此，杜邦家族已完全放弃了公司的领导职务，仅在董事会中保留了3名家族成员。70年代以来，杜邦家族还在不断出售杜邦公司和长期受它控制的通用汽车公司的股票。1981年加拿大布朗夫曼家族以25亿美元收购杜邦公司大多数股权，从而取得对该公司的控制。这个美国历史上最庞大的家族（约1700多人）虽然还拥有巨大财富，但其经济、政治影响已大大衰落，仅限于东部小小的特拉华州。"①

从这些家族财团的兴衰演变中，我们看到，剥削劳动对剥削劳动的竞争同样是凶狠残酷的。生存的压力在剥削劳动的竞争中表现得十分明显。你死我活、你活我死、有你没他、有他没你，几乎很难说破产的命运会落在谁头上。在这种态势下，没有凶狠，便没有生存。为了生存，便不顾一切，这就是动物的求生方式的实质，变态的剥削不能不遵守自然的必然的安排，否则，它就将被自然淘汰。利益就是生存，有了最大的利益，就有了最好的生存条件。在不到紧要关头时，人们尚可文明，尚可温文尔

① 章嘉林主编：《变化中的美国经济》，学林出版社，1987，第196页。

雅，一旦到了根本的利益之争时，即生存之争时，便都凶相毕露，势不两立。这是自然的必然的约束。剥削劳动不可能超出它的约束。

当然，毫无疑问，剥削劳动对被剥削劳动的压榨是更加残酷的。虽然现时代在发达国家血汗的压榨表面上没有了，一般被剥削者的生活有了很大的提高，但是，剥削压榨的威胁对他们并没有消除，只要剥削存在一天，这种压榨就存在一天。然而，我们也要从深一层的认识来看这种剥削与被削削关系的变化。因为现实的资本主义剥削的压榨程度减轻，实质是由劳动主体与劳动客体的作用变化内在地决定的。在劳动高度发展阶段，劳动客体的资产条件作用为主的阶段即将过去。劳动主体的智力作用为主的阶段已快要到来，在这种客观机制下，剥削的力量将会逐渐削弱。以剥削作为一种求生方式将逐渐失去存在作用。但是，剥削者当前还是存在的。它只要存在，就会表现出压榨来。剥削是从来不讲善心的，如讲善心，它本身就不存在了。剥削本身是社会恶的表现，这种恶是相对正态的善而言的，只不过它的恶是被常态面纱所掩盖，成为常态下通行的社会规范罢了。这就是说，在常态社会下，剥削是社会所容纳的，剥削的恶是社会容纳的恶。正因为剥削劳动没有脱离自然的必然。所以它的凶残是属于自然的，用自然的标准来衡量它是无可谴责的，就像不能谴责动物界的生存斗争一样。我们知道，狼是要吃羊的，狼是凶残的动物，羊在狼面前是那么弱小可怜，可是，在狼与羊之间并不需要道德或正义的评判者。狼不会因吃羊而遭受谴责，羊也不会因被吃掉而获得同情，仇视狼和怜悯羊都是没有根由的。狼不吃羊，狼就无法生存，为了自身的生存，它就要吃羊，这就是自然的必然。相比之下，人比狼吃的羊多得多，如果有人一定要用幼稚的童话的拟人手法去谴责狼吃羊的话，那么他首先应当痛恨应该谴责的是人类自己。狼吃羊不得不吃，人吃羊并非不得不吃，所以，人对羊比狼对羊还要狠得多。但这也是自然的必然。羊不是给人吃，就是给狼吃，反正是要被吃掉的。如果我们明白这种自然的必然是无以谴责的，那么顺理成章，对于作为自然的必然存在的剥削劳动也是无以谴责的。人类所能做的只是积极地创造条件消灭剥削变态，使自身整体超出自然的必然。在条件还不具备时，人类只能保留剥削劳动变态以保持常态社会整体的生存，并为此付出沉痛的代价。当条件创造出来了，不仅消灭了剥削，而且消灭了战争，人类才成为真正的人。这种不再有变态的剥削行为的人或许还会吃羊，至少还要吃饭，这就是说，人的自然行为还在自然的必然之下，但是，人的劳动社会行为已超出了自然的必然。

由此，可以说，在常态下，落后只是生存竞争中弱者的表现。在人类不能整体超出动物界自然之前，生存竞争是必然存在的，而且，这种竞争是随着变态的步步演进而愈演愈烈的。曾有人将动物界的生存竞争规律直接用来概括人类社会，也有人曾以纯粹的理想化的人的标准衡量常态社会的历史与现实。这两种做法都是以偏概全，都只有片面的合理性。历史的和现实的人都不是理想的人，而是常态的人，这种人包含有一定的人的意义，但同时也包含有与动物相同的一面。在有人的意义的方面不能用动物的生存竞争规律去解释，在与动物相同的方面又不能以人的标准来衡量。不过，作为一个整体，生存竞争规律在人类常态社会是存在的。因而在常态下，弱者必然受强者支配，尽管强者同时也可以保护弱者。所以，作为强者，不论是变态的还是正态的，基本上都是以常态的面貌出现，成为常态社会的生存和发展的中坚力量。落后，只说明在强烈的竞争中败了。这种败，未必就是被打得落花流水，陈尸遍野，可事实上生存能力相对不足，败者只能受剥削而不能剥削对手，在渺无血光的争斗中隐秘着你死我活或你贫我富的斗争。在常态下，一切生存的方式都是可采取的，只要常态社会认可。谁成为强者，要靠殊死的竞争。没有竞争意识，或是竞争不过，就只能是弱者，弱者必然是落在强者后面的，甚至可能要被强者置于死地。马克思说："在中世纪城市的幼年时期，逃跑的农奴中谁成为主人，谁成为仆人的问题，多半取决于他们逃出来的日期的先后，在资本主义生产的幼年时期，情况往往也是这样。"① 如果看一看现实的竞争，或许我们可以肯定地说，这种偶然的存在在现代化的常态劳动中也是一样的。作为一个劳动者，并不必然是被剥削者，他可能成为被剥削者，也可能成为剥削者。只是，由于人类劳动中人与自然的对抗能力还没有达到一定的高度，在劳动的整体中必然存在剥削劳动变态。重要的是我们要看到必然是通过偶然来体现的，而更重要的是我们要分清体现必然的偶然不是必然。在常态社会，不论剥削落在谁的头上，都是整个人类的不完善性的体现。被剥削者境遇凄楚，剥削者更是不可自制的变态劳动行为者。人们搞不清在自己的背后还有什么东西在左右着自己，只有自然的生存渴望。对此，科学地看待历史的和现实的剥削劳动问题，必须承认实现劳动完善化之前剥削劳动存在的必要性。

剥削，作为占有劳动要素作用而占有劳动成果的求生方式，是以劳动客体作用的客观存在为基础的。劳动客体作用的必要和重要，内在地决定常态社会的人在生存的压力下必然要争夺劳动客体。那么，这种争夺以非战争的方式进行，客观上是一种进步，是一种文明表现，尽管是变态的文明表现。个人争夺的结果是个人占有劳动客体，这就形成了私有制劳动的基本条件。剥削

① 马克思：《资本论》，第1卷，人民出版社，1975，第818页。

的前提就是社会承认并尊重个人对劳动客体的占有。对于常态社会生存来说，这种尊重是很必要的，因为整体有限的劳动客体的存在和增长是全社会生存的希望，劳动客体的流失将对全社会的生存造成威胁。因而保护并鼓励个人占有劳动客体，就成为低水平发展阶段上的常态社会的准则，成为常态社会起步发展并能走向质变的必要条件。与此同时，这种占有并不影响经济运行，它只是表现为劳动态势对立下的运行。这也就是说，相对根本生存的矛盾，经济运行中的矛盾只是常态社会经济生活中次要的、派生的矛盾，而这种矛盾尽管更直接更具体，但却不能作为分析私有制经济存在和发展的根本依据。

剥削劳动与被剥削劳动的直接对立在于，与无剥削的私有制劳动相比，被剥削劳动主体不能获得全部的劳动成果，剥削劳动主体依靠占有劳动要素作用而获取一部分劳动成果，劳动客体作用只归属剥削劳动主体，劳动成果要在合体为一的两种态势的劳动主体间分配。所以，剥削劳动不可能离开被剥削劳动而存在，被剥削劳动也要靠剥削劳动才能存在。如果一种劳动的主体全部占有自己的劳动成果，那么它就不是被剥削劳动。被剥削劳动如同剥削劳动一样，是不能单独存在的。被剥削劳动与剥削劳动的对立统一，实质是由劳动主体作用与劳动客体作用的对立统一决定的。明确这一点，是深入分析剥削劳动的存在和消灭的理论前提。

剥削者要占有的是劳动要素作用，他是作为变态劳动的主体来进行这种占有的，他是通过占有劳动要素并使自己占有的劳动客体与被剥削劳动主体直接结合而实现这种占有的。剥削者把其所占有的劳动要素作用变相地转化为自身主体作用，正是这种转化形成了他自身的劳动变态。这就使剥削者成为一体化的现实的具体劳动中的起支配作用的劳动主体存在，并以此谋生。在这种私有制劳动中，被剥削者发挥自身的劳动主体作用，占有的也是自身的劳动主体作用，并依靠这种作用获取劳动成果求生。人化的自然或人的自然化的作用与被剥削者的生存相合而又相离，相合是因为正是有了他的主体作用，才有了真实的客体作用，相离是因为真实的客体作用形成以后又脱离他而存在，客体的作用仅仅是因为使他的主体作用成为了真实的而构成了他的生存的自然基础。因此，他被处于合为一体不可分的变态主体的支配之下，而同时又是他（正态的）创造了整个社会的有剥削存在的私有制劳动存在的基础。创造了全部的而又不能占有全部，自身是正态的而又要受变态的支配，这就是劳动的不完善性，这就是自然的必然对这种劳动整体的约束。在这种约束下，更复杂的问题在于，劳动整体作用中的劳动主体作用和劳动客体作用，虽有自然基础但不是由自然评价的，在它们的实现形式上是直接由社会评价的。因而，在商品经济中，劳动主体作用与劳动客体作用的对立，就转化为社会对劳动主体作用的评价与社会对劳动客体作用的评价的对立。这种对立的现时代的直接经济表现形式就是资本收益与工资之间的对立。

近年来，美国经济学家马丁·L. 威茨曼提出分享经济理论，在世界上引起较大的反响。有人认为，分享经济理论是继凯恩斯革命之后最卓越的经济思想。这一新的理论已经受到一些国家政府组织的重视。据威茨曼本人讲，分享经济是给现代资本主义经济中的停滞膨胀开出的新药方，可以借此实现充分就业。按照分享经济的设计，要改革现有的工资制度，施行分享制度，被剥削者不再拿固定工资，而是拿浮动工资，工资收入与企业收益挂钩，水涨船高，水落船低，与剥削者风险共担。不管威茨曼的本意如何，也不管这一理论是否为人普遍接受，我们看到的是，分享经济理论的提出客观上表明剥削者的资本收益与被剥削者的工资收入之间具有一定的比例性，这种比例性就是社会对劳动客体作用与劳动主体作用评价的比例性。而且，提出资本收益与工资收入分享，而不再坚持传统的工资制度，实质上表明劳动内部的主要作用已开始由客体作用向主体作用转化。这是劳动智力作用提高的结果。所以，分享经济的产生不是任意性的，而是反映了劳动内部因素作用的变化。正是这种客观的变化才决定了被剥削者的地位和作用的上升，才决定了分享经济对传统工资制度的否定。如果按照客观所决定的分享经济所体现的资本收益与工资收入的比例性来看待有剥削存在的私有制劳动的发展，那么，随着劳动整体技能质量水平的不断提高，随着劳动智力作用的提高即劳动主体作用力量的不断增强，被剥削者的收入占企业收益的部分将会相对地逐渐加大，虽然会有一定的限度，但这种加大的趋势是不可避免的。

由于劳动客体的作用只是相对降低，它的必要性并不因此而受到影响，所以这种劳动客体作用的相对降低只是取消剥削的物质条件，也就是说这将使这种求生方式失去强硬的力量，但是，这并不能使剥削自然消失。从根本上取消剥削，在具备物质条件的基础上，关键是要取消剥削意识，即取消选择这种求生方式的意识。如果有剥削意识存在，那么就会有剥削行为的存在。这种意识与行为的关系是指这种求生方式发展到今天的事实，并非指其本源关系。也许我们不无遗憾地必须承认，剥削意识在现时代劳动中还是很强烈的。不仅在发达资本主义国家中，剥削意识是人们的一种普遍的生存意识，绝大多数的人希望自己能仅靠占有劳动客体而获得一定的收益，股权的分散化充分证明了这一点；而且在中等发达国家、在发展中国家，甚至在正处于改革之中的社会主义国家，这种变态的生存意识也是在一定的程度上自发地为人们所接受的。将资本收益权看做天经地义的，不但口头上讲，更有大作论述，便是这种普遍的强烈的意识的典型表现。从目前来看，维护资本收益权几乎所有国家（包括各种社会制度的国家）的重要职责。在中国的改革中，深圳、上海两地的股市的重新开放引起了众多人的浓厚兴趣，投股发财的思想曾促使上百万人一齐涌向深圳抢购股票认购证。买股票，吃股息，就是一种信用化的剥削行为。并非现代经济意识，这似乎不必争议，也不必隐讳。问题只在于，现今这种必要性还存在，还不能一下子消除。从根本上说，这种存在的原因是劳动客体在劳动整体中的作用在目前许多劳动领域还未相对降低，尤其是在经济落后或比较落后的国家和地区这一点表现得更为突出。但更现实的还是剥削意识的泛滥，因而，逐渐取消剥削的最大困难，从区域来讲，不是发生在经济落后或比较落后的国家，而是在经济发达国家，因为这些国家的剥削意识最为强烈。复杂精神劳动起步消除这些国家的剥削意识将是很困难的，相比之下，现时的经济还未发达的国家解决取消剥削的物质条件的努力会容易一些。

在当前常态的人类社会发展错综复杂的形势下，取消剥削劳动的社会主义实践是艰难而曲折的，既要坚持长远的目标规范，又要灵活地处理现实的关系。坚持社会主义无剥削劳动的长远发展是不可动摇的，而承认并顺应现实的资本主义剥削劳动的发展也是必要的策略。无有原则，无以有目的的存在；无有策略，无以有目的的实现。这就是说，坚持取消剥削的原则，一不能没有策略配合，不能不审时度势具体问题具体解决；而施以策略，又不能忘记根本原则，不能混淆取消剥削的目的与渐次取消剥削的过程。我们说，正是在这一渐次进步的过程中，私有制劳动逐渐为公有制劳动所取代，受自然的必然约束的整体（包括两类私有制劳动）逐步进入整体超出自然的必然约束的质变过程。

二 相对私有制劳动存在的公有制劳动

消灭存在剥削的私有制劳动是劳动完善化的开始。这一起点早已成为历史了。就全部的常态人类劳动讲，从有剥削存在的私有制劳动和无剥削存在的私有制劳动向公有制劳动的转化的漫长过程已经发端。

对剥削的抑制体现在当今许多国家的法律之中。如对遗产的继承有严厉的课税。这就将一部分劳动客体的占有权从私人转到了社会，从而防止代代世袭的私人占有权的扩展。这一做法，是社会的很大进步，是复杂精神劳动的重要成果。承认财产的私有，而又只允许部分的财产继承，既是私有观念的发展，又是完全私有观念的中断，虽然这不是完全地中断，但其趋势是向完全的中断发展的。部分地继承是对完全继承的否定，但又未达到完全不继承的高度。这方面的发展是渐进的，是随着社会劳动整体的进步而产生的社会心理变化而渐进的。我们应当肯定这种渐进对劳动完善化的意义。全社会的进步要靠社会的努力，其中不论是哪一领域哪一侧面做出的努力都是有意义的。再如，国家拥有的国有资产和国有资源已绝大部分不再由皇室或少数特权人士享用，在一些资本主义国家这些劳动客体作用获得的收益，以政府为代表掌握，越来越多地用于社会公益事业。马克思主义政治经济学理论的发展不能忽视这种变化趋势。由常态劳动决定的常态社会存在，其生存的疆域必然划分为各自拥有主权的国家，其政府就是国家权力的具体运用者，各国政府所维护的实质是本国常态劳动的整体利益，因而既包括正态劳动利益也包括变态劳动利益。将常态国家政府所要维护的看成完全是变态劳动利益，这不是事实。要求常态国家政府完全维护正态劳动利益，也不可能。

作为一个常态社会整体利益的代表者，它必须要从常态整体的角度维护社会利益。这不论在常态的资本主义国家，还是在常态的社会主义国家，都是一样的。所不同的只是不同制度的国家的政府所维护的常态劳动的侧重点不同。在资本主义国家，剥削变态占统治地位，相应政府所维护的是以剥削变态为支配力量的常态劳动，其中必然主要维护剥削劳动利益。在社会主义国家，正态劳动占统治地位，相应政府所维护的就是以正态劳动为支配力量的常态劳动，其中必然主要维护正态劳动利益。社会主义国家的根本性质不同于资本主义国家，因为它的发展宗旨是要取消变态劳动，但是，资本主义国家将一部分劳动客体作用收归国有，用于社会公益，这在客观上是有利于资本主义私有制劳动向社会主义公有制劳动转化的，这种收归的直接结果是降低了私人剥削的规模。

从私有制劳动向公有制劳动转化的途径将是多样化的。对于各个国家来说，人们不可能只通过政治经济学的研究解决具体的社会发展问题，尽管经济的发展是社会发展的基础。在漫长的劳动转化过程中，经济的问题将受到政治、思想、法律、宗教、社会等各方面因素的具体影响，因而，具体实践过程的研究必须由各个国家各个时代的人综合具体情况做出。政治经济学的研究只能对这种发展趋势做出大体上的分类。

一类是目前发达资本主义国家的劳动转化。这些国家劳动的转化具有较好物质条件。但正如我们前边所讲的，现实的转化不以物质条件为全部条件，必须要依靠复杂精神劳动的作用，这一点也是人的劳动与动物活动的根本不同。因为社会行为变态是社会研究和实践的内容，单纯物质条件不能解决问题. 因而，发达资本主义国家劳动的未来转化的关键要看复杂精神劳动的发展。不用讳言，目前这些国家的社会意识的主流是排斥社会主义思想存在的。更有甚者，公开宣称要打败社会主义。在这些国家中，也有些人研究社会主义学说，但更多的是将它作为一种学术观点来研究，并不接受它。然而，尽管如此，这些国家的复杂精神劳动是有深厚积累的，其发展有十分有利的条件。历来的社会主义思想的先驱者大多出在这些国家。毫无疑问，正是这些国家的社会环境造就了社会主义思想家。就此而言，将来社会主义思想在这些国家里传播并发展是有广阔前景的。因为，从根本上说，不是社会主义思想要求社会发展符合它的认识，而是社会主义思想符合社会发展的要求。虽然在反映社会发展客观要求的过程中，社会主义思想难免有不准确不成熟的地方，但是，它的根本思想是始终与社会进步的发展方向相一致的。在目前的发达资本主义国家复杂精神劳动中，已有许许多多的高明的认识是符合劳动完善化客观规定的，这些认识现在还散落在各个学科研究领域，一旦将来在社会主义思想中综合起来，上升到社会发展规律性的认识，就是取消社会变态劳动的强大力量。社会主义劳动完善化的思想终将成为推进这些国家劳动转化的社会意识。而当具备这样的条件之后，这些国家取消私人剥削，建立公有制劳动组织，进入劳动完善化过程，是能够克服一切阻力的。从积极的角度来认识，这只是时间的早晚问题，或许需要相当长的历史准备时间。我们不应幻想出现奇迹，只须做劳动的努力，努力不够，转变是不会出现的。时间的前进不以人类意志为转移，但通向社会主义的历史转折却一定要靠人类自身的自觉努力才能实现。

再一类是目前中等发达国家的劳动转化。相比发达国家，这些国家需要更快地发展复杂物质劳动。同时，复杂精神劳动的发展也要跟上时代前进的步伐。在这些国家中，包括一些经过社会主义实践曲折的国家。今天看，这些国家的劳动由公有制转回私有制，宣告了以往实践的中止；但从明天来看，私有制劳动还是要转向公有制劳动，这是由劳动发展的积极走向决定的，现在的反复只是历史前进中的一段曲折，终究不会持久。从某种意义上讲，这些国家发生曲折也说明了在物质劳动高度发达之前坚持劳动公有制的难度很大。特别是在复杂精神劳动的发展也不积极的情况下，使已经建立的公有制劳动再退回到私有制劳动的可能性会更大。事实上也正是如此。总之，这些国家的复杂物质劳动和复杂精神劳动都需要继续向前发展，社会主义劳动完善化的思想需要在这些国家内得到或重新得到发展与传播。

还有一类是目前发展中国家的劳动转化。这些国家现实经济很落后，有些甚至是绝对贫困的。不管造成这种贫困落后的历史原因如何，现时的状态就是劳动的整体发展水平低，尤其是劳动的智力发展水平与发达国家相比相差太远。复杂物质劳动与复杂精神劳动在物质劳动与精神劳动中所占的比重都很小，社会劳动的大部分或绝大部分是简单劳动。无论在何种社会制度下，这些国家都需要尽快提高劳动的整体技能质量水平。人类对于自身社会发展规律的自觉认识的能动作用可以加快实现这些国家的私有制劳动向公有制劳动的转化，但这也是有条件的。一方面世界复杂物质劳动的高度发展必须对这些国家的物质劳动发展起带动作用，使其很快地步步赶上世界发展水平。再一方面要以现时社会主义国家的改革成功为前提。若这种改革失败，那么从理论上推动这些国家走公有制劳动道路是很难有说服力的。总之，这些国家可以在发达国家之前实现私有制劳动向公有制劳动的转化，但是却必须迅速提高劳动整体技能质量水平，否则，这种能动作用的实现就不能演化为长久的稳定的途径。

目前社会主义国家中的私有制劳动向公有制劳动转化是又一类情况。在已开始社会主义实践的国家中，都不同程度地存在一部分私有制劳动，也就是说，都不是完全的公有制劳动。这部分私有制劳动向公有制劳动的转化与非社会主义国家的转化不同。它们是国家政权控制下的不转化部分，或是说，这是社会主义国家中不急于转化的一部分私有制劳动，而它们的转化也将是控制下的转化。

总之，这4种类型的转化的道路是不同的，但方向是一致的。只是，不论哪一类转化的实现都是社会努力进步的结果，不努力，绝不会自然地实现。努力，是自觉的努力，这就是复杂精神劳动的关键作用，马克思主义的社会主义学说是这一关键作用的集中体现。从一般意义上说，实现公有制劳动，是指一个国家实现了本国范围内的全部劳动客体的社会占有。如果世界上各个国家都实现了公有制劳动，那么公有制的劳动关系就表现为国与国之间的劳动关系，就形成了国家与国家的劳动整体对抗。在一个国家内部，无论是土地、资源，还是资产，对劳动者都没有占有权力之分，所分的只是不同素质的劳动主体与劳动客体作用结合的不同。而从世界来看，全球的土地、资源、资产被分成各个国家的占有，这种占有与占有之间仍然是不平等的，仍然有着生存利益的对抗。所以，这并不是劳动完善化的结束，这未结束的部分是需要进一步研究的。

各个国家的公有制劳动的实现，意味着在各个国家内消灭了个人剥削。这也可以说是，在全世界范围内消灭了个人剥削。国家占有劳动客体作用，个人全都依靠自己付出的活劳动即劳动主体作用过活，实行按劳分配。这对于个人来说，仅仅依靠占有劳动客体作用去获取劳动成果的动物的求生方式被超越了。个人在国家的保护下可以辛勤劳作，求得生存。但是，这种超越仅仅表明个人剥削的被消灭，并不表示剥削的消灭；仅仅表明在一个国家内个人对劳动客体的占有权力的不平等的消失，并不表示在全世界范围内个人对劳动客体的占有权力的不平等的消失。

剥削是依靠占有劳动客体作用占有劳动成果的变态劳动行为。这种行为的发生不论其行为者是个体还是集体，性质是一样的。国与国之间占有劳动客体的不平等决定全世界范围内不同的国家的人占有劳动客体的权力的不平等，这种不平等的存在就会引起国家对国家的剥削，即一个国家作为劳动整体的代表仅仅靠自己国家占有的劳动客体与他国的劳动者直接结合而获取收益，这种收益虽然是为了本国整体，但与个人剥削的性质是一样的。在常态历史的形成过程中，事实上各个国家占有的自然条件不一样（不论其是以什么手段得到的），并以此后造成资产条件的不同，因此总合地讲公有制实现以后的各个国家的劳动客体条件是差别很大的，尤其是各个国家的人口密度不一样，会使人均占有的劳动客体量相差更大。正是由于存在这种差别，在国家占有权力不变的情况下，一些资源少、资产少、人口多的国家必然要向其他国家权力之下的资源或资产伸手，其文明的方式就构成国家与国家之间的剥削与被剥削关系，在整体利益的驱使下，形成这种关系是难以避免的。而且，更进一步说，这还将形成战争争夺。出现这种局面，即劳动完善化中的一个阶段，表明人类尚未获得无限的生存空间，尚未铸就整体生存意识。

因此，实现公有制劳动以后的劳动完善化的继续发展，一方面要继续探索通向无限宇宙之路，一方面要推进公有制劳动继续向前发展。就复杂精神劳动的努力而言，就是要使占有劳动客体不平等的各个国家的公有制劳动，向全人类合为一体的劳动转化。这就是要彻底取消与私有制相对立的公有制，实现真正的人类劳动，即取消任何形式的对劳动客体的人为权力的占有划分和标志。当全球人类生存在无限的宇宙空间之中时，人类才能自觉消除各种形式的对劳动客体的占有权力，这种自觉的成功，就意味着各种形式的剥削将彻底地消除了。但是，我们必须明确，这种剥削的消除是以制止战争毁灭人类直至取消战争为条件的，不然，不等消灭剥削，人类就可能毁于战争变态之中了。所以，消灭战争是实现公有制劳动之后的劳动完善化发展的更重要的内容。

第二十二章　消除国家与国家的劳动对抗

国家与国家的劳动对抗，自从国家产生之时就存在，直至发展到今日，而且，今后在私有制劳动转化为公有制的过程中，在公有制劳动的继续发展过程中，仍将存在。这种对抗的最激烈的典型表现就是国家与国家之间的战争冲突。消除国家与国家的劳动对抗，就是要从根本上消灭战争。人类只有在消灭各种形式的占有权力的同时消灭战争，才能最终实现劳动的完善化。不过，这同样是一个长期过程。对此，看不到战争存在的危险性不行，看不到消灭战争的艰难性也不行。但是，承认消灭战争的长期性，并不等于否认消灭战争的紧迫性。现实的战争的威胁时刻悬在全人类的头顶上。

因此，消灭国家间的战争，并不能从私有制劳动全部转化为公有制劳动以后开始，而是必须从现在就开始这一过程，至少现在要进行有效制止军事劳动变态疯狂的努力。

访问过白俄罗斯共和国的一位记者这样录下其深刻印象；“这是一块富庶肥沃，但历尽忧患磨难的土地，初到白俄罗斯，人们都会这样告诉你。在西部边城布列斯特，我们曾参观世界闻名的要塞遗址。1941 年 6 月，白俄罗斯儿女在这里与德寇浴血搏斗，在卫国战争史上写下了可歌可泣的一章。站在高达十几米的巨型战士半身石雕前，只见战士双眉紧锁，低头俯视着一片废墟，刚毅的目光里充满着对敌人的无比愤怒和誓死不屈的决心。紧靠废墟，燃着永远不熄的无名烈士之火。几十束鲜花摆放在那里，代表着人们对烈士的尊敬与怀念。讲解员告诉我们，卫国战争期间，白俄罗斯 1/4 人口死于战火，200 多座城镇化为废墟，近万个村庄遭受劫难。”① 这些往事过了近半个世纪，仍在人们心头作痛。战争给人们创下的苦难太多了，人们的纪念表现了对战争的痛恨，也表示了制止战争的心愿。②

人们从感情上似乎怎么也说不清战争与和平的关系。1992 年，一位驻伦敦的中国记者报道说：

> 5 月 31 日上午，在伦敦斯特兰德大街皇家空军圣克利门特丹尼斯教堂外，举行了二战期间英国轰炸机部队总指挥哈里斯爵士铜像的揭幕典礼。当主持人女王的母亲致词表彰哈里斯及轰炸机部队的功绩时，站在大街对面 200 多名手持抗议标语牌的示威者发出怪叫，高呼‘不要给杀人犯立像’，并掷洒红油漆。在警察对其进行了干预并带走 9 人后，混乱方才平息。
>
> 对一位皇家成员如此无礼，在英国是很少见的，原因是哈里斯一直是个有很大争议的人物。50 年前，即 1942 年 5 月 30 日晚，走马上任才 3 个多月的哈里斯，‘为了狠狠打击纳粹德国的士气’，集中了一千架轰炸机，对科隆发起‘地毯式’轰炸，短短一个半小时，科隆即成一片火海。哈里

① 高凤仪：《白俄罗斯印象》，《光明日报》1992 年 1 月 20 日，第 4 版。

② 据新华社波恩 1992 年 1 月 18 日电：德国总理科尔 18 日呼吁德国人不要忘记过去，要纪念“纳粹种族狂的无数牺牲者”。

斯由此获得‘轰炸大王’的诨号，他部下甚至有人骂他是‘屠夫’。汉堡和德累斯顿先后在1943年和1945年也同样被夷为平地，死于‘地毯式’轰炸的平民共达60万，其中1/6是14岁以下儿童，轰炸机部队也有55000多官兵在执行任务中丧生。显然，‘恐怖轰炸’战略不会是哈里斯制定的，他只不过是促进者和执行者，由此造成的死亡和破坏的责任却完全推到了他头上。战争胜利后论功授爵时，哈里斯名不在榜。他深知自己不得人心，便移居南非，成了南非公民。

50年来，史学界、新闻界以及公众对哈里斯的功过评价始终不一。为他竖立铜像是原轰炸机部队老战士协会为纪念他和5万多战友而发起的，建造费用由会员们捐集，立像地点在皇家空军教堂内。尽管政府未参与，但当女王母亲将作为该协会赞助人出席主持揭幕的消息传出后，国内有人反对，德国也出现不满之声，经历过‘恐怖轰炸’的科隆市民则对当年的惨状记忆犹新，纷纷表示不理解为什么现在为哈里斯竖立铜像，科隆市长呼吁女王母亲不要出席揭幕式，说‘为一个应对几十万百姓死亡负部分责任的人立纪念像只能使他成为英雄’。但他的呼吁未得到响应，在哈里斯铜像揭幕典礼进行的同时，曾被他炸毁的科隆圣玛利亚教堂为包括5万多英国空军官兵在内的‘所有战争和暴力的牺牲者’举行了追思礼拜，德累斯顿也举行了类似活动。

一波未平，一波又起。有报道说，德国准备在波罗的海的佩内明德岛建立一座‘太空飞行摇篮’博物馆，以纪念V_2火箭这一‘历史性科学成就’。二战期间，纳粹德国在这个岛上试制成功并在1944年9月至1945年2月间向英国发射了约1200枚V_2火箭，破坏了许多建筑，造成2500人死亡。这个消息在英国即刻引起了强烈反应，遭受过V_2火箭袭击的人指责德国人‘虚伪’，一方面打算纪念臭名昭著的恐怖武器，同时却批评英国不应为哈里斯竖立铜像，受 V_2 火箭毁坏最严重的东伦敦托尔哈默雷茨市市长认为这不是建立博物馆，而是美化纳粹政权。参与研制 V_2 火箭的德国科学家莱森汉辛却说，对那些遭到火箭袭击的人，不知说什么才好，对自己说来，佩内明德岛是历史的一部分，是太空飞行的诞生地。”①

每年8月6日上午8点15分，日本广岛市和平纪念公园都要举行祈祷和平仪式，悼念原子弹遇难者的亡灵，同时也向日本在二次大战中遭受苦难的地区的人民表示忏悔。日本发动侵略战争的结果是自己几乎全国覆灭。而中国人民则遭受了长达14年的战争苦难，为赢得胜利，付出了巨大的牺牲。

这些战争的史实及其纪念活动，是不完善的人的生存方式。对于战争中的侵略者和被侵略者的对立，不能只是单向度地从一方面去认识，而是要从人类整体存在的角度看双方，这样双方的对立就涵盖在常态社会的自然的必然之中。战争是生存之争，是人类整体的悲剧，是人类还未成为真正的人的实证，不论受难的在哪一方，都是人类的苦难，都是封闭的生存空间下的必然。这不能从感情上去理解，而要从劳动的起源、发展至完善的全过程来认识。能不能制止战争，能不能消灭战争，全靠人类自身的自觉努力。严峻的现实是，人类不消灭战争，战争就要消灭人类。

1990年，伊拉克入侵科威特，给这个世界屈指可数的富有国家造成了巨大的灾难。海湾一战又打得伊拉克遍体鳞伤。多国部队为了制胜，花费了几百亿美元打了一场高技术战争，仅一发

① 彭惕强：《触痛战争伤痕的纪念活动》，《光明日报》1992年6月3日。

“北美毒蛇”炮弹就价值3.4万美元。这就是现代战争的代价与后果。在海湾战争打响之前后，许多国家的军火商发了财。我们从人类劳动的整体来看，这发的是什么财？如果这样发财下去，人类能不灭亡吗？

1991年，柬埔寨结束了长达12年的战争。但战争的恐怖仍在继续威胁着人民的生命安全。别的不算，仅地下未排除的地雷就有60万颗。这使人防不胜防，已有2.6万人被炸伤。由于多是塑料雷，探雷困难，只能任危险存在，估计医生为治疗踏雷受伤的人还要忙上30年。

为了对抗现代化战争，各个国家都不得不加紧国防战备。为此不惜宝贵的资源和智力。以美国为例，1980年国防开支为1359亿美元，1985年国防开支为2515亿美元，1988年国防开支为2753亿美元，1992年国防开支为2910亿美元。美国的国防开支额度超过拥有8亿多人口的印度的国民生产总值。这种现实，不是一个国家面临的问题，而是全人类劳动面临的问题；不是一两个政治家所能解决的问题，而是需要全人类共同树立劳动完善化意识才能解决的问题。

战争的历史和现实的存在，如同剥削的存在一样，有其客观的基础，也是自然的必然的约束。亚当·斯密认为：“君主的义务，首在保护本国社会的安全，使之不受其他独立社会的暴行与侵略。而此种义务的完成，又只有借助于兵力。”① 这表明，在常态下，经济学家首先考虑的是国家劳动整体的存在问题。一个国家的军事劳动就是为了维护一个国家的劳动整体存在，这种整体的存在是一个国家劳动的最根本的整体利益。这也就是说，在劳动的最根底上，利益就是生存。国家间的利益对抗，就是生存

① 亚当·斯密：《国民财富的性质和原因的研究》，下卷，商务印书馆，1988，第254页。

对抗。国家间的生存对抗，就是战争对抗，即在封闭的生存空间里，战争最终是不可避免的。国家间的战争，不论表现形式多么复杂，它是国家间劳动整体生存利益的冲突。从历史来看，这种冲突是由部落间战争和民族间战争演化而来的。相比部落间战争，国家间战争的规模要大得多，成因要复杂得多。部落间战争往往表现为直接的利益争夺，而国家间战争则有大量政治因素的直接参与，往往使生存利益的争夺显得不明朗。现代的国家间战争的威慑作用更使这种生存利益的争夺间接化了。国家间战争也不等同于民族间战争。国家是超越民族的范畴。为国家而战比为民族而战具有更宽阔的涵义。国家对个人的规范比民族对个人的规范更具有强制性和约束力，因而，对于生活在一定国家内的个人，在国家利益与民族利益一致时要服从国家利益，在国家利益与民族利益不一致时也要服从国家利益。一般说来，有一部分民族间战争可以表现为国家间战争，但实质上国家间战争是不分民族基础的。由于现时代人们最重要的生存屏蔽是国家而不是民族，所以，现时代的战争最主要的是国家间战争而不是民族间战争。民族间战争并没有消失，它现在往往发生在一个国家或几个国家内。国家间战争发展到现时代，已经打破了狭隘的民族观念，它是一种以国家整体存在为个人存在前提的战争，不论个人属于哪一民族都不妨碍国家对他的容纳，也不妨碍他为国家利益献身。现时代的国家间战争，是在各种社会制度的国家间展开的，事实证明，只要触及国家间的利益冲突激化，不管是社会制度相同的国家间，还是社会制度不相同的国家间，都同样可能爆发战争。需要指出的是，在国家之内，还有局部的生存利益之争，但是国家劳动的整体利益高于局部利益，任何局部之争都必须服从整体存在的要求，否则，为了整体的存在就必须首先消灭局部之争。这种情况在战争中的反侵略国家的一方表现得相当清楚。一旦国家遭受外敌侵略，国内各种势力的斗争都要退居次位，目标一致对外是国家生存的最基本要求。在战争中，背叛国家的人投向敌国以求生存成为原来自己国家的新的敌对力量，他们比逃离自己国家的人受到国人更大的怨恨。这一点，不论在侵略国还是在被侵略国，都是同样的。支持侵略的人不分种族、信仰、阶层，全都为国家整体生存利益而战。不支持侵略的人主要仍是从本国整体生存利益考虑，认为侵略从根本上不符合本国利益。具有国际主义精神的人不能无视现实的国家利益，因为现实的人总要生存在某个国家里，自古至今，能够生活在国际之中而不只限于以某个国家为生存屏蔽的人毕竟是极少数。不支持本国侵略进而反对本国侵略投向被侵略国或被侵略国的同盟国的人，是自身生存利益与被侵略国或被侵略国的同盟国的利益一致的表现，因而，他要受新的国家的整体利益强制约束，而新约束他的国家今后未必就不侵略别国。不脱离自己的国家而又反对自己的国家侵略别国的行动出自正态劳动理性，问题是，在一般情况下，这种不完善的正态劳动的理性，往往制止不了本国变态劳动的疯狂。在逝去的岁月里，人们认识不到战争的不可避免最根本的是由于地球有限生存空间的封闭，总是以既定的权力占有划分和永恒的正义去谴责国家间的战争及国家间的扩军备战，因而也就找不到消灭战争的根本出路。我们说，不认识战争产生的原因和条件，不消灭这些原因和条件，是不可能消灭战争的。消灭战争，必须要靠劳动整体的复杂化程度提高使人类获得无限的生存空间，其社会基础是正态劳动走向完善的力量，而不是抽象的正义原则。正义的抽象是建立在整个正态劳动社会基础之上的，没有这一基础，没有任何正义可言，单纯想像中的美好愿望没有任何意义。现时人们所讲的正义，实质是常态社会在封闭的生存空间中对一切生存权利划分涉及的利益维护的准则。这一准则只是不完善的劳动体现，而绝不是永恒的。具体地说，关于战争的正义的认识，目前已有关于战争的国际法做出明确的规定。在这一常态的准则下，侵略是非正义的，反侵略是正义的；一定的备战是允许的，违反契约规定的备战是不允许的；战场杀人是合乎规则的，使用禁止使用的武器在战场杀人是违法的；在非战区杀害平民是被制止的，对解除了武装的战俘施暴是不人道的；战胜国向战败国索取战争赔偿是当然的合理要求，但要尊重战败国主权不许奴役战败国。比起古代战争，现代战争可谓进步多了。从现代的规则看，既有正态的制约，又有变态的认可。不过，尽管有规则，实际约束力是有限的，只要打起仗来，变态的行为是竭尽疯狂之能事，因为实质上战争的根本的客观的准则是弱肉强食，这不是国际规定所能取代的。国家的存在是人类常态社会发展的需要，是人类常态劳动发展的必然，人们在各个国家的屏蔽下生存是与自身劳动发展的整体能力大体相适应的。这种生存的分离形成劳动的整体对抗，因而，在一定意义上，国家的存在与战争的存在是同义语。但国家的存在并不是战争的存在的根源，国家的存在与战争的存在同是人类劳动不完善的体现。所以，人类劳动的完善化，不是要消灭哪一个国家的军国主义思想，而是要在筑建通向无限宇宙之路的前提下彻底消灭人类整体中存在的战争意识；不是要消灭哪一个侵略成性的野蛮疯狂的国家，而是要消灭所有的国家。

现时代制止战争发展是有可能的，因为人类已经获得打破地球有限封闭的能力，因为人类已经认识到自身变态疯狂将会造成的恶果。但是，现时代还不具备彻底消灭战争的条件，每个国家都还必须巩固和加强，每个国家都还必须重视国防。现时代已经进入核战争的时代，制止战争的重点就是制止核战争。核战争展示了人类的一种末日。各国的军事专家们都不否认，打起核战争，最后的结果就是各国同归于尽。

据统计，目前世界上共有核弹4万~5万枚，约能杀死人口2000亿，即毁灭人类50次。

美国马萨诸塞州大学遗传学教授小爱德华·莱科斯基，同日本东京圣心女儿大学植物学教授木升山一起研究长崎原子弹爆炸在遗传方面对植物的破坏，他们研究的重点，是几种似乎在原子弹爆炸后幸存下来的蕨类植物。他们动手测量了这些植物的高度和生长率以及细胞受到的破坏，发现许多植物确实有变种现象。

1986年1月，一个由30个国家的300名科学家组成的研究机构，经过两年的研究，向国际组织提供了一份题为“核战争的环境影响”的研究报告。科学家们利用先进的电子模拟设备，对不同强度的核战争影响进行测试发现，核战争产生的间接全球性恶果，远远超出了核爆炸顷刻的破坏。

报告推断，在大约45亿多（现已50亿）世界人口中，即使有几十亿人能在开始的大爆炸中幸存，但也难以逃脱随后发生的大饥荒。

核战争还会对气候造成重大的影响。核战争爆发后，浓烟遮天蔽日，地球气温下降，笼罩北半球和部分南半球的阴影将持续一年多。这样的恶劣气候条件，必然造成地球上大量动植物的生病和死亡。

科学家们发现，烟上升的高度比预想的要高得多，1亿吨的烟雾渗入大气，其中3000万吨是最吸光的碳。

核爆炸释放出许多有毒化学物品，有些只暂时毒化空气，有些则长期污染土壤和水。

气温会长期降低5摄氏度，造成可怕的“核冬天”。这会使加拿大和苏联的谷类作物颗粒无收，也给世界农业带来巨大灾难。人们将面对难以克服的饥馑和死亡。

我们冷静地想想吧，在用常规武器进行的战争中，第一次世界大战导致 1000 万人死亡，2000 万人残废；第二次世界大战，导致 5000 万人死亡和 3500 万人残废。如果世界上发生核大战，上述两项数字会是多少？①

当初，美国在日本投掷原子弹，不管本意如何，客观上起到的杀伤效果和恐怖作用举世震惊。凡经历过那场灾难的人，无不至今心有余悸。第二次世界大战就是在原子弹的硝烟中宣告结束的。从那以后，核战争就成了人类世界最恐怖的事情，每一代人从出生就受着这种恐怖的威胁。

军事专家们研究了原子弹产生并投入使用的时代背景，不无惊奇地发现，尽管后来原子弹成为人人恐怖的武器，可在二次世界大战期间，在战火纷纷燃烧之时人们焦虑的头脑中，各方一致追求的目标是抢先造出原子弹并能够使用它。原子弹爆炸后的真实后果使军事人员充分认识了这种武器的威力，而在此之前，这些人以为原子弹不过是大炸弹而已。在世界上只有美国有原子弹时，即时构成了惩罚手段。但继后，陆陆续续地其他国家也有了原子弹，就形成了抗衡力量，不再是谁能惩罚谁。况且，今天美国要对付的抗衡力量并非日本，而是其他曾经是盟国的国家。日本现在虽然没有原子弹，但它处于美国原子弹防卫系统的保护之下。而更令军事人员伤脑筋的是，与其说原子弹是武器，还不如说是杀平民的工具。甚至有人认为，在核战争下，士兵比他的家人更安全。拥有巨大威力的原子弹投下去，杀伤的平民总会比军人多，因为按人口比例总是平民比军人多，这不合现代战争准则。所以，按现在通行的战场搏斗要求看，在战争期间使用原子弹是非常荒谬的。可是，真正的战争是不管什么规则的，它总是

① 修义嵩编写：《原子弹秘闻录》，军事科学出版社，1988，第 159 页。

不择手段。于是，原子弹在人人恐怖之下继续研制。一方面威力更大的原子弹被制造出来。扔在广岛的原子弹不过才相当1.4万吨炸药威力，扔在长崎的原子弹也不过才相当2.2万吨炸药威力，而现在相当1000万吨炸药威力的和1500万吨炸药威力的核弹已能制造。另一方面，人们又要求原子弹小型化，以适应只用于战场杀伤军事人员需要。但不论大型化还是小型化，人们最终发现都没法用，只要使用，就都是败者，共同毁灭。所以，从目前来说，军事专家们强烈呼吁销毁核武器。因为从固有的军事观念来看，战争的目的是消灭敌人，虽然自己也要付出代价，但绝不应是和敌人一齐走向灭亡。所以，明确地讲，这些军事专家们要求消灭的只是核战争，并非一切战争，这与劳动完善化的客观要求并不等同，只不过可以起制止战争的促进作用。

原子弹是一种残暴的战争武器，把原子弹消灭了，原子弹就不能为战争服务了。但是，只要战争存在，还会有更大威力的武器制造出来。原子弹还需爆炸，还有硝烟，还有可视的冲击波，还有声响，而如果沿着变态的疯狂走下去，也许今后研制出来的更新的武器可以无声无息地将整个敌国陷入沉寂。这未必做不到。即使只从改变磁场来讲，由于人是生活在一定的磁场中的，只要在短暂之中使磁场改变，就可能立刻死亡，像恐龙那样集体消失。所以，人类劳动的完善，是消灭战争本身，是消灭全部的变态劳动，而不是只消灭残暴的武器，更不是把智力用在发展新式武器上。实质上，从现实意义上说，人类的命运掌握在自己手中，何去何从，自己选择。

众所周知，现时，在全世界都在祈祷和平，全人类都认识到战争的毁灭性之际，战争还在继续，核战争的威胁还在加剧，甚至有的人还幻想将战争打到太空上去。这就是说，人们还没有从消灭战争的角度来自觉地认识打破地球有限生存空间封闭的意义。现在，一般人认为，探索太空只是自然科学的事，并不关联社会科学。在这种局限下，人们就缺少消灭自身最严重的劳动变态行为的认识基础。所以至今人们对消灭战争制止战争还停留在以封闭的社会行为准则看问题的阶段，还不能达到从一个通向无限生存空间的开放视野来认识的阶段。人们只是憎恨战争，憎恨自己离不开战争，而谁也给谁讲不明白怎样才能消灭战争。因为战争不是任意就可消灭的，绝不是人们都抱有美好的愿望就可消灭的。但可以请人们放心的是，战争不论怎样打，也不会打到无限的宇宙生存空间中去。战争是封闭的有限生存条件下的产物，与开放的宇宙环境并不相容，人类可能在封闭的条件下以战争毁灭自己，但不会在无限的宇宙之中继续争斗，现在的一些所谓的科学幻想小说描绘的宇宙空间大战，实质是最不科学的，因为这是以在封闭空间中生存的人的心态去看开放的无限的宇宙空间的生存问题，是根本没有认识到生存条件的变化对人类生存方式变化的决定性作用。一个能在无限宇宙空间中生存的生命群体，是绝不会相互野蛮争斗的。而且，凡是能在宇宙中自由存在的高智生物，都不会出现生存斗争。因而，我们地球上的人大可不必担心外星人对地球的攻击，地球上的人最担心的应是自己，不要愚昧地在封闭中共同走向毁灭。

就现时代劳动发展的整体而言，打破地球有限生存空间不是哪一个国家的事，而是全人类的事，各个国家在走上劳动完善化之路以后，要在这共同的事业中逐步地融为一体。只有制止战争，人类才能为自身的生存条件的开拓赢得时间；只有消灭战争，人类才能最终避免像地球上所有动物一样的命运。

能够毁灭人类的战争武器固然是可怕的，但更可怕的是制造武器使用武器充满愚昧的战争意识看不到人类根本出路的人。如同剥削意识不消灭，剥削行为就不能消灭一样；如果人类不能消灭战争意识，人类还是可能在封闭中被战争消灭，因而，消灭战争，不光要靠复杂物质劳动打破封闭的地球空间，走向无限的生存空间，而且更现实的是，要靠复杂精神劳动消灭战争意识，具体地制止战争行为。就目前而言，形势是严峻的，人类就像踩在火山口上一样踩在核武器上，因而，不论哪种社会制度的国家都要为拯救人类整体做出自身的努力。国家与国家的劳动整体对抗，是由各个国家政府作为利益的代表者，所以，它的具体的问题的解决是由政治统领的。从根本上说，政治就是对社会整体利益的管理。社会整体生存的利益是最高的社会整体利益，因此，有关社会整体生存利益的战争问题，就是由最根本的经济问题决定的最高的政治问题。制止战争，解决战争纠纷是具体的政治任务，是由具体的政治领域的复杂精神劳动完成的任务。马克思主义的社会主义学说是引导各个国家的政治为人类社会整体进步努力的指南。劳动完善化的客观要求是任何国家都不能抗拒的，任何国家的政治都要在维护本国的整体利益的同时向维护全人类的整体利益发展。这种发展在现时代已经获得了现实的基础，具有明睿头脑宽广胸怀的政治家们应该而且能够认识这一基础，即劳动完善化的现实性，应该为此做出自身的贡献。面对整个人类常态劳动的发展，各个国家的政治家都需要尽快地从封闭的地球有限空间的生存意识中走出来，从一个更为开放更为完美的生存空间的创造中来考虑还未与世界融为一体的本国人民的生存利益问题，以使他们尽快与世界融为一体，在整体的世界中完善地相对完全有保障地生存下去。只有这样，各个国家的政治家们才能以最小的代价和最好的方式实现本国的消灭剥削变态劳动及国家间的战争消灭，并由此结束国家存在的历史使命。

人间无战事，真正的人是没有战争意识和战争行为的。不论是各个国家国内的战争，还是各个国家间的战争，当人们创造出了人类整体共同生存的无限宇宙空间条件，当人们树立起人类整体共同生存的意识，都会在劳动完善化的过程中逐渐消灭。各个国家国内的战争，主要是各个政治集团间的战争，实质是争夺社会整体利益的管理权，这可能表现为管理权的分割（对分割的比例亦有争夺），也可能表现为管理权的不断更迭，但终将会落入既有政治能力又有军事能力的政治集团的政治家手中，这种国内战争，一般说，是在国家间战争消灭之前消灭的。最后的国家间战争是在消灭了剥削劳动后的国家间消灭的。国家也将由于战争的消灭而消亡。不过，仍需要明确的是，这种社会的必然只能引导常态人类去努力，并不能注定现实的常态人类未来的命运。从一个封闭的生存空间来看，消灭战争是不可思议的；而从一个开放的无限宇宙空间来看，存在战争是不可想像的。人类无限生存的要求不能依赖于各个国家的保护，而只能依靠整个世界融为一体来实现。只有消除了国家与国家之间的劳动对抗，整个人类世界才能融为一体。在这样一个没有剥削没有战争的劳动整体中，人类的生存才有根本的出路。① 这就是实现人类劳动完善化的根本意义。

① 恩格斯曾指出："正如康德在自然科学中提出了地球将来要归于灭亡的思想一样，傅立叶在历史研究中提出了人类将来要归于灭亡的思想"（参见《马克思恩格斯选集》，第3卷，人民出版社，1972，第412页）。

第二十三章　人类劳动的完善化

一位日本作者对理想的发达社会生活做出这样的描述：

199×年10月的一天早晨，东京郊外新住宅区。

M先生一边用早餐，一边看报纸。这是由“图像信息系统”的高速电子印刷机刚刚印好的电传报纸。头版头条报道“美国决定发射宇宙空间发电卫星”，从生意上看这是一条令人关心的消息，他一口气把它读完。

M先生匆匆地吃完餐，立即乘电梯来到了PRT（个人高速运输机）车站。这种运输机可乘4人，无人驾驶，全部由电子计算机控制，时速可达60公里，看起来就像一架水平移动的电梯。

私营铁路的车站入口采用自动售票，虽然正是上班时客流高峰，但不像往日那样拥挤。这是因为各单位都执行了“弹性工作时间”制，上班时间可以自由选择。另外，在家办公已相当普遍，M先生的住宅新区有“共用电子办公室”。这里设有终端处理机和电视电话，可以输出输入需要的数据。

M先生任职的综合商社，地处市中心繁华闹市，上班时间要一小时，这和以前没有什么变化。时速500公里的磁性悬浮列车，现在只铺设在机场和市中心之间，用于上下班，在技术上还有困难。

199×年的办公室工作。

办公室的桌子上没有文件的资料，取而代之的是显示屏幕和键盘。名称也由办公桌改称为工作台。

M 先生坐下来后首先打开电源开关，屏幕上立刻显示出昨天下班后发生的事情和今天的工作日程。

上午 11 点钟有一个会议等他去参加。利用这段空闲时间，M 先生按动键盘传呼数据库，开始调出今早报道的有关宇宙空间发电卫星的资料。不仅可以查本公司的资料，而且只要支付一定的费用，也可以很方便地利用政府和民间调查机关的资料。

凡是重要的文献，都可以输入个人专用的磁性记忆装置电子文档里去。由于手写笔记尚未完全消失，有时也要用“光学阅读装置”输入电子文档。从其中选择所需要的内容，由私人电子文档输入部、科专用的电子文档，或输送到其他有关业务部门。

M 先生从华盛顿常驻人员那里，收到美国政府发表的所有有关发射宇宙空间发电卫星的文告的传真，他马上利用自动翻译机，译制成日文副本。不仅文章，还有会说话的自动翻译装置，即便和外国人打电话，也不会有什么困难。

11 点钟的会议是在“电视会议室”召开的。正面是一个巨大的屏幕，打开电视的各个开关，屏幕上马上显示出大阪、纽约与会者的面孔。

由于商业通信卫星的发达，所有的声音、图像、图形和数据，都可以同时用一条线路传递，需要的图表也可马上付印。

自动编制会议记录的装置十分完备，白天的会议，傍晚即可复印装订，人手一册。

吃过中饭，M先生刚一回到办公室，就看见工作台上的指示灯在闪动。原来是部长指示他“请你明天去A公司的九州工厂出差，去看一看用于航天飞机的耐超高温合金冶炼炉的生产情况。”M先生所在的商社是兼营航天飞机太空工厂的日本总代理店。

A公司的工厂，智能机器人迅速增加，实行着24小时无人连续生产的体制。

M先生马上传呼旅行情报中心，迅速办理了从机票到饭店的所有预约工作。

用电子计算机管理家庭生活与健康。

因为明天要出差，M先生谢绝了同事们请他去喝一杯的邀请，较早地回家去了。

最近孩子们的兴趣，似乎从流行一时的天文方面，转移到地球科学上去了。就连小学生也七嘴八舌地议论起“板块漂移”的理论来了。几天以前，深海潜水艇“深海6000”号在金华山大陆架取得了重大发现，并且成功地拍摄了太平洋板块被卷入日本海沟的照片，这是掀起地球科学热的直接导火线。

M夫人操纵家用电子计算机，除用于计账外，还编制家用电器系统的程序。不仅家用电器，就是防盗、防灾和照明器具都已实现了电子计算机化，因此电子计算机的综合控制就成为必不可少的了。

乘“个人高速运输机”（PRT）上下班的苦恼是运动量不够，因此M先生每天都坚持长跑。和过去不同的是，他腕子上配带了记搏器，运动时用它记录数据，一回来，就把它输入家用计算机，计算机告诉他：“今天脉搏变化比往日快，你有什么不舒服的感觉吗?”

在电子计算机里，还分别设有睡眠不足、感冒、饮酒过量等各种检查的项目，按一下相应的开关就可以得到详细的回答。

医院也好，私人开业的医生也好，全都用医疗信息网联结在一起，不论病历和体检记录放在何处，都可以马上找到它。心电图、脑电图的自动分析系统，癌细胞的检查系统，全都很完整，医生误诊的事完全杜绝了。

为此，M家的保健医生，业余可以利用闭路电视，向M先生通俗地讲解遗传基因的重组技术，或癌的免疫疗法等方面的知识。①

这显示了现时代科学技术的高度发达，显示了现时代高水平生活的节奏和内容。

但，这绝非完善社会的生活。

显然，这一社会还存在私有制劳动，还存在国家。消灭剥削尚未提及，而国家的存在就是战争的存在。

这一社会的人尽可以享受电子技术发达给生活带来的舒适与乐趣，但变态劳动造成的寄生的丑恶和生存的恐怖也同时存在。只要有变态劳动存在，这个平静的发达的社会，随时都可能疯狂起来，破坏人们拥有的一切。

这种发达的社会生活只是刚刚打破地球封闭空间时的尚未改变的封闭式生活。对这种生活的赞美，只是人类未能与无限宇宙交流前的自我陶醉。在这种自动化的生活中，人们并没有意识到生存条件的有限性，或是意识到了也没有赋予应有的重视。

① 〔日〕尾崎正直：《最新科技发展动向》，科学技术文献出版社，1987，第1页。

人们所追求的只是常态社会生活的闪光，是闪光的常态社会生活的延续。

人们的努力得到了报答，人们得到了社会的进步，得到了更大的生存空间，尽管所得到的只是常态下的进步，只是封闭下的扩展，但毕竟是进步，是扩展。

人们已经习惯于常态社会生活了，于是，将改变常态社会看成是不可能的。

但是，不改变常态社会，真正的人类社会就不能出现。常态社会生活，不论怎样发达，也不是真正的人的生活。

真正的人的生活是正态社会生活，即共产主义社会生活。

从发达的常态社会走向发达的正态社会，是一个漫长的过程，但只有通过这一过程，人类才能完成自身的根本质变，正态的共产主义社会才能实现。

人类常态社会的质变过程，是劳动完善化过程，是社会主义实践过程，是逐步取消剥削和战争的过程。

所以，常态的社会主义社会与常态的资本主义社会根本不同：资本主义是常态社会的继续发展，社会主义是常态社会的最后结束；资本主义继续发展变态劳动，社会主义逐步取消变态劳动。

常态社会不质变是没有出路的，在常态下变态的疯狂将毁灭人类，不消灭变态劳动，社会就不能生存，因而，社会主义的劳动完善化是人类社会的根本出路。

人类终将告别常态社会。

常态社会的历史虽结束于社会主义社会，但资本主义社会却是支撑变态劳动发展的最后一种社会形态，“因此，人类社会的史前时期就以这种社会形态而告终。”① 结束了人类社会的史前

① 《马克思恩格斯全集》，第13卷，人民出版社，1975，第9页。

时期，人类就开始了社会主义社会向共产主义社会的过渡。

认识历史的和现实的常态社会，认识未来的正态社会，其基础是认识人类劳动的产生和发展。只有辩证地认识劳动发展演变的过程，我们才能从总体上和本质上认识复杂的社会经济生活，才能确切而透彻地认识人类常态社会发展的根本矛盾。

一 人类在劳动的发展中发展

劳动的实质是人与自然的关系。这一自然包括人的自然化。人类通过劳动保持着与自然交流，保持着自身的存在。

劳动之中，既包含着自然的作用，也包含着人类自身的作用。

劳动的基本矛盾是内部矛盾，即人与自然的矛盾，其一方为劳动主体，一方为劳动客体，在劳动主体内含有人与人的关系，在劳动客体内含有自然与自然的关系。在人的主导作用下，劳动内部矛盾不断地发展变化。人与人的关系是随劳动内部矛盾的变化而变化的，即随人与自然的关系变化而变化。在人与自然的交流还处于封闭状态时，这种交流还带有动物的方式，人与人的关系只能是常态社会关系。这就是说，人与自然的关系发展决定人与人的关系发展。所以，人们在考察自身关系存在时，首先要考察人与自然的关系。只有对人与自然的关系做出准确的认识，才能准确地认识人与人的关系。如果撇开人与自然的关系不顾，或是不能准确地认识人与自然的关系，即认识不到常态下的人与自然的关系尚处于封闭状态，就单纯地要求人与人的关系达到真正的人之间的关系，只能是美好的空想。所以，劳动的内部矛盾的发展，是衡量人的发展的尺度。

在劳动的内部矛盾发展的历史过程中，劳动主体的体力作用最先起主要作用，而后，主要作用转移到劳动客体的作用上，到了现时代，主要作用又呈现向劳动主体的智力作用转移的趋势。这种趋势表现出劳动内部矛盾的重大发展，即表现出人与自然关系的重大突破。这种发展和突破使得常态下的人具有了打破地球有限生存空间封闭的能力。如果没有这种发展和突破，人类只能在常态下走向毁灭。这种发展和突破表现了劳动主体的体力作用的有限性和智力作用的无限性，人类正是依靠自身的智力作用的无限性才将自身与自然的交流由有限推向无限。

消灭剥削和消灭战争是劳动内部矛盾发展的客观要求。但在这种根本的质变过程实现之前，剥削和战争是作为变态劳动的表现存在于常态社会的。变态劳动，作为常态劳动的历史组成部分，对常态社会的发展起历史作用；作为自然的必然的构成，对常态社会的发展起自然基础作用；其中具有复杂性的部分起的作用，是常态复杂劳动主导作用中的一部分。简单地肯定剥削与战争，和简单地否定剥削与战争一样，不是辩证地认识历史与现实，而是不能正确地认识历史与现实的。历史与现实证明，在常态下人的生存压力是得不到缓解的，与狭小的生存空间相适应的只能是变态劳动的普遍存在，虽然地球的封闭性尚未直接显现对人的生存的威胁，但常态中始终存在着人们对有限生存空间的争夺，这实质是由地球的封闭性内在地决定的。人类只有解决了这一封闭性问题，人类的劳动才具有完善的可能性，即才具有从根本上消灭剥削和战争的可能性。认识这一条件，是认识符合劳动内部矛盾发展客观要求的能动自觉的表现。

社会主义学说是现时代复杂精神劳动的成果。这一成果对于人类的生存和发展是必不可少的。它是人类劳动完善化的社会条件。认识是行动的先导，没有认识，就没有行动。如果人类自身认识不到自身的根本出路，那么就不可能为之付出自觉的努力。

而人类若没有自觉的努力，就必将在盲目的变态中走向毁灭。那打破地球封闭的作用若不与复杂精神劳动的自觉相统一也起不到自觉的作用，也不能为人类的根本生存服务。社会主义学说集中地体现了人类自觉地走向无限生存空间的要求，当它成为人类常态社会的普遍意识时，人类劳动的完善化才能成为普遍的社会实践，人类在无限的空间中生存和发展才能有希望。

劳动，蕴含着多难的历史；历史，跨越了层峦叠嶂。从打破传统理论约束的视角来认识，人类不是在固定不变的无差别质同的劳动中发展的，而是在激荡的复杂的劳动发展中发展的。人类无差别质同的劳动内部涌流着澎湃的运动，滚滚地向前推进。正是在劳动常态的发展中，原始时代的常态人发展到现时代的常态人。正是在劳动完善化的发展中，常态人才逐步质变为正态人。在劳动的完善化过程中，劳动主体的能力由不等同逐渐发展为基本等同，这种等同不是低水平的等同，而是在高智力的带动下在高水平上实现的等同。这种劳动能力的基本等同，是人的正态实现的基础，是人成为真正平等的人的基础。没有人们之间劳动能力的基本等同，人，不会成为真正的人，人，也不会真正平等的。而这种平等的实现，仍是由劳动内部矛盾的发展决定的。这也就是说，有了劳动的发展，才有了人的发展。

二　劳动的两面性

无论是在完善化之前，还是在完善化之后，人类劳动都具有两面性。一方面劳动是负担，一方面劳动又是享乐。劳动的不完善并不能抵消劳动的享乐性，而劳动的完善也不能取消劳动的负担性。

在常态下，劳动的负担性极其显著。这是由于劳动整体技能质量水平相对低，使满足人基本生存需要相对困难，因而明显地表现出了负担性。负担性的存在，使劳动主体感到一种外在的压力。这种压力是劳动主体摆脱不掉的，即使处在劳动顺境时，压力也存在，只不过变得隐晦一些罢了。而在劳动逆境时，外在的压力甚至可能完全压垮劳动主体。

原始社会时期，一群一群的原始人逐水草而居，靠采集、渔猎为生，终日劳作，勉强维持生存。为了抵抗险恶的自然条件，人们只能集体劳动，相依为命。即使这样，每遇天灾，都要造成原始人大量死亡。更何况，在生存的竞争中，原始战争频仍。这使人无时不感到劳动的艰难。

奴隶社会时期，劳动的负担主要落在奴隶身上。身披锁链的奴隶每天要从事繁重的劳动，苦不堪言。奴隶社会的繁荣建立在奴隶的血汗乃至白骨之上。就是自由的劳动者，也无不苦做终身。奴隶社会的战争，更将劳动的苦难推向了社会的极点。奴隶们不得不生产，不得不打仗，然后悄然走进冥间。

封建社会时期，农民的劳动负担显而易见。“锄禾日当午，汗滴禾下土”。风吹日晒，辛勤劳作，梦求的只是温饱。然而，大荒之年，乃两眼瞪天，毫无办法。战争，仍然极端地表现了劳动的负担性。

在资本主义社会初期，劳动负担的沉重曾使千千万万工人过早地离开了人间。变态的负担也明显地表现出来。资本主义市场竞争的激烈实质是劳动负担压力激烈的转化形式。这种负担的严重，到了现时代虽然不再表现为工人的整天拼命苦干，但仍然使人处处能感觉到。时间就是金钱，时间就是效率，这竞争的宗旨深深地印在每一个人的心头，转而言之，金钱和效率就是生存的希望，而且，全靠劳动去换取，无论采取什么劳动，总之要劳动，包括变态劳动在内。

在社会主义劳动完善化的过程中，劳动的负担仍然是引人注目的。劳动完善化的前提是打开通向宇宙空间之路，这是艰难的，没有长期的艰苦的努力，绝不可能实现这一目标。劳动的负担不再只是为了解决眼前的吃、穿、住等等，而是要解决人类的根本的生存出路。虽然社会主义消灭剥削和压迫，但劳动自身的压力是不能免除的。消灭战争的过程，也是消灭国家的过程，这同样是劳动的过程，是艰苦劳动的过程，这一劳动过程关系到人类的生存命运，因而，仅此过程也表明社会主义劳动的负担性。这都是客观的不可避免的。

另一方面，无论何时，劳动也存在着享乐性。享乐来自创造。劳动的实现是一种创造，不论简单与复杂，只要实现了劳动，就是创造了一种新的结果。享乐是自然孕育在这种结果之中的。这里讲的创造，不是指创造性劳动的创造，而是泛指一切有用劳动的功能。极而言之，即使是负担最重的劳动，也不乏享乐性。或是说，在最痛苦的劳动中，也有享乐。矛盾就是这样存在的，事实就是这样矛盾的。

享乐性是劳动发展的内在动力。当劳动主体看到自身辛勤劳动的成果时，享乐的情感是情不自禁的。原始人劳动的乐趣，我们不难从出土的陶器上隐约地感觉到，那古老的线条美、图案美、形体美历历在目，使人毫不怀疑，创作者本身也是获有美的感受的。奴隶在锁链下劳动，如果没有自身美的创造，是活不下去的，正是劳动的享乐性给了他们生存的力量。现在留世的奴隶社会时期的精美文物，或雄伟建筑，或玲珑的饰物，莫不是苦难深重的奴隶的劳动的创造。也正是在这些创造的享乐之中，奴隶们的心灵感受了大自然的慰藉。封建社会的农民，饱受地主压榨，但这并不能剥去农民劳动的乐趣。这种乐趣只有辛勤劳作的人自身才能体会到，旁人是不能干预的。资本主义生产方式下的雇佣劳动者，像是任人使役的工具，但同样，他们也自有别人享受不到的乐趣。否则，单调、枯燥、繁重的劳动会使劳动者陷入绝境。当然，在一些有兴趣、有刺激性、有竞争性的劳动中，特别是在创造性劳动中，劳动的享乐性是比较明显的，这是人们早已公认的。我们强调的是，享乐性绝不是少数劳动特有的，而是所有劳动共有的，也就是说，它具有一般性特点。只不过，在有些劳动中，享乐性较少且不明显。人们可以看到，在社会主义劳动实践中，尽管目前尚存许多有待改革的地方，但劳动的享乐性为人所共知，人们已习惯于把劳动作为一种乐趣，倘若不劳动，定会怅有所失。其实，在现时代，这种情况已是各种不同社会制度国家里的普遍现象。一些老年人生活很富裕，但退休之后仍要找一些事做，哪怕报酬很低，工作很辛苦，也愿意坚持做下去，只为寻找那一份劳动乐趣，以充实自己的晚年。

在常态下，劳动的负担性和享乐性也是常态的。这就是说，正态劳动有正态的负担和享乐，变态有变态的负担和享乐。剥削者有剥削的负担，也有剥削的享乐。竞争越激烈，剥削的负担越大；剥削的收入越多，剥削的乐趣越高。战争中受制于对方，是负担，制约对方，是享乐，是战争的目的，即达到这一目的，就能获得享乐，部分地达到，部分地获得。在军事劳动变态的疯狂中，杀人实际上也成了一种乐趣。经过长期战争的洗礼，听到枪响，看见刀光，人们不再感到恐惧，而是亢奋激昂。更有人坦率地承认，作为一个常打仗的人不打仗，浑身痒痒，非大打一仗才觉得痛快。在战场上，生死搏斗极度恐怖之后是超然的快意。记得有一位著名的女作家，曾侃侃而谈，她愿意死在战场上，言语之中流露出对往昔军事生活的无限眷恋。变态的人生旅程将人的美的感受也完全地扭曲了。侵略战争的发动者，军国主义的杀人狂，嗜血如命。反侵略战争的英雄们，复仇之后，亦要痛饮美酒，尽享良宵。变态的疯狂与变态的乐趣是成正比的，血肉横飞铸成了将军们的五彩勋章，打得越激烈，战争对军人的吸引力就越大。这种内在的动力相对独立颇有成效地驱使战争步步升级，直到今天全人类都被置于核战争的死亡威胁之下。退一步说，即使不在战场上，军工厂的工人们也对自己劳动汗水换得的飞机大炮怀有感情，虽然人人知道这些武器是要用在战场上杀人的，但这也无妨他们对自己的劳动成果由衷地喜爱。

常态劳动的负担和享乐是封闭性的。负担是地球有限生存空间中的负担，享乐是未能整体超出自然的必然下的享乐。常态劳动本身是封闭性的劳动，由此劳动的两面性也受到地球封闭性的局限。在封闭的生存条件下，人们劳动享乐总的说是不多的，封闭的负担性从另一面制约着享乐性的焕发。现时代发达国家拥有充分物质享受的人经常面临的仍然是生存的威胁，不算核武器的悬空作用，只说日常的经济竞争，也是使人疲于奔命，劳动的情趣在紧张的生活环境中所剩无几。庸庸碌碌地劳作难以使人振奋，而明明白白地搏击又无疑面对着巨大的社会压力。当然，迎难而上本身就是一种乐趣，但是，这种乐趣比起处世的艰难又实在是比重占得很小，因而绝大多数的人还是避而远之，即使少数优秀的人才也是历经千难万险才品味到那胜利的甘甜。劳动变态的享乐是愚昧而盲目的，其所得到的只是动物也会得到的快感。而且，在变态的扭曲下，正态劳动的享乐总是要付出巨大的代价。奴隶的劳动享乐只有在锁链锁不住的情感空间才能稍有体验。平民百姓也只能在炮火平息的期间略享自己的勤劳之美。我们知道，变态来自封闭，所以，最终还是人与自然交流的封闭性导致了常态下正态劳动享乐性的压抑。

当劳动实现完善化之后，真正的人的劳动的负担性和享乐性，既是存在的，也是与常态下的表现不同的。完善的劳动的负担性不是封闭的，而是无限开放的。劳动的主体不是局限于地球生存空间的压力，而是始终要不断地在无限的宇宙中间为自己开辟生存条件。完善的劳动的享乐性也是无限开放的，不再受变态的侵扰，也不再拘于封闭空间的磨难，在未来广阔的宇宙生存空间之中，人类的劳动将充分获得美的享受。人类的无限的智力的延展将步及无限宇宙的韵律，合奏出令人怡然神往的佳音，美不胜收。但是，这种享乐并不是绝对自由的，我们只能合逻辑地推断出未来劳动的享乐性，却不能幻想这种享乐可以绝对地自由化。到任何时候，人也没有绝对的自由，完善化之后的劳动也不可能为人带来绝对自由的享乐。任何享乐性都是相对的，都是有条件的，因为它同时总是处在负担性的对面，从来没有无负担的享乐。将未来的共产主义社会想像成万般地舒适，将那时的劳动想像成惟有乐趣，将人的未来想像成无忧无虑，乃是封闭的生存空间下狭隘的安乐心态对未来的憧憬，绝非符合客观的合逻辑的认识。这种认识只能在严酷的现实中碰得粉碎。这种不能为现实接受的认识也同样经不起严格的理论推敲，它只能像宗教一样去抚慰常态下苦难人生的心灵，而不具有坚实的无限的理论生命力。未来的社会，不论发展到哪一阶段，生存都是人的第一需要，为了生存，人类总要承受自然的压力。完善化的劳动实现之日，只是完善的人类为生存而奋斗的零的起点。现实的生活足以使我们认识到，绝对的自由是与生命现象无缘的。

人，不能离开自然，人是自然中的人，无论到何时，人的存在总是大自然中的存在，因而，人必然受大自然的约束，人不可能摆脱大自然的约束，人只能在大自然的约束下生存，人与自然的交流必然是这种约束下的交流，这就是人的劳动的负担性存在的根本原因。另一方面，人与自然的交流，并不完全是被动的，也不完全是约束的，而是在被动中有主动，在约束中有创造，这种主动创造的成功。就是人对抗自然获得的自由，人正是在这种自由中认识到自身在自然中的存在，享受到自身存在的乐趣，这就是人的劳动的享乐性存在的根本原因。总之，人与自然交流的客观性决定人的劳动的负担性和享乐性共存。从负担性来看，人必须不断地与自然交流，一旦交流中止，人的生存延续就会中止。从享乐性来看，人正是在与自然的不断的交流中实现了生存，实现了自身的创造，实现了自身创造对自然的内容的丰富，塑成了人与自然的对抗力量。

三 劳动与人性

人性，就是人的品性。劳动是人的本质，劳动决定人性。确切地讲，人性是由正态劳动决定的，只有正态劳动才能产生人，产生人性。没有完善的劳动，就没有完善的人性。在常态劳动下，劳动是不完善的，人是不完善的，人性也是不完善的。

变态劳动是动物的求生方式在常态社会中的延续，不能产生人性。而且，由于变态劳动的存在，使得常态下的正态劳动决定的人性是不完善的。

以为历史的和现实的社会是正态社会，是真正的人即完善的人的社会，是根本错误的。以为历史的和现实的社会是邪恶社会，是完全异化的人的社会，亦是根本错误的。同样，以为历史的和现实的人具有完善的人性或完全不具有人性，也是根本错误的。

人类常态社会的历史并不是完全没有人性的历史，并不光是疯狂、残暴、破坏和攻击，并不与动物的活动完全等同。

人类常态社会的历史也并不是完全具有人性的历史，并不只是亲善、友好、慈爱与真诚，并不是未留有动物性的残余。

在疯狂、残暴、破坏和攻击方面，常态的人比动物走得更远。常态人对常态人的迫害极大地超过他们从动物方面受到的威胁。从这个意义上讲，常态的人是最凶恶的野兽。不论这种恶性体现在哪些人身上，也不论这种恶性在人的身上占有多大的比重，总归这是人类常态整体中的事实存在，表现出整体发展中的必然性。如果撇开整体的必然，去强调整体中的恶的存在，那只是短见的认识，不可能从根本上阐明客观的事理。

在亲善、友好、慈爱与真诚方面，常态的人远远超过了动物。人性与动物性有着同样的生物本能性基础，但人性中具有的理性却是动物性中所不具有的。除了生物本能性基础外，动物性有的只是野性，所以，从实质上说，动物性指的是野性。常态人的人性虽然不完善，但也完全超出动物性。常态人的不完善人性同样是人类整体具有的品性，不论这种人性体现在哪些人身上，也不论这种人性在常态人身上占有多大的比重，我们必须首先从整体肯定这种人性的客观存在。

所以，从整体上看常态社会的人，既不能否认其具有人性，又不能承认具有完善的人性；既不能否认其具有残暴的动物性，又不能承认其动物性完全淹没了人性。从常态的人身上，可以寻找到单纯的人性（不完善的），也可以寻找到单纯的动物性（更疯狂的），但更重要的还是需从二重性的合体上来认识常态的人。单纯强调常态人的人性，是片面的；单纯强调常态人的动物性，也是片面的。我们不能以认识的片面的深刻性取代认识的全面的辩证性。

恩格斯认为“动物所能做到的最多是搜集，而人则从事生产，他制造最广义的生活资料，这是自然界离开了人便不能生产出来的。因此，把动物社会的生活规律直接搬到人类社会中来是不行的。”① 而我们从常态社会观来认识事实，不得不说由于存在着变态劳动，所以在常态社会中，动物社会的生活规律在一定程度上是适用的，不能将其完全排除，排除了就不能从自然的基础上解释邪恶的存在了，当然，同样也不能完全用动物社会的生活规律分析常态社会。这就是说，人们绝不能用完全的人性来分析常态社会的人生存在。这是一个根本的认识问题。只有正确解决这一问题，才能正确地认识历史的和现实的人。

以往常见的是，脱离劳动去谈人性，或抽象地谈，或具体地谈，似乎有谈不完的谜。其实，人性并不是一个神秘的东西，它不过是劳动在人身上的各种作用的综合反映。人与人之间的友好互助关系是在正态劳动中形成的，人的生物本能爱的升华也是经过正态劳动的人的思索才实现的。真、善、美，只有正态劳动有。变态劳动产生的只是假、丑、恶。人性是不包含假、丑、恶的，这一点绝对不能混淆。我们从常态人身上可以看到真、善、美与假、丑、恶的混合，看到其矛盾的对立，但是却不能以此将不同态势的劳动的决定性混在一起。从抽象的角度认识，人性的真、善、美与非人性的假、丑、恶是截然分明的。虽然现实的总是具体的，但抽象的明确是有助于认识现实的具体的。具体的常态人，或人性成分多，或非人性的成分多，这是由其所受的劳动影响决定的。严格说来，完全的非人性同完全的人性一样，在具体的常态人身上是不存在的。进一步说，由于人性是劳动决定的，真实的正态劳动决定真实的人性，所以，未成年未劳动的人只是潜在的人。潜在的人是受现实的人影响和教育的，潜在的人接受什么影响和教育对他进入劳动阶段是有很重要的基础作用的，但根本上他成为什么人，还是由他成人进入劳动的社会以后

① 《马克思恩格斯选集》，第3卷，人民出版社，1972，第572页。

决定的。在未来实现共产主义社会以后，潜在的人必然会发展为真正的人，这是由未来社会劳动整体的正态决定的。但是，在现实常态社会，潜在的人只能发展为不完善的人，可能人性多一些，也可能人性少一些，全取决于不完善劳动的影响。

人性的品位，是随着正态劳动的发展逐步提高的。低品位的人性，尽管朴素纯真，让人留念，但却必须改变，因为它无以制止非人性的疯狂发展。只有高品位的人性才能最终制止非人性的发展，实现人性的完善。

恩格斯认为："人来源于动物界这一事实已经决定人永远不能完全摆脱兽性，所以问题永远只能在于摆脱得多些或少些，在于兽性或人性的程度上的差异。"① 我们认为，在常态社会中这是事实，但具体的兽性即动物性是生物本能性与野性的合体，人类不能摆脱的不是这种具体的合体，而是生物本能性，这永远是人性的基础；而兽性的实质是野性，人类在常态下不能摆脱，一旦实现了劳动的完善化，人类完全可以摆脱它。也只有摆脱了兽性，人类才能成为真正的人，人性才能完善。这就是说，不完善的人性与兽性并存，仅仅是人类常态社会的事实，仅仅是劳动不完善的表现。兽性，绝不会伴随着真正的人存在。劳动的完善将决定人性的完善，完善的人性是排斥任何形式的任何程度的兽性存在的。在具体的完善的人的身上，只有生物本能性，而绝没有实质为野性的兽性。

四 完善化劳动

完善化的劳动是人类常态劳动发展最终要达到的理想境界。

① 《马克思恩格斯选集》，第3卷，人民出版社，1972，第140页。

实现这一理想境界，是社会的必然，要靠质变中的常态人的长期自觉的努力，不存在任何宿命的可能，不能将此与自然的必然等同起来。

完善化的劳动是没有变态劳动的劳动，是正态劳动为整体的劳动。剥削作为人类劳动常态发展阶段上的自然表现，在完善化的劳动中不复存在。军事劳动作为最野蛮的动物的求生方式，也终将被消除在完善化的劳动的整体实现之前。

完善化的劳动是活跃在无限的宇宙空间之中的劳动。无限的宇宙间的自然资源是完善化的劳动发展的物质保障，劳动的资产条件的发达足以适应人类在宇宙间生存的需要，劳动的智力水平将达到相当的高度并充分展现出具有无限发展的潜力，劳动的张力将延至人类生存的宇宙间的每一个角落。无限的宇宙空间为人类劳动向无限发展提供了无尽的物质条件，向无限发展的人类劳动为无限的宇宙空间增添了无穷的精神魅力。

在无限宇宙空间扩展的完善化的劳动是物质劳动高度发达的劳动。人类对人化自然的认识已有决定性的突破，大自然的奥秘更广阔地显现在人类的生活之中，为劳动主体所掌握。物质产品生产已高度体系化、社会化和自动化。劳动产品能基本合理地满足全社会的需要。物质劳动的主体能自觉地实现与自然的和谐。在无限的宇宙空间扩展的完善化的劳动也是精神劳动高度发达的劳动。人类对人的自然认识也已有决定性的突破，人类在完善自身的基础上对社会的把握进入了真正科学的阶段。复杂精神劳动仍是保持人的自我实现的关键。社会经济的管理能基本掌握客观运行的轨迹，能动用复杂计算工具详尽安排全人类的劳动内容，并能将非生产劳动压缩到最小幅度之内。人类劳动整体不再是盲目的整体，而是自觉的整体，每一位劳动者都将自觉地树立起全人类整体生存意识并自觉地在其中发挥自己的应有作用。

完善化的劳动是排除了国家、集体、家庭和个人阻碍的劳动。劳动不再以国家为基本屏蔽，不再以集体为直接利益的体现，[①] 不再以家庭为劳动主体的代代延续的聚合点，不再以个人为权力的支配者，尽管个人永远是劳动主体构成的最终依托体。[②] 劳动直接沟通了个人有限生命历程与无限的自然的联系。劳动直接成为了全人类整体力量的表现，为全人类整体的生存延续不断地开辟道路。

完善化的劳动是共产主义社会的劳动。共产主义社会既是人类常态社会发展的尽头，也是真正的人的社会的起点。共产主义社会是高度物质文明和高度精神文明并进的社会，也是个人的相对自由和社会的相对自由同处的社会。完善化的劳动为共产主义社会的实现创造了条件。在未来的共产主义社会的发展中，完善化的劳动将创造出真正的人的生活需要的一切。

五 结 语

1938 年 10 月在美国纽约市东北郊预计要在 1939 年春季开幕的世界展览会工地上，人们把一些纪念品装在一只坚固的金属封包里，埋入地下，准备等 5000 年后（即公元 6939 年）让后代子孙把它掘出来打开看。这只封包里有一封给 5000 年后子孙的信，是著名科学家爱因斯坦写的。他这样写道：

> 我们这个时代产生了许多天才人物，他们的发明可以使我们的生活舒适得多。我们早已利用机器的力量横渡海洋，

① 由社会化生产决定的劳动集体是不能取消的，这里讲的是取消集体所有制。

② “在那里，每个人的自由发展是一切人的自由发展的条件”（参见《马克思恩格斯选集》，第 1 卷，人民出版社，1972，第 273 页）。

并且利用机械力量可以使人类从各种辛苦繁重的体力劳动中最后解放出来。我们学会了飞行，我们用电磁波从地球的一个角落方便地同另一个角落互通讯息。

但是，商品的生产和分配却完全是无组织的。人人都生活在恐惧的阴影里，生怕失业，遭受悲惨的贫困。而且，生活在不同的国家里的人还不时互相残杀。由于这些原因，所有的人一想到将来，都不得不提心吊胆和极端痛苦。所有这一切，都是由于群众的才智和品格，较之那些对社会产生真正价值的少数人的才智和品格来，是无比的低下。

我相信后代会以一种自豪的心情和正当的优越感来读这封信。①

爱因斯坦所讲的自身时代是常态人的时代。这位大科学家清楚地表述了正态劳动与变态劳动并存的事实，但却未能确切地以辩证唯物史观来概括认识这些事实，更没有以劳动完善化论的观点来看待今后社会的发展，尽管他在认识人化自然的方面当时已经站在了宇宙空间的高度并早已提出了著名的相对论原理。

我们对于人类劳动自起源至今发展的概括分析，归结起来就是辩证唯物史观和劳动完善化论。

辩证唯物史观阐述了人类劳动起源后正态劳动与变态劳动对立发展的自然历史过程和辩证历史过程。这一新的历史观表明，人类劳动的起源是常态劳动的起源，人类劳动至今的发展是常态劳动的发展，人类社会的起源和发展亦是常态的起源和发展，人类本身从起源发展到今天也仍然处于常态人的发展阶段。在常态

① 《爱因斯坦文集》，第3卷，商务印书馆，1979，第159页。

社会中，常态劳动是社会存在的基础。①

劳动完善化论阐明，人类常态劳动发展达到智力主导作用呈现起主要作用的趋势的阶段，复杂物质劳动能够打开通向无限宇宙的大门，复杂精神劳动能够在此基础上自觉地认识社会的必然，劳动整体就进入了完善化的过程。这一过程是人类常态劳动的根本质变过程。经过了这一过程，人类常态劳动就转化为完全的正态劳动，即真正的人的劳动。这就是人类劳动常态起源、常态发展、常态质变之后，才实现的完善。在劳动完善的基础上，人类和人类社会都将完善。这一完善化过程就是社会主义实践过程，社会主义的实质就是劳动的完善化。实现了劳动的完善化，人类社会就进入了共产主义社会的发展阶段，人类将在新的历史起点上蓬勃前进。

辩证唯物史观和劳动完善化论的提出表明，马克思主义政治经济学研究必须要打破认识的封闭性。过去的研究只是站在封闭的地球生存空间看问题，以有限的生存条件为前提，因而还不能透彻地认识历史的和现实的社会的经济运动规律。马克思指出："资本主义生产由于自然过程的必然性，造成了对自身的否定。这是否定的否定。这种否定不是重新建立私有制，而是在资本主义时代的成就的基础上，也就是说，在协作和对土地及靠劳动本身生产的生产资料的共同占有的基础上，重新建立个人所有制。"② 恩格斯讲："当我们把生产资料转交给整个社会的手里时，我们就会心满意足了。"③ 经典作家们的理论概括的含义很

① 作为常态社会经济生活实质内容的常态劳动，是至今存在并发展的，因此，不能认为"人类劳动尚未摆脱最初的本能形式的状态已经是太古时代的事了。我们要考察的是专属于人的劳动"（马克思：《资本论》，第1卷，人民出版社，1975，第202页）。

② 马克思：《资本论》，第1卷，人民出版社，1975，第832页。

③ 《马克思恩格斯全集》，第22卷，人民出版社，1975，第628页。

清楚，在他们看来，只要否定了资本主义私有制，实现了生产资料的共同占有，即生产资料的社会所有制，就一切问题都从根本上解决了，一切苦难都从根本上消失了。① 而客观的事实是，在一个封闭的生存空间中，将生产资料完全公有，即全人类共同占有或全社会所有，并不能解决人类生存这一根本问题，因为永久的生存要求不可能靠有限的生存条件来满足，封闭的生存空间不可能容纳人类要无限发展的生命热潮。但长期以来，人们却一直将封闭性的认识视为不可动摇的基本原理，而没有发现其中隐含着无可争辩的自相矛盾。人们没有察觉到认识的前提是封闭性，人们以为通过一定的手段（不必追究是什么手段），人类就可以在封闭的地球空间（没有意识到这是可以打破的）实现人与人关系的平等和友好，就可以自由地劳动，自由地生活，享受人的尊

① 恩格斯在《社会主义从空想到科学的发展》中对这一点有更明确更全面的表述。他认为："一旦社会占有了生产资料，商品生产就将被消除，而产品对生产者的统治也将随之消除。社会生产内部的无政府状态将为有计划的自觉的组织所代替。生存斗争停止了。于是，人才在一定意义上最终地脱离动物界，从动物的生存条件进入真正人的生存条件。人们周围的、至今统治着人们的生活条件，现在却受到人们的支配和控制，人们第一次成为自然界的自觉的和真正的主人，因为他们已经成为自己的社会结合的主人了。人们自己的社会行动的规律，这些直到现在都如同异己的、统治着人们的自然规律一样而与人们相对立的规律，那时就将被人们熟练地运用起来，因而将服从他们的统治。人们自己的社会结合一直是作为自然界和历史强加于他们的东西而同他们相对立的，现在则变成他们自己的自由行动了。一直统治着历史的客观的异己的力量，现在处于人们自己的控制之下了。只是从这时起，人们才完全自觉地自己创造自己的历史；只是从这时起，由人们使之起作用的社会原因才在主要的方面和日益增长的程度上达到他们所预期的结果。这是人类从必然王国进入自由王国的飞跃"（参见《马克思恩格斯选集》，第3卷，人民出版社，1972，第441页）。我们的研究表明，在这种"一旦"和"飞跃"之前，人类必须获得无限的生存条件，也就是说，"真正人的生存条件"不能是地球有限的封闭空间，如果没有这样的前提实现，那么这种"一旦"与"飞跃"之间没有逻辑的必然联系。

严，成为“解放”了的人。人们将封闭的生存条件当成天经地义的，当成永不可改变的。而同时，资产阶级政治经济学指出，人类社会绝不能改变私有制，人与人之间必然存在利益的争夺，社会之中的生存斗争是不会停止的。对此，不言而喻，资产阶级政治经济学认识的前提也是封闭性的，也是囿于封闭的地球生存空间看问题。而事实上，既然认识的前提是封闭的，那么合逻辑地讲，在这种前提下，即在封闭的地球生存空间条件下，人类是没有出路的，因为有限不能容纳无限，在有限内必然争夺，在这一点上，或许可以说，资产阶级政治经济学的认识更为准确和现实一些。由此完全可以断定，在地球上，私有制是与自然的生存压力相协调的，它保护了个人为了生存的争夺，也就最大限度地保护了人类在封闭空间下的生存。相反，一方面保持认识的前提是地球的封闭生存空间，另一方面又认为在这一前提下就可以实现人间的一切美好，实现天下为公，实现世界大同，则是不合逻辑的和缺乏现实基础的。或许，当初人们没有意识到地球生存空间的封闭性是理论研究的一大缺憾，但是，在人类尚未打破这种封闭性之前，它是现实的，所以不用意识到这种封闭性，只要以现实为认识基础，那么自然会合逻辑地推出资产阶级政治经济学所做的必须维护私有制的结论。问题在于，我们承认资产阶级政治经济学的结论正确，只是指在既定的前提条件下的承认，即只承认是在地球封闭的生存空间条件下结论正确。一旦地球的封闭性被打破，资产阶级政治经济学的结论就不成立了。我们知道，现时代人类劳动的发展已经打破了地球的封闭性，打开了人类通向无限宇宙的大门，因而，现在需要修改的是政治经济学共同的认识前提，至于结论，可以这样说，在封闭性的认识前提改变之后，就宣告了资产阶级政治经济学的结论彻底破产，而马克思主义政治经济学的原有结论则在理论上获得了完全的新生。这就是说，共产主义社会一定能实现，但必须是建立在无限的宇宙生存空间之中，这取决于人类劳动整体的自觉的努力。所以，打破认识的封闭性，展向无限的宇宙来认识人类现实的和未来的社会经济生活基本问题，既是现时代对坚持马克思主义政治经济学提出的郑重要求，也是马克思主义政治经济学解脱传统束缚充满活力地向前继续发展的新的起点。

如何在生存压力下生存下去，是社会经济生活的基本问题，也是人类存在和人类社会存在的基本问题。辩证唯物史观和劳动完善化论阐明：人类常态社会是人类跃进无限宇宙生存空间的前奏曲，抵抗真实的封闭空间下的生存压力始终是人类常态社会的根本任务。因此，透过几百万年的历史，今天，我们终于认识到，人类常态社会的根本矛盾就是无限发展的生存要求与有限的地球生存空间的矛盾。这一根本矛盾在常态社会发展的各个阶段上采取了正态劳动与变态劳动对立的不同表现形式。这一根本矛盾是人类社会基本矛盾即劳动内部矛盾在常态社会发展阶段的具体体现。

劳动的内部矛盾即劳动主体与劳动客体的矛盾发展决定人类社会的发展。劳动主体（人）与劳动客体（自然）是在对立的统一中发展变化的，人的发展表现为体力与智力（尤其是智力）的发展，自然的发展表现为在人的能力的作用范围下不断地扩大（由封闭空间趋向开放空间）。常态社会的无限发展的生存要求涵盖在劳动主体的发展之中。封闭的地球生存空间，从最广义上说，既是常态劳动的劳动客体，也是常态劳动要打破的劳动客体。人类常态社会的根本矛盾的积极解决，就是常态劳动的劳动主体与劳动客体共同发展取得质的突破，即常态的人打破地球有限生存空间的封闭获得无限的生存条件转化为正态的完善的真正的人。然而，即使今天看来，人类常态社会的根本矛盾也还存在着消极解决的可能性，这就是常态劳动的劳动主体与劳动客体的矛盾没有辩证地转化为新质的劳动内部矛盾，而是或主体走向毁灭或主客体双方走向毁灭，即常态人未能打破地球有限生存空间的封闭，或在劳动变态的疯狂中自身走向毁灭，或在地球生存空间的有限期到来之际共同毁灭。从现实讲，地球生存空间的封闭性已经被打破，人类是有希望进入无限的宇宙空间生存的。而消极地解决常态社会根本矛盾的可能性现在主要体现在劳动变态的疯狂之中。

对人类常态社会根本矛盾的认识源于对人类社会基本矛盾是劳动内部矛盾即劳动主体与劳动客体的矛盾的认定。我们的论述阐明，现实社会的一切矛盾都包含在人类常态社会的根本矛盾中，或是说都是人类常态社会的根本矛盾的具体化的延伸。而这一切，即所有的各种具体矛盾都必然能从劳动主体与劳动客体的矛盾中得以终极的解释，或是说劳动主体与劳动客体的矛盾在常态下的解决是常态下的各种具体矛盾解决的最终需要。这与传统理论对社会基本矛盾的认识不同，体现了理论认识的推进和发展。传统理论认为，生产力与生产关系之间的矛盾，经济基础与上层建筑之间的矛盾，是社会的基本矛盾，其中经济基础与上层建筑之间的矛盾又是由生产力与生产关系之间的矛盾决定的，因为经济基础就是生产关系又一种表现形式，所以，社会的基本矛盾也可以简单概括地说是生产力与生产关系之间的矛盾。马克思和恩格斯在早期著作《德意志意识形态》中写道："按照我们的观点，一切历史冲突都根源于生产力和交往形式之间的矛盾。"①这里，交往形式是生产关系的早期用语。后来，马克思将这一认识在《资本论》中做了更为完整的表述："就劳动过程只是人和

①《马克思恩格斯选集》，第1卷，人民出版社，1972，第81页。

自然之间的单纯过程来说，劳动过程的简单要素对于这个过程的一切社会发展形式来说都是共同的。但劳动过程的每个一定的历史形式，都会进一步发展这个过程的物质基础和社会形式。这个一定的历史形式达到一定的成熟阶段就会被抛弃，并让位给较高级的形式。当一方面分配关系，因而与之相适应的生产关系的一定的历史形式，和另一方面生产力，生产能力及其要素的发展，这二者之间的矛盾和对立扩大和加深时，就表明这样的危机时刻已经到来。这时，在生产的物质发展和它的社会形式之间就发生冲突。”[①] 至今，社会的基本矛盾是生产力与生产关系之间的矛盾，仍被人们坚持用做基本原理之一。[②] 然而，由于时代发展了，人类劳动的能力提高了，认识的视野开阔了，马克思主义理论的发展已经有可能在对社会基本矛盾的认识上向前推进了。我们的研究表明，生产力与生产关系之间的矛盾不是社会矛盾的终端概括，也不是社会经济生活内容的实质概括。在生产力与生产关系之间的矛盾之前，应是生产力内部的矛盾，生产力与生产关系之间的矛盾必然是由生产力内部矛盾决定的，因而绝不能断定被决定的矛盾即生产力与生产关系之间的矛盾为基本矛盾。进一步说，以被决定的矛盾作为基本矛盾实质是排斥了其决定的矛盾的基础作用，即排斥了生产力内部矛盾的基础作用，而着重于在生产关系形式上的适应性方面下工夫，这就在认识上为夸大生产关系（人与人的关系）的适应作用创造了条件。事实上也正是如此，人们至今认为，在阶级社会，生产力与生产关系之间的矛盾

① 马克思：《资本论》，第3卷，人民出版社，1975，第999页。

② 恩格斯在《路德维希·费尔巴哈和德国古典哲学的终结》中也这样指出：“在现代历史中，国家的愿望总的说来是由市民社会的不断变化的需要，是由某个阶级的优势地位，归根到底，是由生产力和交换关系的发展决定的”（参见《马克思恩格斯选集》，第4卷，人民出版社，1972，第247页）。

表现为占统治地位的剥削阶级与被剥削被统治阶级之间剧烈的对抗和冲突，这种对抗和冲突只能由社会制度的改变来解决，即由人与人之间的生产关系的根本调整来解决。这实质是没有认识到社会制度的改变仍然是由社会的真正的基本矛盾决定的，社会制度的改变不过是其决定作用下的表现而已。于是，这就导致了社会主义实践运动中将社会制度的改变作为社会发展的决定作用。至今一些人仍然迷信社会制度能决定性地解决一切社会问题，而看不到社会制度本身即是被决定的产物。一些很有影响的人甚至将作为手段存在的社会主义公有制即生产关系的调整当成了社会主义的目的。可以完全肯定地说，目前的社会主义实践遇到挫折与这种理论认识是直接相关的。再者，生产关系对于生产力是形式，但生产力与生产关系之间的矛盾却是社会经济生活形式的矛盾表现，即其表现的是（社会经济生活的实质内容）劳动的人与自然的关系和人与人的关系的矛盾形式，[①] 因而，从内容决定形式的辩证逻辑出发，社会的基本矛盾只能是体现内容的劳动内部矛盾，只能是劳动中最基本的人与自然的关系之间的矛盾即劳动主体与劳动客体之间的矛盾，而不能是劳动内在的两个层次关系的外在表现形式上的生产力与生产关系之间的矛盾。这也就是说，单从形式上讲，社会发展的基本动力应归于生产力内部而不能停留在生产力与生产关系之间；但更全面更深刻地从经济内容来认识，做这样的形式上的归纳是不行的，必须要将终极的矛盾归于劳动的主体与客体之间的矛盾。总之，劳动是人的本质，劳动是社会的基础，社会的基本矛盾必然在劳动内部，绝不会在经济形式或生产方式上，因为社会发展的动力不能是形式。

劳动是发展的，不认识劳动的发展，就不能认识社会的发

---

① “生产力属于劳动的具体有用形式”（马克思：《资本论》，第1卷，人民出版社，1972，第59页）。

展。劳动主体与劳动客体的矛盾发展是社会发展的决定条件。这就是说，决定人的存在的是人与自然的关系。社会是人的社会，人是社会的人，人与自然的关系发展了，人才能发展。人离不开自然，自然永存，而人要永存就必须永远保持与自然的交流。交流就是劳动，劳动就是人与自然的联系纽带，劳动主体与劳动客体的矛盾就是人与自然的矛盾。这是极终的矛盾。劳动客体包括自然的两个方面，即人化自然与人的自然化，劳动主体对劳动客体的认识包括认识自然的两个方面，因而，人与人的关系的调整派生于劳动主体与劳动客体的矛盾，调整人与人的关系的能力是劳动主体的能力的一个方面，即劳动主体认识劳动客体的两个方面之一，从根本上说，劳动主体的这方面能力的高低与社会的人与人的关系状况是一致的，而劳动主体的这方面能力又是在劳动主体认识人化自然的能力根本制约之上自觉地实现的，这两个方面的能力缺一不可地体现劳动内部矛盾整体，所以，推进社会发展的根本力量就是劳动主体（人）与劳动客体（自然的两个方面）的矛盾所决定的劳动整体的能力。

没有劳动整体能力的推进，就没有人类社会的进步。

劳动整体发展的历史就是人类和人类社会发展的历史。

劳动的完善化是在劳动整体能力推进中进行的，劳动完善化的实现是在劳动整体能力的推进中实现的。

实现了劳动的完善化，就是实现了人的完善化，实现了人类社会的完善化。

实现了完善化的劳动，不仅在人对人化自然的认识上打破了地球的封闭性，而且在人对人的自然化的认识上也打破了地球的封闭性。

完善化了的劳动，是劳动主体与无限宇宙的劳动客体沟通的劳动；完善化了的人和社会，是生存在无限宇宙空间之中的。

完善化了的人类社会的基本矛盾仍然是劳动主体与劳动客体的矛盾。有了这一矛盾的无限发展，才能有人类社会的无限发展。

人类永远面临着生存的延续问题，完善化后的人类社会的根本矛盾是无限发展的生存要求与无限的宇宙生存空间的矛盾（由于无限是由有限构成的，所以无限的生存要求与无限的生存空间的矛盾总是具体地体现为有限生存与有限空间的矛盾）。这一矛盾的存在是真正的人类存在的基础，这一矛盾的发展要靠真正的人类劳动的内部矛盾的发展去实现。

劳动是创造世界历史的动力。

最终，我们应该这样认识：人类劳动的完善，真正的人的实现，人类社会的进步，都是大自然（包括人与自然）中的物质（包括精神）变化的体现。

此时，让我们共同重温马克思留下的名言：

“在科学的道路上没有平坦的大道，只有不畏艰险沿着陡峭山路攀登的人，才有希望达到光辉的顶点。”

跋

作为博士论文研究来撰写的这部著作，是我长期钻研马克思主义理论取得的最重要的收获。

正如在当年德国知识界的一些庸人将黑格尔当做一条“死狗”对待时，马克思公开宣称他是黑格尔的学生一样；在当今许多国家的聪明人对马克思及其《资本论》置之一旁的时候，我也要明确地讲我的理论学习和研究是直接从《资本论》开始的，正是在这部巨著的基础上，我重新论证了资本主义存在和灭亡与社会主义产生和发展的客观现实性。

我的创作得到了导师杨坚白先生和李泽中先生的充分肯定，并寄予了殷切的希望。两位导师一直从思想上、理论上、方法上指导我进行深入细致的研究，鼓励我大胆地探索开拓。更为重要的是，两位导师身体力行，以孜孜不倦的严谨治学态度为我树立了学习榜样。今天，我能将这部著作奉献于世，首先受益于两位导师付出的大量心血。所以，应该说，这是两代马克思主义经济学理论工作者共同努力才取得的成果。

本书理论的研究过程是艰难困苦的。其辛险，只有身处这一过程之中的人才能体觉。我还将接着本书开创的理论继续研究，这已经得到了两位导师更坚定的支持，为我踏上新的坎坷之路增添了莫大的勇气。

在此，我怀着崇高的敬意，向杨坚白先生和李泽中先生表示衷心的感谢。

我将终生难忘在中国社会科学院研究生院学习的幸福。

钱　津

1993 年 3 月 16 日于北京

图书在版编目(CIP)数据

劳动论 / 钱津著. --北京: 社会科学文献出版社, 2004.12 (2025.4 重印)
(劳动论全集)
ISBN 978-7-80190-375-4

Ⅰ.①劳… Ⅱ.①钱… Ⅲ.①劳动科学 Ⅳ.①C97

中国国家版本馆 CIP 数据核字 (2023) 第 058306 号

·劳动论全集·
劳动论

著　　者 / 钱　津

出 版 人 / 冀祥德
责任编辑 / 屠敏珠　张丽丽
责任印制 / 岳　阳

出　　版 / 社会科学文献出版社·生态文明分社 (010) 59367143
地址: 北京市北三环中路甲 29 号院华龙大厦　邮编: 100029
网址: www.ssap.com.cn
发　　行 / 社会科学文献出版社 (010) 59367028
印　　装 / 三河市尚艺印装有限公司

规　　格 / 开 本: 889mm × 1194mm 1/32
印 张: 14　字 数: 336 千字
版　　次 / 2004 年 12 月第 1 版　2025 年 4 月第 5 次印刷
书　　号 / ISBN 978-7-80190-375-4
定　　价 / 98.00 元

读者服务电话: 4008918866